続 子どもへのまなざし

児童精神科医 佐々木正美

福音館書店

画　山脇百合子

続　子どもへのまなざし

目次

第一章

読者の質問に答えて

『子どもへのまなざし』をお読みいただいた多くの読者の方々から、とくにお母さん方から、たくさんの読者カードやお手紙による感想が寄せられました。お便りには「とても感動してなんども読みました」「育児に迷ったときに読み返すと、気持ちがやすらぐのが不思議です」「子育ての真っ最中ですが、とても励まされ、勇気づけられました」という感想が、びっしりと書きこまれていました。一方で、育児についてのさまざまなご質問もいただきました。そこで、この本では、ご質問にお答えする形で、お話をしていきたいと思います。

第一章では、読者の方々からのご質問のなかから、おもに、子育てについての不安や疑問を中心にお話をいたします。第二章では、子どもたちにとって大切な母性と父性について、どう理解したらいいのか、あるいは、どのようにしたら母性と父性が、子どもに伝わっていくのかについてお話をします。第三章では、いじめの問題、不登校のことなどにふれつつ、育児と社会とのかかわりについてお話しします。第四章では、障害のある子どもたちについて考えたいと思います。そして、この子どもたちをどう理解していったらいいのか、どう育てていったらいいのかなどについてお話をしていきます。

まず、本文に入る前にたくさんの読者の方々から寄せられた、ご意見、ご感想のうち、いくつかご紹介していきます。

三児の母です。この本にもっと早く出合いたかったです。この本を読むと心にゆとりが生まれ、子どもたちにもやさしく接することができるから不思議です。いわゆる育児雑誌では「何か月たったら何々をさせる。何々ができる」式のことが、あいかわらず特集として組まれています。第一子が生まれたとき、はじめて育児

をするお母さんたちが、そういう雑誌にふりまわされることなく、子育てができるといいですね。末っ子が通っている幼稚園では、まさしく幼児期は人生の土台づくりの時期としてとらえています。お母さん方も似たような考えの人が多く、この本の感動を共有したく、会う人ごとに紹介しています。ありがとうございました。

（一一歳と九歳と五歳の子の母親）

三歳の娘を持つワーキングマザーです。子どもがいるために残業ができなかったり、仕事を休んだりすることも多く、職場で肩身のせまい思いをしたり、あまりのいそがしさで、いらいらしてしまったりする私にとって「子を生み育てることのすばらしさ」を、十分に伝えてくださったこの本に出合えたことは、なによりの幸せでした。だっこをせがまれても、重いことを理由に断ることも多かったのですが、先生の本を読んでから、わが娘がいとおしく思え、なるべくするように心がけるようになりました。こうするようになったら、心なしか娘との関係もスムーズになってきたようで、私の願いも聞いてくれるようになったようです。

（三歳の子の母親）

三か月の子どもを育てています。はじめの一か月は、心から子どもなんて生まなければよかったと思っていました。抱いてあげれば眠るけれど、ベッドにおくと、すぐ泣いてしまうということのくり返しで、夜も眠れない毎日でいらだっていました。このごろは、あやすと笑ってくれるときがふえてきて、本当にかわいいと

思う日々です。そんなころに、この本を読ませていただき、これからも子どもの欲求にしっかりこたえてあげようという、すごくやさしい気持ちになりました。

（三か月の子の母親）

読んでいて（夜、眠くても）目がさめるような気持ちになりました。どこを読んでも納得ができ、ときに深く反省し、ときにうんうんとうなずきながら共感し、ときに泣きそうな気持ちになりました。読んでいると気力がわいてくる感じで、「明日から頑張ろう、初心に返ろう」と思え、本当に励まされました。

（一〇歳と八歳と五歳の子の母親）

全部読み終わって、思わず涙がでてしまいました。安心感というか、ただ手さぐりで夢中になって子育てしている自分に不安でしょうがなかったときだけに、本当に本当に道案内をしてくださったような気がします。ありがとうございました。いま、主人が会社にいく電車のなかでこの本を読んでいます。

（七歳と四歳の子の母親）

山脇百合子さんのすてきな挿絵とともに、最後まで心にしみこませながら読みました。わかりやすくて「そういうことなのか」と、すぐに理解できるようなエピソードがたくさん折りこまれており、それでいて、まったく押しつけがましくなく、本当にすばらしい本に出合えたと思っています。

（幼稚園教諭）

胎児期、そして出産後の親子の関係について

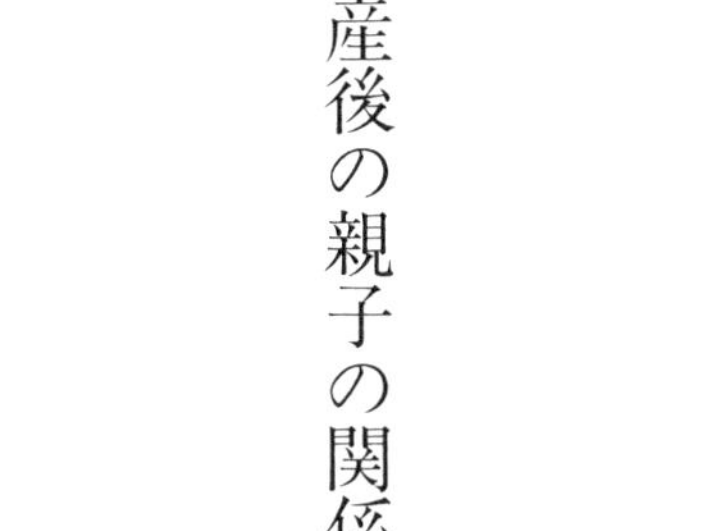

妊娠中に不安定な時期があったので心配です

『子どもへのまなざし』では、母体と胎児の交流のしくみを実証的な例でお話をしました。そして、胎児が母親の精神心理的な影響を受けるということについても書きました。妊娠中に精神心理状態が不安定だったお母さん方から、つぎのようなご質問が寄せられています。

次女を妊娠中に、私の実家の母が腎臓ガンで亡くなり、突然の出来事でつらい数か月をすごしました。生まれたあとの次女をみていますと、長女と比べて感情的に不安定な状態が多いように思えます。私は今後、次女をどのように育てていけばいいのでしょうか。

（五歳と二歳の子の母親）

私も妊娠中に精神的に不安定な時期があったものですから、本を読んでとても絶望的な気持ちになってしまいました。子どもが生まれたあと、それを補う方法は

あるのでしょうか。胎児期がわるければ、ずっとだめなんでしょうか。

（八歳と五歳の子の母親）

「今日よりも明日が」という気持ちが大切

読者のお母さん方が質問されているような、妊娠中に不安定な精神状態であったという、その程度のことは、人間ならだれもが生涯の間に何回もあるものなんです。ですから、そのことによって希望がないんだとか、もう取り返しがつかないんだということはありません。また、これなら申し分のない胎児期だったとか、十分だったというような妊娠歴を持っている人も、めったにいるものではないと思いますね。

胎児期だけのことではなく、生まれたあとでも、もうこれで心配ないんだというような、完全な育児というのも絶対にないと思います。理想的な育児とか、完全な育児なんていうものは、あってないようなものです。たとえあったとしても、それぞれの人によって、理想的な育児はちがうものですし、完全で一番いい育児は、これしかないということもないと思います。それに、世の中の多くの人が、いろいろな不完全さを持って生きているのです。それが人間なんだと、理解したほうがいいと思います。まずこういうことを、みなさんにわかっていただきたいですね。

妊娠中に、なにかしら問題があったという程度のことは、だれにだって大なり小なりあるのです。探しだせば、なにかしらは持っていると思うのです。けれども、過去をふり返って「あのときまずかった」と思うようなことがあっても、取り返しのつかないことなんかはないんですよ。では、どうやって取り返していくのかということですが、それは昨日より今日、今日より明日、ほんの小さな変化でも、よくなっているんだという気持ちを持って、日々こつこつやっていくしかないと思うのです。やっていくしかないというより、そうすることがいいんです。過去にこういう不幸な出来事があったとか、不十分な生育歴を持っていたなんていうことには、とらわれないほうがいいんですよ。

もっといいますと、人間というのは「今日より明日が」という気持ちがあれば、もう、その希望で安心することができて、しっかりと生きていけるものなんです。だから、過去にどんな不幸があろうと、失敗があろうと「よし、それじゃ今日より明日、ちょっと努力をして、すこしでも事態を好転させてやろう」という気持ちがあれば、それが希望になって生きていけるんです。たとえ今、どんなに病気が重かったとしても、「今日より明日が」という気持ちさえあれば、人間はその希望を支えにして、十分生きていけるものなんです。そして、病気も順調に回復していくものだと、私は思っています。

反対に、人間は今どんなに生活がめぐまれていても、将来に対してすこしでも希望が持てなくなったら、すぐに不安になってしまうものではないでしょうか。現在、経済的にどんなに豊かであっても、将来にすこしでも好ましくない状況がみえると、人間はすぐに、不安の気持ちを強くするものなんです。日本では正月に何十万人という人が海外旅行をするんですから、まだまだ豊かです。ところが、新聞などに経済不況が続くかもしれないと書いてあると、もうそれだけで、みんなが不安になってしまうんですね。

ですから、人間にとって希望というのは、とても大切なことです。そして、とくに子どもというのは、先がちょっとでも明るくみえれば、すこしでも希望があれば、しっかりと生きていけるものなんです。なぜなら、子どもたちには、これから何十年という人生がありますし、そ

のことを子ども自身が、直観的に感じて生きていますからね。
人間というのは、たとえ今、貧乏のどん底であっても、明日はすこしよくなるという希望があれば、それだけで生きられるものです。将来にすこしでも希望があれば、今、貧乏のどん底にあっても大丈夫なんです。

ときどき、私は子どものころのことを、ふっと思い出すことがあります。あるとき、家の米びつをみると、お米がないんですね。「明日の朝はどうなるんだろう」と思ったことがあります。けれども、つぎの朝の食卓には、ちゃんとご飯がでていました。たぶん、夜のうちに母がどこかに借りにいったのでしょうね。

そういうふうに、その日暮らしをしていましたが、母にはきっと、なんとかなるという希望があったのでしょうね。ああいう大変な時代でも、希望を持って生活できたというのは、本当にすごいことだと思いました。その日暮らしなのに、悲観なんかしていないんですから。だから、人間というのはどんなにせっぱ詰まった状況におかれても、希望というのは持てるものなんですね。

過去をふり返るのではなく、今からを考える

人間というのは、現在をうまく生きているという実感が持てないと、過去の不十分さに気持ちが引きずられてしまうものです。たとえば、過去に勉強をあまりしなかった時期があって、その結果、成績がよくないという場合、「あのときもっと勉強をしておけばよかった」とか、「ああしておけばよかった」などと悩んでいる人がいますね。そういう人は、自分の成績がわるいのは、過去に勉強しなかったからだと、今、悔やんでいるのだと思います。けれども、い

つまでも過去のことを悔やんでばかりいても、今、勉強をしなければ、いつまでも成績はよくならないのです。

反対に「今日からしっかり勉強しよう」と、ちゃんとこつこつ勉強ができるようになったら、過去に勉強しなかったことなんて、全然気にならなくなるものですよ。そして、成績だってきっとよくなっていくと思います。ですから、いつまでも昨日や過去のことなんかを、考えてばかりいないという気持ちも必要ですね。

同じように、精神的に不安定だった胎児期や出産直後のことを、いつまでもふり返って考えるより、今「この子をどう育てていこうか」という気持ちさえ持っていれば、過去のいろいろなことは気にならなくなるものです。過去のことにいつまでもとらわれているということは、じつは、現在がうまくいっていないからなんです。今、自分の子どもとうまくいっていれば、過去のことなんて忘れてしまうものなんですよ。

そういう意味では、私は忘れるということも、一種の才能だと思っていますから、うまくいかなかったことはすぐに忘れてしまい、いい思い出だけを記憶にとどめておくというふうに考えたらいかがでしょうか。そうすれば、だれもが希望を持って、人生を生きていくことができると思います。そうでないと、ちょっとした過去の不幸な出来事に、いつまでも気持ちが引きずられてしまって、今、もっとも重要なことはなにか、なにをするのが一番いいのかということが、わからなくなってしまうものです。

「今日より明日がちょっとでもよければ、それでいいんだ」という気持ちを持っていれば、過去の不十分なことを取り返せないなんていうことや、何歳になったから、もうやり直せないなんていうことはないんですよ。いつまでも過去のことを思い悩んでいないで、今できることから、子どもにやってあげればいいと思うのです。あまり悩んだり、もう絶望的だなどと考えないで、子どもはそれなりに育っていくものだという気持ちで、最善をつくせばいいのではないでしょうか。育児に希望を持って、子どもに接していけば大丈夫ですよ。私は、幼い子どもにとっての最大の贈物は、親が子どもに希望を持ってやることで、それ以上に価値のあるものはないと思っていますから。

出産直後、子どもと一緒にいられませんでした

出産直後にさまざまな事情で、お母さんと赤ちゃんが一緒にすごせなかったというケースがあります。そういうお母さん方は、子どもとの関係で不安を持ってしまうようなので、もうすこしお話をしようと思います。

私の子どもは未熟児で生まれました。一か月以上保育器に入っていて、出産直後の母子は一緒がいいという先生の考え方からすると、あの子は非常に不自然なスタートだったと思うのですが、どう育てていったらいいでしょうか。

（一歳の子の母親）

出産直後の母子同室はとても望ましいことなのですが、産院や母親たちがそれを望まないし、変えようともしない現状に胸を痛めております。

（小児科医）

出産直後の母子は一緒が望ましい

できることなら出産直後からそのままずっと、母親が育児をしたほうがいいというのは、ほぼ常識になっていると思います。けれども、母子ともに健康なのに「お母さんは家へ帰ったら大変なんだから、産院にいるうちぐらいは、ゆっくり休んでいきなさい」と、子どもを新生児室に預かって、面倒をみてくれる産院も少なくありません。

一方で、出産直後からの不必要な母子の分離が、その後の母親の育児に対する感情や意欲にもたらす影響は、想像以上のものがあることも指摘されるようになりました。おそらく、母親一人ひとりにも個人差があると思いますが、出産とその直後からの母子の関係が、その後の育児行動のあり方に、いろいろな影響を与えることは、たしかなことだと思います。

そういうことに、産科の医者も気がつきはじめ、子どもが生まれたらすぐにお母さんと十分に接触させ、安易に新生児室に引き取らないで、できるだけ母子を同室におくようになってきました。

けれども、妊産婦のなかには「この産院はサービスがわるい」なんて思う人もいるんですね。未熟児で特別なケアをしなくてはいけない赤ちゃんは、しかたのないことです。しかし、そうでない赤ちゃんを安易に新生児室へ引き取って、母子を分離しておくのは好ましいことではないということを、多くの人にわかっていただきたいと思います。

産科学の発達によって、近年は出産時のアクシデントはきわめて少なくなりました。新生児の死亡率や産褥期《さんじょくき》の妊産婦の合併症、感染症など、そして死産ということなどは目立って減りました。大変な減り方です。これらのことは近年の産科学の、ある種の成果だと思います。一方で、出産直後に母子が一緒にいないことによって、その後の母親の育児行動に影響を与えるという研究も、イギリスの研究者たちによっておこなわれてきました。さらに、その追試実験をしたアメリカの研究者たちもいます。そのことについては『子どもへのまなざし』にも書いてありますので、ぜひお読みください。

研究者たちは動物実験などで、たとえばヤギの場合は、一時間ほど母子を分離しておくと、もう自分で育てないということも明らかにしてきました。それから、マウスでもラットでも、イヌでもネコでも、母親から子どもを離しておく時間を延ばしていくにつれて、母親の育児が下手になっていく、これはたしかなことだそうです。これらの実験は、出産直後からの母子密着の意義を教える、みごとな例だと思いますね。

私が生まれたころは、自宅で助産婦さんの手を借りて出産していました。そして、一九五〇年ごろまでは、八割近くの人が自宅で出産していましたが、今では、自宅で出産する人はほとんどいなくなりましたね。けれども、イギリスやアメリカでの研究報告の影響を受けて、産院でも出産直後は赤ちゃんを母親のそばにおいて、必要もないのに、新生児室には引き取らないようになってきました。

助産婦さんのよさと産院のよさとを、ドッキングしようとしているわけです。母子のどちらかに緊急措置が必要なときには、産院じゃないと困ることもあるわけですから、それがいいと私は思いますね。出産をどこでするかということより、母子が一緒にいる自然さと身体的な健康を守ること、それらをどう調和させるかということが、これからのあらたな課題になってきたと思います。

私の知るかぎりでは、日赤系の産院などは、赤ちゃんが生まれたらすぐ母親のところで十分に接触させて、その後も、ずっと母親のそばにいられるようにしています。近代的な産院のな

かで、助産婦さんの手を借りて出産をしているという感じですね。とてもいいやり方だと思います。家内は新宿の日赤産院で子どもたち三人を出産しました。私たちは、生まれたらすぐ、母親のところへ赤ちゃんをおいてくれる産院がいいということで、日赤産院を選びました。

それがよかったかどうか、たしかなことはいえませんが、私たち夫婦は、それがよかったと思っています。別のやり方の産院で出産していたら、家内はどういう育児をしただろうか、一番目の子、二番目の子、三番目の子、いろいろな産院で出産したほうが、私には勉強になってよかったかなと、今になって思っております。みなさんはどう思われるでしょうか。

これからどう子どもと接するかを考える

出産直後から母子は一緒にいるほうがいいということについて、未熟児で出産した場合は、どうしたらいいのでしょうかという質問もありますね。未熟児で出産した場合は、赤ちゃんは何か月も産院に預けられ、母親だけ先に退院することになります。そうしますと、母子が一緒にいられないということで、お母さん方は自分の育児機能に影響がでるのではないか、あるいは、母性がうすいのではないかという不安を持ってしまうようですね。

たしかに、未熟児で生まれた赤ちゃんの場合には、保育器のなかに引き取らざるをえないことがあって、母子が一緒にいられないわけです。そして、保育器に長くいれられた赤ちゃんの場合は、親子関係が成立しにくいという研究もあります。

しかし、それは成立しにくいのであって、できないのではないのです。それから、しにくい人が多いということであって、すべての人が親子関係を成立できないというのではありません。ですから、出産直後、赤ちゃんと一緒にいる時間がなかったからといって、自分の育児機能を否定的に考えることはないんですよ。

大切なことは、あのときどうだったからとか、こうだったからということを、いつまでも考えることではなく、今、この子とどう接するのがいいのか、これからどうするといいのかを考えることなんです。これからどうやって、赤ちゃんと接していくのがいいのかということがわからないと、つい過去の不十分だったことばかりに気がとらわれてしまいます。そういう意味では、胎児期に不安定だったお母さんの不安と、まったく同じだと思うのです。

現在がうまくいっている人にとっては、過去のことはあまり気にならないと思いますね。たとえ、いろいろなことがあったとしても忘れてしまうものです。それは人間に備わったいい天性だと思うのです。ところが、目の前のことにうちこめない人は、過去の不十分なところばかりが気になってしまいます。

それは、過去にとらわれてしまうから、今やるべきことができないのではなく、私は逆だと思うのです。今の課題にうちこめないから、過去の不十分さにとらわれてしまう、そして未来に不安を持ってしまうということなんです。ですから、過去にどんな不十分なことがあったとしても、今を大切にされればいいんですよ。人生には取り返しがつかないということはないと、私は思っているのです。

『子どもへのまなざし』を読んでくださった読者の方が、「あっ、これだったんだ。この本を読んでほっとしました」とおっしゃっています。ほとんどの方はそうですね、「ああ、そうだったのか」と。多くのお母さんが、どうしていいかわからないことがあったけれど、「ああ、こうすればいいんだということを教えられた」「これで安心しました」といっています。過去にどんなことがあっても、これで安心しましたといっているのは、今どうすればいいのかが、わかった、納得したということだと思います。

今どうすればいいのかがわかれば、過去の不十分さは消えますし、未来への不安も消えてしまいます。ですから、過去になにもなかったということではなくて、いろいろあったけれど、現在をちゃんとやっていればいいんだということなんです。過去がどうだったから、今こうだなんていうことを、自分で自分に指摘することもないし、指摘されたことに大きな不安を持つこともないんですよ。みなさんは今、こういう育児をすればいいんだということに、自信を持ってくだされればいいんです。

出産直後、母子が一緒にいられなかったという場合には、やや意識的にその子と接触すれば、接触というのは年齢が小さければ、スキンシップをしてあげるとかすれば、母子の関係はそれだけでも、大きく変わっていくと思いますね。赤ちゃんの場合、お母さんからさわられることは、安心して母親と信頼できる関係になれるということです。また、母親自身にとっても、意識的に子どもにさわることの効果は大きいと思います。

すこし前に、ニューズウィーク日本版に「0歳からの教育&4歳からの学習」という特集があり、そのなかにこんな内容の記事がありました。マイアミ大学皮膚接触研究所のT・フィールド所長は、スキンシップの効果を力説して「毎日数分間のやさしいマッサージを受けた未熟児は、マッサージを受けなかった新生児と比べて、毎日四七％も多い体重の増加がみられ、退院時期が平均で六日間も早まる」といっています。このスキンシップの研究は、アメリカでもまだ基礎研究の段階であり、いろいろな評価があるようですが、それでも新生児専用の集中治療施設では、スキンシップの療法を採用するところがふえているそうです。

ですから、未熟児で生まれた赤ちゃんと一緒にいる時間がなかったとか、少なかったということがあっても、こういうちょっとした、子どもとのスキンシップを持つことによって、子どもはどんどん成長していくものだと思うのです。そして、子どもが大きくなれば、心理的な対話などを積極的にする。そういう接触のしかたで十分いいと思いますね。かなり大きくなった子どもを養子にもらって、立派に育てる人もいるんですから。人間というのはそこがすぐれているところだと思います。

また母親は出産によって、だれもが自然に豊かな母性を持てるというわけではないのです。母性は学習や意思によって芽生え、成熟するものも大きいと思うのです。この学習するということも人間の偉大なところですから、たとえ、出産直後に子どもと一緒にいる時間が少なかったとしても、お母さんが自信を持って、これからこの子とどう接していくのかを考えてくだされば、きっと子どもはしっかりと育っていきますよ。

母乳について

いつまでも母乳をあげていると、依頼心の強い子になってしまうのではないかという、心配を持っているお母さん方からも、お手紙をいただきました。

先生のお話では、おっぱいを欲しがったら、そのまま母乳をあげてくださいということですが、そうすると学齢になっても、まだ母親のおっぱいをまさぐったり、しゃぶったりすることがよくあると聞きます。最近では断乳することがいいといわれていますが、どうお考えでしょうか。また、母乳からのダイオキシンなどのことも心配です。

（六歳と三歳の母親）

子どもに安心感を与えるお母さんのおっぱい

赤ちゃんが生まれて、最初に与える母乳のことを初乳といっていますね。これには赤ちゃんが健康に成長していくための、大切な免疫機能を持つ物質が、たくさんふくまれているといわれています。また、お母さんにだっこされての授乳というのは、赤ちゃんに大きな安心感をもたらすことでもあるのです。

だっこされて、赤ちゃんがお母さんのおっぱいに顔をくっつけて授乳されるということは、胎内にいたときのお母さんの心臓の音と、同じ音が聞こえるわけですから、本来、これほどの心の通い合う母子関係は、他にありえないと思いますね。子どもが自分の居場所を確認して、これから成長していこうとする場合のよりどころとして、お母さんのおっぱいとの接触体験が豊富にあるということは、とても大切なことだと思います。

お母さんのおっぱいというのは、赤ちゃんにとっては気持ちがやすらぐ、とてもいいものなんですね。そして、子どもはすこし大きくなっても、お母さんのおっぱいや全身をさわったり、寄りかかったり、いろいろなことをしていたいわけです。とくに、さびしいとき、つらいことがあったときは、いっそう、お母さんの体にふれていたいものです。

私のところでは、家内は子どもに断乳をしませんでした。そして、母乳で育てたからといって、大きくなってからも、いつまでもお母さんのおっぱいを、さわっているというようなこともなかったと思います。それに私は、子どもが大きくなってからもおっぱいを欲しがったとしても、そんな不自然なことだとは思わないですね。

いつまでもおっぱいをあげていても大丈夫です

私の家内の父親は小学校に入ってからも、もうでなくなってしまったのに、お母さんのおっぱいを飲んでいたそうです。町の笑い者でもないですけれど、ちょっと変わった子だといわれたそうです。その義理の父は第二次世界大戦中、命をかけて戦争に反対した人でもあるのです。私の年配の方はおわかりになると思うのですが、ふつうはなかなかできませんよね。

たいていの人は戦争に反対できませんでしたけれど、内村鑑三の晩年の弟子で、敬けんなクリスチャンだった義理の父は、あの時代に自分の信念をまげないで、戦争に反対した人でした。そのために教職の仕事も失って、家族ともども、苦労の多い生活をしたそうです。「いつも憲兵の足音におびえながら、日本中を転々とする生活だった」と、家内はよくいっております。

私は義理の父があああいう時代に、どうして信念をまげることなく、生きぬいてこられたのかとよく考えます。いつまでも、おっぱいを飲んでいたということばかりではありませんが、幼いときに、父には自分の意思や感情をそのまま受容して、育んでくれる人がたくさんいたのだと思います。ですから、自分の信念をしっかり持って、生きることができたのかもしれません。ようするに、子どもというのは、ありのまま受け入れられるという依存体験を十分すると、それだけしっかり自立していくものなんですね。そして、この依存と自立というのは正比例するんです。依存の体験が豊かなほど、自立もしっかりするわけです。私には、義理の父がそういう生きた実例のように思えるのです。

いつまでも子どもがおっぱいを離さないということは、育児を考えるうえで、まったく問題がないわけではないと思いますが、このことについては、学者や臨床者の間でも、意見が微妙にちがっているんですね。でも、私は子どもの心をしっかり育てるという意味では、断乳ということは基本的にしたくないし、しなくていいことだと思っています。

私は自分の子どもにはしませんでしたし、それで子どもたちが依頼心が強くて、自立しない子どもになったとは思えませんね。自分の育児が理想的だったなんて、申し上げるつもりはありませんし、それに理想的な育児というのは、きっとないだろうと思っています。たとえあったとしても、人はそれぞれに、いろいろな理想を持っているわけですから、当然、いろいろな理想的な育て方があるだろうと思います。

それはみなさんが、ご自分の家庭や保育園での経験と、それから、ご自身の感性とを合わせて、どの考えを採用しようかと、選択していけばいいことだと思います。私自身も多くの専門家たちの研究報告のなかに、微妙なちがいや矛盾する点があっても、そのうちのなにが正しいかを、自分の育児と臨床活動とのなかでつき合わせて、こういう考え方はたしかだと思うことを、実践し紹介しているつもりなんです。

母乳を、いつまでもあげていてもいいのではないでしょうか、ちっともおかしいことではありませんよ。母なるものというのは、そういうものだと私は思っているんです。自分のなかに母なるものをしっかり持っているということは、子どもを自立させていくうえでとても大事なことだろうと、私はいつも思っているのです。

そのように、親に十分に依存できた子どもは、それぞれしっかりと、それなりに自立していきます。早くから自分の目標を自分で考えますし、目標が高すぎて自分では無理だと思うと修正するものです。いろいろなことを自分でどんどんやっていきますし、親からみるとさびしく

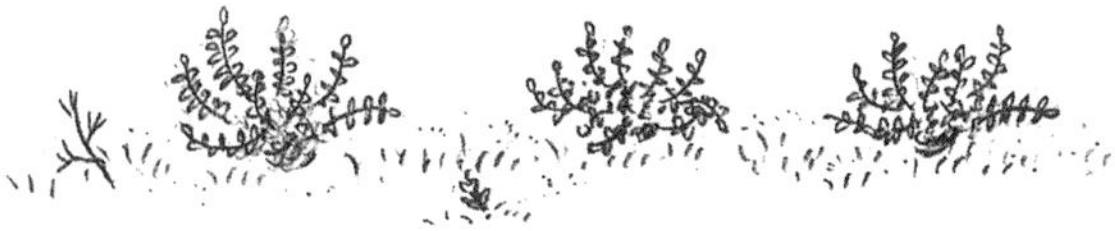

なるぐらい、しっかりと早く自立していきます。ですから、「おっぱいを早くやめさせよう」とか、「これは早くできるようにさせよう」とか、そんなことを考える必要はないと思っております。

ダイオキシンなどの問題が心配です

もう一つの質問、ダイオキシンと母乳との関係についてお話しします。ダイオキシンそのものについては、私は専門家ではありませんので、ちゃんとお答えができないということを、まず、理解していただきたいと思っています。

母乳にそういう物質がどれぐらいでてくるかについては、調査報告がだされていますが、その影響が子どもにどの程度およぼすかについては、私はくわしくはわかりません。このことについては、さまざまな物質がいわれていますし、過去にもいろいろな物質のことがいわれていました。化学調味料だって、動物の胎児に大量に摂取させると、マウスやラットの実験では、脳に機能不全が生ずるという研究報告もあるのです。

では、母親が化学調味料をたくさん食べたら、人間の子どもはどうなるかということですが、それは動物実験で問題があるから、子どもにも影響があるといっている人もいますし、子どもには影響がないといっている人もいます。そういうふうに、まだはっきりしないことが多いのですね。ダイオキシンばかりでなく、現在、私たちがあまり気にもしないで口にしている、防腐剤や着色物質などの化学物質もふくめて、母乳との関係や安全性の問題についても、私には明確には答えることができないのです。専門家のなかで、母乳の安全性について答えられるといっている人たちのなかでも、相反《あいはん》する意見があったりするのが現状なんです。

そうしたときには、私は自然の摂理にしたがう生き方をしてきました。私の子どもが幼いときも、防腐剤だとか着色料とか、いろいろな化学物質が胎児や子どもに与える影響について書かれた本が何冊もありました。けれども、その時代を生きる者として、私にはその時代の自然の摂理にしたがって、生きていくしかないと思っていました。ですから、可能なかぎり母乳で育てました。足りない分は人工栄養で補うことはありましたが、そうやって三人の子どもを育ててきました。

それでなにか問題が起きたら、そのことについて他人に賠償を求めるとかということではなくて、そのような時代に生きるという運命を、受け入れるしかないと思っております。そうやって第二次世界大戦の時代を生きてきた人もいるでしょうし、震災を生きた人もいるでしょう。もっと他にもいろいろな災害にあいながら生きた人もいると思います。可能なかぎり回避する努力はしようとしても、回避できない問題がその時代時代にあるとしたら、その運命を私は享受するしかないと思っているのです。

その結果、自分の子どもが障害のある子どもとして生まれたとしても、それはそれとして受け入れて生きていこうと、子どもが生まれるときには、いつもそういう気持ちの準備をしていました。私は精神科の医者でもありますから、精神的なことしか話せませんが、私はダイオキシンがどうこういわれていても母乳で育てますね。今の母乳にこんなに問題があるということが、多くの専門家の間で、一致して検証されるようになったら話は別ですけれど、意見が分かれているうちは、決定的に検証されてないということで、私は子どもを母乳で育てることがいいと思います。そして、親子関係を考えるうえでは、まず、母乳の大切さを考えたいと思っています。

育児についてのさまざまな質問

子どもの望んだことは、どこまで満たしてあげればいいのでしょうか

『子どもへのまなざし』のなかで、子どもの望んだことに、望んだ通りにこたえてあげることの大切さについてお話をいたしました。ところが、子どもたちからのいろいろな要求に対して、どこまでこたえてあげるのがいいのか、多くのお母さん方は迷っていらっしゃるようです。すこしお話をしていきます。

現在四歳六か月になる上の娘は、一歳ごろから遊んでとか、本読んでとか、私にくっついて離れませんでした。どこまで子どもの望みにこたえてあげていいものか、迷っている部分がありましたから、要求に応じなかったことが多かったと反省しています。今からでも間に合うでしょうか。

（四歳と二歳の子の母親）

乳児期に満してあげられなかったことを、今、満たしてあげようと思って、子どもに対して、本当にやさしくしています。けれども、保育園では非常に赤ちゃんぽいといわれます。佐々木先生は、それでいいんですといわれますが、自分でもわからなくなってしまいます。

（五歳の子の母親）

子どもが望んだことは、満たしてあげても大丈夫です

子どもが望んだことを満たしてあげることについての質問ですが、それは満たしてあげればいいんですよ。子どもは、自分でできないからそうしてほしいというのではなく、気持ちを満たしてほしいから、そういっているのです。子どもの望んでいることを聞いてあげたからといって、自分でできることも、できない子になってしまうなんていうことはありませんよ。けれども、親が過保護にすると「依頼心の強いわがままな子になってしまう」と思っている人は、案外多いですね。

子どもは、だっこして、おんぶして、食べさせて欲しいなどと、いつまでもいうわけではありませんから、子どもが望んでいる間は、望んだ通りにしてあげても大丈夫です。お母さんに頼めば、たいていのことはいつでもやってくれるということが、子どものなかに十分伝われば、そのあとは自分でどんどんやり始めますよ。だから、それまでは安心して子どもの望んだことを満たしてあげてください。

ところが、子どもがやってほしくないことまで、親がしてしまうことがあるんです。子どもがかわいいからといって、これは度がすぎるといけないのです。親が勝手に先まわりして、この子はきっと、こういうことをやってほしいのだろうとか、あるいは、子どもが本当に望んでいることかどうかも考えずに、手をだしたり、口をだしたりする、こういうことはいけないん

ですね。

本来、子どもというのは、なんでも自分で自立して行動したがっているんです。子どもたちは失敗をしたり、いらいらしながらも、自分一人でなにかができたとき、はじめて充実した気持ちを味わうものなんです。そういうことを一つ一つできることによって、自分に自信を持ち、その過程で主体性をつくっていくわけです。そのためには、まず、親が子どもの望んでいることを本当に受け止め、それを満たしてあげ、子どもがやりたいことを助けてあげることが大切なんです。ところが、親の考えを押しつけたり、過剰干渉したり、強制したりする場合は、子どもの自立の機会をうばってしまうことになります。

このように子どもが望んでいないことを、やりすぎるということではなくて、子どもが望んでいることを、望んでいる通りにやってあげている分には、いくらやっても大丈夫なんです。そして、子どもは自分が望んでいることが十分に満たされれば、しっかり自律し、じきに自立的に親から離れていくものです。それに、私はそんなに早くから自立させることもないと思っているのです。

子どもが「もういい」というまで、要求にこたえてあげる

つぎに子どもの望んだことを、どこまで満たしてあげればいいのかということがありますね。基本的にいえば、子どもが「もういい」というまでしてあげるのが一番いいですね。そうすれば子どもたちは安心して、しっかりと自立していきます。「もういい」というまでしてあげれば、一番いい自律や自立をするんです。

これは国と国との関係を考えるとわかりやすいですね。先進国が発展途上国に対して、相手

の望むように援助をしていれば、どんどん自立していくものなんです。ところが、先進国の思い通りに援助しようとしたり、干渉したりすればするほど、発展途上国は自立できなくなってしまいます。実際、発展途上国はそのような状況になっているのではないでしょうか。

ですから、本来はどんなに保護しすぎても、応援しすぎても、それで相手の自律や自立をさまたげることにはならないんです。どんなにだっこやおんぶをしてあげたって、子どもはいつか「もういい」といいますよ。子どもはみんな、自分の足で走りたいし、自分のことは自分でやりたいものなんです。それまでの間は、親にとっては我慢ですね、親がどれだけ待ってあげられるかということです。そして、子どもの望んだことをやってあげていると、すぐに「もういい」といいますから。

けれども、親やおとなには、この意味がなかなか伝わらないんですね。そして、だっこやおんぶをしてあげるときでも、親はしかたがないからしてやることになるのですが、そういう態度ではなく、できれば、ある種の喜びや快感の気持ちを持って、生きがいのようにしてやってあげるといいですね。そうやってあげれば、子どもたちは満足してすぐ親から離れていきます。あっという間に、親のほうが背中やひざがさびしくなってしまいますよ。親がめんどくさがってやらないから、いつまでも尾を引いてしまうのです。

たとえば、みなさんにも、こんな経験があるのではないでしょうか。みなさんが幼稚園や保育園に迎えにいったとき、もう大きくなった子どもなのに「だっこして、おんぶして」なんて、せがんでくることがありませんか。きっと、みなさんは「歩けるくせに、なにいってるの」なんて、怒っているかもしれませんね。子どもだって自分が歩けるのはわかっていますよ。だけど大きくなった子どもたちも、おんぶしてもらいたいときがあるんです。

どういうときかといいいますと、たいてい、園でちょっとつらいことがあったときです。先生にしかられたとか、友達とけんかしたときとか、いじめられたとか、ようするに、つらいことがあったときに、ふっとその気持ちを親にいやしてもらおうと、「だっこして、おんぶして」というのです。

そんなとき、もう大きくなっているのにおんぶしてあげたら、これからもおんぶしなければならない子になってしまうと、親が思っているとしたら、それはちがいますね。反対なんですよ。そのとき親がおんぶしてあげれば、子どもはいつでもおんぶしてもらえるということがわかって、安心してあっという間に、そんなことはいわなくなるものです。子どもというのは、そういうものなんです。

子どものこういう気持ちをわかってあげて、望んだことを望んだ通りに満たしてあげればいいんですよ。子どもがそれによって依頼心が強くなり、自律心がそこなわれるということはありません。かえって、子どもは自律的になるんです、いい子になるんです。聞き分けがよくなるし、しっかりしていくんですよ。

子どものそういうときの気持ちを、親が十分にわからなかったり、親の一方的な感情を子どもに押しつけていると、子どもがあれこれと、際限なく要求してくるように思えてしまうのですね。子どものいうことを聞いてばかりいると、どんどん図に乗るとか思ってしまうのです。子どもは図になんか、そんなに乗りませんよ。多くの場合は真剣な要求です。子どもたちが安定した情緒の発達をするために必要な、そして切実な気持ちだと思います。こういうことが多くの親には、なかなか理解できないことなんでしょうね。

子どもが「あれを買って、これも買って」というのですが

私は子どもの望んだことは、どこまでも満たしてあげるのがいいと思っています。読者の方からは「あれを買って、これも買って」と、子どもにつぎつぎと「もの」で要求された場合は、どう対応したらいいでしょうか、というご質問もあります。

先生は子どもが望んだことは、満たしてあげてくださいといっていますが、品物の与えすぎにかんしてはどうでしょうか？　私は品物やお金の与えすぎは、子どもをだめにしてしまうように思うのです。

（六歳の子の母親）

私のなかにどうしても、キャラクターものや電動おもちゃ、テレビゲームなどに抵抗があり積極的になれません。そのせいで子どもたちは、友達と共感できるものが少ないかもしれません。子どもたちはあきらめているようですが、満たされないと感じているのでしょうか。

（一一歳と九歳と六歳の子の母親）

子どもの心は「もの」では満たせません

私の経験では、「もの」を与えるということだけは、節度を守ることにしていました。たとえば、小学生だったら小遣いは一週間でいくらだとか、中学生はいくらとか、高校になればい

くらということを、これは親が一方的に決めました。そして、小遣いの範囲内でなら、子どもが好きな「もの」は、なにを買ってもいいというふうにしていました。けれども、すこし高価な「もの」の場合には、クリスマスや誕生日のときにすると決めていたと思います。そういう基本的なことは守りました。

一方で、私はこういうふうにも思いました。「もの」以外での要求をたくさん満たしてあげていれば、それだけ子どもは「もの」を要求しないものだと。これは決定的なことのように思えました。子どもに「もの」以外の要求で、どんなことを満たしてあげるのかということは、私があれだとか、これだとかいうべき問題ではありませんが、ようするにお金ではなく、心や手をかけるということです。そのやり方は、それぞれの家庭でいろいろあると思います。

たとえば、わが家のことでいえば、食事の献立はなんでもつくってあげていました。なんでもといっても、子どもの味覚はおとなとちがって、けっしてぜいたくじゃありませんから、カレーライスとかスパゲッティとかハンバーグとか、そういうたぐいの食べ物のことなんです。家内は子どもの食べ物の要求には、できるだけこたえていたと思います。

朝食はパンがいいか、ご飯がいいか、パンならバターロールか、食パンかぐらいの要求にはこたえました。飲み物はミルクがいいか、グレープフルーツジュースがいいか、オレンジジュースがいいか、こういうたぐいのことは子どもは選べましたし、要求すれば食卓にでてきました。そして、家内は子どもに要求をさせながら、それにこたえていたと思います。このようなことは、どこの家庭でもあたりまえにあるものですよね。

そういうことは一見すると、たいしたことではないように思えますが、食事というのは毎日のことですから、案外、大切なことでもあるんですよ。たとえ簡単な料理であっても、自分の望んだことを受け入れてもらったという実感が、子どものなかに伝わっていけば、親子のふれあいにとって、それはとても重要なことだと思うのです。毎日毎日の小さな積み重ねかもしれませんが、食事というのは、あたたかい人間関係をつくるうえで、大きな力となるものだと思っています。

子どもの要求に、そういうふうにこたえてあげるときに、親が自分の手づくりでこたえればこたえるほど、他でつくられた「もの」を要求しないものだと思いました。手づくりでというか、気持ちでというか、自分の心や体や時間でといってもいいですね。それから、親が自分の心や体や時間で、子どもの要求に直接こたえてあげられないときほど、他でつくられた「もの」を、子どもは要求してくるように思いました。

私はこういう職業をしていますので、自分の子育てを、やや実験的な気持ちもこめて、夫婦で協力してやってみました。ですから、子どもが「もの」を要求するということは、もしかすると、両親が自分の手づくりで、子どもの望んでいるものにこたえるこたえ方が、不足しているのではないかと思いました。私は子どもたちが育ちざかりのころには、休日であれば、ほとんど子どもの要求にこたえていたと思います。トランプをしようとか、キャッチボールをしようとか、釣り堀にいこうとか、たいてい、その要求にはこたえてやっていました。

そういうふうに子どもに接していると、おもちゃ屋さんの前で「あれを買って欲しい」「これが欲しい」などと、子どもが「もの」を欲しがるということで、私たち夫婦は困ったことは、ほとんどありませんでした。子どもが法外な要求をしていることにも、出合ったことはありませんでした。そのかわり、自分の心や体や時間でこたえてあげられるものは、可能なかぎり与えてきたと思っています。そういうやり方で育児をしてきたと、私たち夫婦は実感しています。

また、子どもの要求というのは個人差があっても、ある意味で一定の容量があるみたいですね。あるところまで満たしてあげれば、別の要求はでてこないという関係にあるようです。基本的にいえば、子どもが「もの」で要求するときは、心の要求の満たされ方が不足しているからだ、と思うぐらいの気持ちで接したらいいのです。たとえ「もの」を買い与えることがあっても、できるだけ限度をわきまえること、そして、「もの」で子どもの要求を満たすことは、できるだけ減らそうという気持ちも大切だと思います。

だけど一方で、買い与える「もの」を減らした分だけ、どこかで心を満たしてあげようと考えないと、「もの」での要求は減ってきませんね。ですから、「もの」以外での要求は、可能なかぎり満たしてあげればいいのです。親の手づくりの食事とか、おふろに一緒に入ってほしいとか、そばで寝てほしいとか、公園にいきたいとか、そういう要求は親の気持ちと時間の許すかぎりこたえてあげる。そうすれば、いろいろな要求もどんどん減ってきて、親がさびしくなるぐらい、子どもは自立していくのも事実だと思います。

望んだことが満たされると、要求もエスカレートしなくなる

子どもが大きくなればなるほど、子どもの要求がエスカレートするようにみえることがあります。そういうときは、たいてい、小さかったときの要求の充足のしかたが、足りない場合が多いですね。満たされ方が不足しているものですから、子どもは一時的に、その不足した分も合わせて要求するのです。利息がついた借金のようなものです。ですから、過去の満たされなかった時間が長ければ長いほど、その不足分が多ければ多いほど、要求はエスカレートするも

ので、手がつけられないほど、ああだ、こうだといってくるようにみえることがありますね。

そういうとき、親のなかには子どもの望んだことを、あれこれと心や体や時間をかけてやってあげすぎると、わがままになってしまうと思っている人が多いようです。けれども、わがままな子にはなりませんから心配しないでください。

子どもというのは要求が満たされると、それ以上のことはいってこないものです。空腹でもないのに、あれこれ食べたいという欲求が起きないのと同じように、それ以上は要求をだしてこないものだと思います。たとえ、要求がでたとしても、そういうことには、できればこたえてあげるのがいいと思いますね。

私の経験では、子どもの気持ちを「もの」で満たしてあげるというやり方では、子どもは親に対して、信頼を寄せないものだと思います。ゼロじゃありませんけれど、案外、小さいものなんです。場合によっては、「お前にとってこれは大切なものだから」と、親が生活を切り詰めて、高額のお金をつかって、買ってあげるということもあると思います。けれども、安易にそこらのおもちゃを買う、あれこれを買うというたぐいのことは、わりあい、親の心が子どもに通じにくいものです。

それがたとえ、高価な「もの」であっても、子どもに自分が大切にされているという実感は、あまり伝わらないのです。「もの」で子どもの気持ちを満たしてあげるということは、親の愛情としては子どもに伝わっていかないものなんですね。

ですから、親が心と体と時間で満たしてあげたほうが、子どもからの信頼は大きいと思います。親が心と体と時間をかけた場合と、お金をかけた場合とでは、子どもが親に寄せる信頼の度合いはちがうのです。

たとえば、子どもが「おんぶ」といえば、「そうかい」といっておんぶをしてあげる。それは心をかけるわけですから、心が伝わりますね。なにも、長時間おんぶする必要はないんですよ。「つぎの電信柱のところまでね」とか、「むこうから自動車がきたら、そこでおんりだよ」だとか、子どもの心を満たしてあげればいいわけですから、そっちのほうが、自分が大切にされているということが、実感として子どもに伝わります。そして、自分は大切にされているんだということが、子どもに伝われば、そのことによって、子どもの自信にもつながることでしょうね。

たしかに、子どもが小さいときであれば、親は心や体や時間をかけないで、しかも「もの」を買ってあげなくても、それですみます。しかし、親がそういうやり方を続けていると、その子は大きくなるにつれて、自分のやり方でその要求を満たそうとします。

その要求が満たされなかった分が大きければ、それが思春期、青年期にしばしば困ったことになるわけです。自分の要求をいろいろなやり方で、他にむけていくようになると思いますね。しばしば、ささいな不満によって暴力的になったり、反社会的になったり、非社会的になったりすることがあります。また、自分の要求にこたえてもらえなかった分、その子は周囲の人や社会の要求や期待に、こたえられない人間になっていくでしょう。

子どもは本当に自分を大切にしてくれる人を信じるし、大切にされている自分に安心するものです。親が心や体や時間で、子どもの望んだことを満たしてあげれば、子どもの「もの」で要求を満たしてもらおうという感情は、うんと小さくなるものです。そういうことを信じて、みなさんには育児をしていただきたいと思っています。

しつけについて

子どもが大きくなるにつれて、ききわけがないとか、約束を守らないとか、うそをつくとかが目立ってきます。しつけとの関係で、これらのことをどう考えていったらいいのか、お話をいたします。

子どものやりたいようにさせていると、義父から「甘やかしていると、わがままになるから、小さくてもだめなことは許してはいけない」といわれ、自分の育児にとまどいを感じてしまいます。
（五歳と二歳の子の母親）

先生は本のなかで「しつけはくり返し教えること、そして待つこと」と、書いていらっしゃいます。子どもの育児には待つという姿勢が大切なのに、自分がまったくできないということに気づき、育児のむずかしさを実感しました。お伺いしたいのですが、最近、息子がまつげを引っ張っているのですが、私が「早くしなさい」としかったりしているために、子どものストレスになっているのでしょうか。
（二歳の子の母親）

子どもに教え伝えるまでがしつけの役割

しつけを考える場合、「これはやっちゃいけないんだよ」「こういうときは、こうしなければいけないんだよ」などと、いわば社会のルールや文化を、子どもに教え伝えるところまでがしつけだと思います。そして、子どもが納得してできるようになるまで、待っていてあげるのがいいしつけで、そのことが本当に教えたことになるんですね。

ところが、親が待てないで、今すぐに、強制的にでもやらせるということは、子どもの自尊心を傷つけながら、しつけをするということになってしまいます。ですから、そういうやり方では強制的なしつけによって、子どもをしたがわせることができても、いずれ、どこかで反撃にあいますよ。

その場ではうまくしつけたようにみえても、結局は、長い目でみるとマイナス部分のほうが大きいと思います。子どもに対しては「こういうことはしちゃいけないんだよ」「こうしなければいけないんだよ」ということを、くり返しくり返し、根気よく伝えてあげるだけでいいと思うのです。

ほうっておくと他の人の大きな迷惑になるとか、取り返しのつかない事故になってしまうような場合には、子どもの自尊心を傷つけることがあっても、有無をいわさずに止めなくてはいけないと思います。しつけは待つことだとか、自尊心がどうのこうのなんて、いってはいられないこともあるでしょう。だけど、なぜこんなに急に止められたのか、禁止されたのか、そういうことは、子どもにもわかるものですよ。「その他のことでは、あの先生はこんなことはいわないんだ」「僕が本当にあぶないことをやったから、急に先生は止めたんだ」というようなことは、たいてい、どんな子どもにだってわかると思います。

ですから、私たちがしつけをするときに大切なことは、まず、こうしたほうがいいということと、やってはいけないことを、子どもにしっかりと伝えて、できるようになるまで待ってあげるという姿勢を持つことだと思います。けれども、伝えたあとはどうなってもいいということではなく、場合によっては、今、禁止しなければならないことは禁止するという気持ちも、しっかり持つ必要がありますね。

そして、自分が伝えたことを子どもがすぐにできるようにならないと、気がすまないという考えを持たないことです。そういうやり方はもっとも下手な育児で、子どもの自尊心を傷つけますし、自律性の発達をそこなってしまいます。待っていられることは待ってあげながら、教えていくのが上手なしつけだと思うのです。

二歳のお子さんがまつげを引っ張るという質問ですが、たぶん、子どもに大きな欲求不満やストレスがあるのではないでしょうか。お母さんにしかられるから、そういうことをするのかどうかは、単純にはいえないかもしれませんが、子どもが望んだことが満たされていない場合、それが欲求不満となって、そういう行動を示すということは、しばしばあると思います。もしかすると、これからもまつげやまゆげ、あるいは毛髪をつぎつぎ引きぬいていくかもしれませんね。

私が臨床の場で出会った、毛をぬいてしまうという中学生や高校生は、たいてい、親の過剰な期待に苦しんでいました。しかし、幼い子どもの場合は、親の過剰な干渉や期待というよりも、子どもの望んでいることが、十分に満たしてもらっていないということが、多いのではないでしょうか。

ですから、質問にあります二歳のお子さんの場合には、親のいうことをよく聞かせようとす

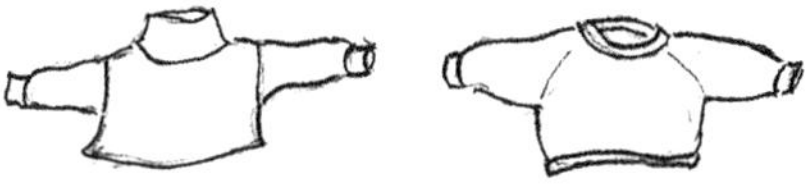

ることよりも、それより何倍も、子どものいうことを聞いてあげようという態度で、日々接するのがいいと思います。そして、この子のおだやかな笑顔は、私がつくっているんだという喜びを、感じることができるような気持ちを持ってくだされば、きっとそういうことも減ってくると思います。

しつけをする前に大切なこと

子どもが成長して、やがて友達やおとなたちと一緒に生活するようになります。そのときに、社会的なルールとか、まわりの人を尊重しながらとか、社会の目を気にしながらというか、そういう社会的人格を身につけるために、必要なものがしつけだと思います。けれども、子どもが小さいときは、まわりの人の目とか、世間のこととかを気にしてあげるのは、最初はあくまで親だけでいいと思うのです。しつけが大切だからといって、小さいうちから子どもにそういうことを、気にさせすぎてはいけないと私は思っています。

私は今、仕事で岡山と新横浜を新幹線で毎週往復しています。この間、私が三人がけの右端に座っていまして、左の二つの座席があいていたときのことですが、そこへ幼い子どもを連れた、若いお母さんが京都から乗ってきました。しばらくしましたら、幼い子は退屈になったようで、自分のリュックのなかから、ピーピー鳴るゲームを取り出しました。幼い子どもにとっては、電車のなかで、ただじっと座っているのは退屈なんでしょうね。

私がお母さんにお話を伺いましたら、実家のお父さんが急に倒れて入院したので、そのお見舞いと看護にいってきたんだそうです。そして、「病気も峠を越したので、また嫁ぎ先の福岡まで帰るんです」といっていました。お母さんは私と話しながらも、その子にピーピーやっているゲームの音を、「もっと小さくしなさい」とかいっていました。あの音は自由に調節できるらしいのですが、その子は小さい音ではつまらないといっているんです。大きい音でピーピー鳴るのがいいんでしょうね。

私は「そんなものはちっとも気になりませんから、いいですよ。私にも昔、小さい子がいて、その子もさんざんやっていました。気になりませんから自由にやってください」といいましたら、その子はじっと私のほうをみて、こわくなさそうなおじさんだと思ったんでしょうね。安心してピーピーと続けていました。

そのうちに私のほうに足を投げ出してきましたが、「ああ、安心しているんだな」と思ってみていました。子どもは足が短いですから、座席の縁からぶらぶら足をたれていると疲れるのでしょうね。私たちだって疲れてくると、足を投げ出したくなりますよね。お母さんは子どもをたしなめていました。

その子にしてみれば、お母さんのほうに足を投げ出すと怒られると思ったのでしょう、それで私のほうに投げ出してきたのですね。「ああ、それでいいんだ」と思いました。それからも安心して、私のほうに足を投げ出してゲームをやっていました。

そういうふうに「ああ、しからない人がいるんだ」、自分がこうしてほしいといったら「いいよ」といってくれる人に、一人でも多くめぐまれて育っていくことが大切なことなんです。本当はそういうことが、毎日のようにあるといいんですよ。親に怒られるようなことをしたけれど、「いいよ」といってくれた人もいた、というような経験もいいんですよ。その程度のことで、だらしない子どもになるとか、しつけもできない子になってしまうということはないのです。

しつけをする場合には、まず、子どもには親に守られているという実感が必要なんです。それはもっとも根源的なものです。親から無条件の受け入れられ方、守られ方をたくさんした子どもでないと、本当にしつけはしにくいのです、教育しにくいのです。自分を守ってくれるという経験が、子どもに豊かに伝わっていれば、親や教育者などおとなから教えたいことは、本当に教えやすいんですよ。

けれども、親から守られたという経験が少ない子どもに、最初からあれこれ指示や命令をするというしつけ方をすると、子どもの気持ちを傷つけてしまうことになりがちです。まず、子ども自身の気持ちが十分に受け入れられたあとで伝えたほうが、伝わっていきやすいわけですね。本来はそのような経験をしながら、子どもたちは育っていくものなんです。

ですから、子どもが何か月、何歳になったからといって、こういうことは身についているはずだなんていうことは、今の社会では、ほとんど常識ではなくなっていると思います。この子には、もう相当しっかりしたことを教えられるという場合もありますが、同じ年齢になっていても、この子はまだまだだと思わざるをえない子どももたくさんいるんですよ。

まだまだどころか、思春期、青年期になっても、簡単な社会的ルールを守れない若者だってたくさんいます。そういう若者に会ってみればわかることですが、しっかり教育やしつけがされていないという以前に、親やおとなから、そのような愛され方、守られ方をしていないということのほうがもっと問題なんですね。みなさんには、そういう目をぜひ持って、しつけについても考えていただきたいと思っています。

子どものうそについて

子どもが何回もうそをついた場合、つい厳しく怒ったりしてしまいます。私は「しつけはくり返し教え、そして待つこと」だと思っていますが、子どものうそについての考え方をすこしお話しましょう。

私が幼稚園に迎えにいくまでに、幼稚園でトイレをすませておくという約束を、四歳の長男としていました。けれども、「トイレはすんだの？」と確認しても、「すんだ、すんだ」と「うそ」をつきます。子どもの「うそ」には、どのように対応したほうがいいのでしょう。

（四歳の子の母親）

うそはわるいことだと決めつけないでください

質問では、幼稚園でトイレにいっておくと約束をしたのにと、お母さんがおっしゃっていますね。けれども、それは約束ではなくて、親の命令か指示ではないでしょうか。ですから、約束を守らなかったというより、命令にしたがわなかったということだと思います。そういう場合は、迎えにいったときに、もし、まだいっていないようでしたら、「トイレにいっておいで」と、おだやかにいってあげるだけでいいと思います。

子どもにかぎらず、うそを野放しにしたら、世の中はめちゃくちゃになってしまいますから、

基本的にはうそはわるいことです。しかし、子どもは知恵がつけばつくほど、善意のうそもふくめて、うそをつくものなんです。それは子どもばかりでなく、人間が持っている感情ですから、うそをつかない人間はいないということも、知っておいたほうがいいと思います。

けれども、うそをつくことはわるいということは、子どもにはかならず教える必要がありますね。そして、うそが社会のなかで、どの程度までが許されて、度がすぎた場合は許されないということも、しっかりと伝えなくてはいけないと思います。

子どもばかりではありませんが、なぜうそをつくのかといいますと、自分が傷つきたくないからなんです。子どもの成長過程で自主性、主体性が芽生えてくるということは、同時に自尊心、誇りという感情も育っているということなんです。さらに、自分が傷つくという感情もでてきます。ですから、自分が傷つきたくないと思っていると、どうしても、うそが目立ってくるでしょうね。

それは子どもに知恵がついてきたことであり、ある意味では、成長や発達のあらわれでもありますから、親は子どものうそをわるいことだと決めつけたり、厳しくしかったりしないほうがいいですね。うそを奨励するつもりはありませんが、子どものうそに対しては、ある程度は認めてあげるという姿勢がいいと思います。

うそをつくことはよくないということは、教えておかなくてはいけないと思いますが、子どもがうそをつかなくてもいいような雰囲気で、育ててあげることのほうがもっと大切だと思います。たとえば、子どもがバレンタインデーのときに、女の子からチョコレートをもらったりしても、照れくさいので家に持って帰らなかったりします。そして「今日、チョコレートもらった」などと聞かれても、なにもいわなかったり、「みんな友達にあげちゃった」などといって、ごまかすことがあります。これは、ごく軽いほほえましいうそですね。

反対にチョコレートをもらわなかったのに、「もらったよ」とうそをつく子もいます。これは、だれからももらえないということによって、「どうして僕はもらえないんだろう」と、自分の自尊心が傷つくものですから、うそをつくことになるのです。したがって、子どもがうそをつくことを指摘するより、本当はチョコレートを一個ももらえなかったことを、ごく自然にいえる雰囲気が、家庭のなかにあれば理想的なんです。

また、こんな会話はどの家庭でも日常的にあることでしょうね。「勉強した」と親が聞くと、子どもは「うん、やったよ」なんてうそをいいますね。よくあることだと思います。これは子どもにとって、勉強より、今もっとやりたいことがあるということなんです。もし「まだ勉強していない」と答えれば、親はすぐに勉強をすべきだと思っていますから、「早くしなさい」というでしょうね。そういわれることがわかっていますから、今、勉強したくない子どもはうそをつくのです。けれども、勉強はたいていだれでもきらいですから、できることなら後まわしにしたいんですよ。

だけど、いつかはしなくてはいけないことは、子どもにもわかっているのです。そういうとき、親の一方的な押しつけでなく、「今すぐでなくてもいいから、今日中にはちゃんとやるんですよ」と、子どもが納得できる範囲で、約束をしたらいかがでしょうか。もしかしたら勉強するかもしれません。そうすれば、すぐにばれてしまうようなうそは、あまりつかなくなると思いますね。

そのためにはふだんから、親は子どもをしかりすぎないこと、できるだけ自尊心を傷つけるようなことはしないことが必要です。うそをついたことがわかったときも、問い詰めすぎないであげること、子どもがうそをついていることは、「わかっているよ」ということを、それとなく子どもに伝えておいて、あまり追い詰めないことです。

いわば「自尊心が育ってきたんだ」「子どもは社会にでるための学習をしているんだ」というぐらいの、気持ちのゆとりを持って接してあげることが、子どものうそへの対応としてはいいようです。ある意味では成長していく過程で、うそをつくことによって持つ、後ろめたさの感覚も必要なことだと、私は思っております。

親が子どもの代わりに、あやまっていても大丈夫でしょうか

子どもがわるいことをしたり、人の迷惑になるようなことをした場合、おもに幼児期から小学校ぐらいまでは、親が代わって、あやまってあげるということがあってもいいと思います。けれど中学校、高校と成長する子どもに対しても、同じような姿勢でいいのか、というご質問をいただきました。

あやまることとは、許される経験をすることだと思います。親が尻ぬぐいをしてしまっては、子どもが自分の行動に責任を負うことができないままになってしまいます。事実、そう育てられた子が社会人や親になったとき、責任から逃れることばかり考えるというケースを数多くみてきました。　（六歳の子の母親・心理職）

子どもの不始末を親があやまってあげる大切さ

私は質問にあるような心配は無用だと思います。むしろ将来、その子どもがおとなになったとき、自分の子どものやった不始末を、このようにして謝罪したり、償いをしたりするということを、子どもに身をもって教えることのできる親になると思います。

また本来、子どもに対して、物事の善悪を教え伝えることや、そのことが理解できる感受性を育てておくことは、幼児期から小学生ぐらいの間にやっておくべきことだと思います。そして、子どもに「こうしたほうがいい」「そういうことはいけないことだ」などということは、本人が理解し納得するまで、待っているという姿勢を持ちながらくり返し教えていけば、きっと子どもに伝わるものですよ。ですから、中学生や高校生になってまで、あれこれ教え続けなければならないことは、なくなっていくものだと思うのです。

その時期に、子どもをしっかりとしつけることができなくて、中学や高校の年齢になってしまったとしても、私は教え方の原理原則は、幼児期に教えるのと同じ気持ちでやるのがいいと思います。基本的なことの教え方や伝え方は、年齢に関係なく同じやり方しかないと思うのです。中学生や高校生ばかりか、大学生にも社会人にも、私は必要なことは同じやり方で教えたいし、事実、そういうやり方で教えてもいます。

上手な育児というのは、子どもが小さいときは、まだ社会や世間のことがわからないんだから、親がそれを受け止めてあげる。もっといえば、子どもの不始末を親がちゃんとあやまってあげる。子どものいたらないところとか、子どもが起こした問題を背負ってやるから、お母さんやお父さんにぶつけておいでと、こういうのがいいと思っていますね。

たとえば、熱をだしている子どもを、親が寝ないで看病するというのは、それは親が子ども

の苦しみを分かち合い、背負ってあげるということなんです。親がうんと努力をして、看病してあげるのと同じような意味で、もっと日常的なことでそういうふうに接してあげると、子どもは非常に安定して成長し発達していきます。

子どものなかに、親に大切にされた、あるいは他の人から思いやりを受けたという経験があればあるほど、社会のルールをそれほど厳しく教えなくても、子どもは自然に守れるようになるものです。親はきちんと社会のルールを守っていても、子どもが守れなかったときには、親がちゃんとそれをカバーしてあげることは、とても大事なことなんです。

ところが、親のほうがあやまるのがいやだからといって、子どもに不始末をさせないように、子どもの行動をおさえこんでしまうことは、むしろ、子どもをだめにしてしまうと思います。私の経験では、育児がうまくいかない人というのは、たいてい、「自分はとても不幸だ」「自分はこれ以上不幸を背負えない」「もっと幸せにならなくてはいやだ」と思っているのではないでしょうか。ようするに、親が自分自身の希望のほうを大切にして、しかも、自分の欲求のほうが、子どもの望んでいることよりも大きいという場合が多いと思います。ですから、子どもを自分の思い通りにしようと思ってしまうのでしょうね。

親は子どもを大切に育てたいと思っていますが、自分のことも大切にしたい。しかし小さい子どもは勝手気ままに行動する。その結果、場合によっては親があやまらなくてはいけないこともある。けれども、あやまりたくないから子どもをおさえつけてしまう。そうすると、子どもは満たされないので不満を大きくして、またわるさをする……。こういう悪循環が育児を困難にして、しつけや教育をうまくいかなくしているのではないでしょうか。

私も子どものころ、よくいたずらをしました。とんだ不始末をして、先生とか村長さんとかお寺のお坊さんとか、町や村の偉い人に、「家に帰ったらこのことを、お父さんにいうんだぞ、お母さんにいうんだぞ」とよくいわれたものです。

そういわれたら内緒にしておくわけにいきません。町や村のルール違反をしたといっても、たとえばトマトを一つか二つ盗んだ、お寺の本堂の前にある池の鯉を釣ったなど、その程度のことなんですよ。たしかに、その池での釣りはいけないと書いてある、だけど、そこへいくと釣れるんですよ。ですから、お坊さんがどこか法事にでかけたあと、いそいで釣りにいく。けれども、お坊さんが予定より早く帰ってきたりして、捕まってしかられるわけです。

いたずらがみつかったときは、もうしかたがありませんね。家に帰って母に「今日、こんなことしちゃった」と、おそるおそるいったものです。すると母は「そうかい、大変なことをしたね。お父さんに聞こえたら大変だよ、おまえ。内緒にしておいてあげるからもうするんじゃないよ、これきりだよ」と口ぐせのようにいいました。

こういうふうに、母の「これきり、これきり」が、何度あったかわかりません。だけど、母が「内緒にしておいてあげるから、これきりだよ」といった場合には、それ以上しかられませんでしたね。そういうことをしたあと、母親がトマトの畑の持ち主にあやまりにいく、お寺にあやまりにいくということがよくありました。

そのときは、かならず私を連れて迷惑をかけたところに謝罪にいきました。そして、こういうわるさをした場合は、相手の人にこのようにあやまるものだという謝罪のしかたを、私にいつも身をもって教えてくれたのだと思います。そのことで、私が安易にまたわるさをしたかというと、けっしてそうではなかったと思っています。

あとで思い出すと、母親が本当に父親に内緒にしておいてくれたのか、あるいは、そっといって「これは内緒になっていますから、お父さんはよけいなことをいわないで」というふうに母がいったのか、それはわかりません。わかりませんけれど、子ども心には、本当に内緒にしておいてくれたんだと思いました。私にはそういう安心感がありましたね。

自分で子どもを育てるようになったとき、母は本当に、父に内緒にしておいてくれたのかと、ふっと考えることがありました。亡くなる前に聞いておけばよかったと思うのです。母が重い病気になったときは、そんなことを話すゆとりもなく、忘れてしまいましたけれど…。母には「とにかく子どもは大切だ、大切だ」と思う心があったのですね。親のそういう感情が、私にはしっかり伝わっていたと思います。祖父母にもそういう感情や力が、同じようにあったと思います。

子どもというのは、育ちのスタートには、そういう養育者の力を必要とするところが、まずあるんです。私はそういう親の機能は大切だと強く思っています。そういうものが十分与えられている子どもは、幼稚園や保育園などで、先生や保母さんがみていればすぐわかりますよ。親を通して自分を信じることができる子どもは、他の人のことも信じることができるのです。自分に自信を持って生きていける子どもに育てるのも、親の大切な役目だと思っています。

思いやりの心は、どのようにして育つのでしょうか

幼稚園や保育園での両親の集まりで、「どんな子どもに育てたいですか」と聞きますと、たいていの親は「思いやりのある子になってほしい」と答えます。ところが、どのようにして思

いやりの心を育てていくのかとなると、多くのお母さん方は十分にはわからないようです。

三か月に一回ぐらい、十日ほど一人暮らしの実母のところに、保育園に通っている長男も休ませて連れていきます。そうしますと、保母さんからは「せっかく集団生活になれてきたのに何度も休ませるのはよくない」といわれます。私としては、おばあちゃんへの思いやりの気持ちも、子どもに伝わってくれているという思いもあるのですが、どうしたものでしょうか。

(五歳と三歳の子の母親)

思いやりの心をなくしてしまった日本人

最初に、現代の日本で子どもたちの心に、まわりの人を思いやる気持ちがどう伝わり、どう育っているかということについてお話をいたします。新聞にも報道されましたが、一九九六年に財団法人日本青少年研究所が、世界各国の高校生に親に対する気持ちを調査しました。とくに、日本とアメリカと中国この三つの国の生徒を、それぞれ一〇〇〇名ずつサンプリングをして、いくつかの項目についてアンケートをとった調査研究の結果をご紹介します。

それは「将来、あなたの両親が高齢になって健康をひどくそこなう、あるいは年老いてしまって、だれかの手助けなしには、生きていくことができなくなったということを想像してください。そのうえであなたに質問します。そのとき、あなたはどんなことをしてでも、自分の親を助けようと思いますか、思いませんか。イエスですか、ノーですか、どちらかに〇をしてください」という意味のアンケート調査でした。

みなさんは、どういう結果がでたと思いますか。中国の高校生は六六％がイエスで、三四％

がノーでした。ちょうど三人に二人がイエスで、三人に一人がノーです。アメリカの高校生は四六%がイエスで、五四%がノーです。おおむね二人に一人がイエスであり、ノーです。さて日本の高校生ですが、一六%がイエスで、八四%がノーでした。この調査の結果をみると、おそらく、わが国の高校生の親を思う気持ちが、世界のどの国の高校生に比べても、ダントツの最低だと思います。

もう一つ、「将来、あなたが両親の面倒をみましょう、助けましょうといったら、あなたの両親は大喜びすると思いますか、思いませんか」という調査項目もありました。アメリカと中国の高校生はこのときは一致しました。七〇%の高校生が、両親は大喜びすると回答しました。日本の高校生の回答は三〇%でした。あとの七〇%は、自分が面倒をみるといっても、親は大喜びすると思っていないのですね。

みなさん、こんな結果を想像していましたか。現代の日本の親子関係は、こうなってしまったのですね。自分たちの生んだ子どものことを、両親がどういう思いで育ててきたか、育てているかということに対しての、子どもたちの評価や感想がとてもよくあらわれていると思いますね。調査結果をみるかぎり、現代の若者たちには、親を思う気持ちがすでに失われてしまったのかもしれませんね。

たった一日のことですが、こういう記事がほとんどの新聞で大きく報道されました。だけど、どうしてその後も、しっかりとフォローしていかないのでしょうね。たしかに、みんなが和歌山のカレーライスの事件ほどには読まないと思いますが、とても価値のある、考えさせられる記事ではないでしょうか。若者にかぎらず、おとなたちのなかにも、どうして他の人を思いやるという心が失われてしまったのでしょうか。こういうことを考えることも、子どもの育児を

考えるうえで、とても大切なことだと思うのです。

また、すこし前に世界保健機関によって、平均で何歳まで健康で生きられるかを示す「健康寿命」についても発表され、そのことも新聞で紹介されていました。そして、調査した世界の一九一か国のなかでは、日本がもっとも健康で長生きできる国だと位置づけられていました。このように日本は世界一の長寿国になりましたから、これからは、だれが両親の老後をみていくのかということが、大きな課題になってくると思います。介護保険制度がつくられたのも、もう日本では、家庭のなかで老人の面倒をみられなくなってしまったので、社会で面倒をみましょう、ということでつくられたのでしょうね。

このように日本は世界一の長寿国になる一方で、世界で有数の子どもを生まない国にもなりました。イタリアについで世界第二位の少子国です。合計特殊出生率といって、一人の女性が生涯に生む子どもの数は一・三四人です。今、さかんに、政府は少子化問題に取り組んでいかなくてはならないと呼びかけています。

現代の人が子どもを生まないのは、育児にお金がかかるとか、育児をしながら安心して働ける状況にないとか、いろいろな原因がいわれています。だから、児童手当の範囲を拡大するとか、母親が安心して働くことができるように、保育所を必要な数だけつくれば、日本人はもっと子どもを生み育てるようになるという考えもあります。そのように取り組んでいけば、少子化も止まるのではないかといわれていますね。けれども、そんなことはないと思います。

現在、そのように保育所が十分整備されている市町村は、私が知っているだけでもいくつもありますが、その市町村の出生率が高くなっているかというと、けっしてそうではありません。一番の問題はそういうところにあるのではないのです。それに、今の日本が、世界一子どもを育てにくい国になったのでしょうか。私はそんなことはないと思うのです。ただ現代の日本人の多くが、つぎの世代を生み育てるための意欲を、世界でもっとも失ってしまった国民になってしまったということは事実だと思います。

自分たちは長生きできる環境に生かされているけれど、つぎの世代のことを思う力は失ってしまったのです。現代の日本人は自分だけを大切にして生きようとしているんですね。自分を大切に、自分だけを大切にというふうに、多くの人がそう思って生きているのです。けれども、まわりの人を大切にする生き方を身につけなければ、自分を大切にする生き方なんて、本当はできないと思うのです。

プロ野球の選手に赤ちゃんが生まれたとき、その選手は「この子のために頑張らなくては」などとテレビでいっていますね。私はこういう感情というのは、親の自然な感情だと思うのです。別にその子が生まれたからといって、ホームランをもっと打たなくてはならないという理由はなにもないんですけれど、親がそういうふうに思うのは自然なことではないでしょうか。私は思いやりを育てるといった場合、そんなことをよく思います。

本来、お母さんやお父さんが自分の子どもを大切にするという、人間として、親としての感情は、だれもが自然に持っているものだと思われていました。ところが、こういう人間的な感情が育てられることなしに、おとなになってしまう人がいることも明らかだと思います。そして子どもへの思いやりや、まわりの人を思いやるという自然な感情を失い、自分だけを大切にするという生き方のほうが、むしろ上等な文化なんだと思っている親や、おとなが多くなってきたことに、私は児童の臨床をしながら大きな不安を感じています。

自分を大切して生きるということは、本当は自分が大切に育てられてきたことの、延長線上にあることだと思うのです。そういう育てられ方をした人は、自分を大切にするとともに、まわりの人を大切にする生き方ができるのです。ですから、本当に自分のことを大切にできる人々の社会をつくるということは、まわりの人を大切にすることから始めるぐらいの気持ちがないと、できないことだと思います。けれど現代のような、自分を大切に、自分だけを大切にという社会では、自分だけではなく、他の人も大切にできない人をつぎつぎに生み出していくと思います。その結果の一つのあらわれが、さきほどの高校生のアンケートの結果ではないでしょうか。

私たちは今、世界一長生きができる生活環境にめぐまれました。だけど、つぎの世代のことを一番思わない国民にもなってしまいました。そして同時に、つぎの世代をになう子どもたち、若者たちも、おそらく世界で一番、親のことを思いやることができなくなっていると思います。そういう生き方では、結局、自分も大切にできないということを考え、そのことをどう伝えていくかということが、今とても大切なことだと思っています。

まわりの人に、感謝や尊敬する気持ちが思いやりを育てる

まず、子どもたちのなかに思いやりの心が育てられるためには、思いやりのある人に出会わなければならないのです。また、子ども自身が十分に思いやりを受けてこなければ、子どものなかに、思いやりの心は育てられないと思います。

思いやりのある人のなかで育つこと、あるいは、自分が思いやりを受けながら育てられることが、子どもの人格のなかに思いやりの心を育てることになるわけです。ということは、思いやりのお手本に接しなければ、子どものなかに思いやりの感情は、育ちようがないということ

ですね。当然、お母さんも、お父さんも、保育者も、思いやりの心をもって育児をする必要があるということなんです。

思いやりというのは、じつは感謝をすることに起源があると思うのです。ところが、現代の人たちのなかに育ちにくい感情とは、なにかに感謝をすることと、人を尊敬することだろうと思います。みなさんも、ご自分のまわりで尊敬をする人がいますか、あるいは、今までの人生のなかで、尊敬してきた人がいますかと聞かれましたら、「何々さんだ」「何先生だ」と、すぐには、思い当たる人がうかんでこないのではないでしょうか。

それから、この二、三日の間で、どんな場面で、どんなことに感謝をしましたかということを聞かれたとき、「こういうことに感謝した」「あのときに感謝した」ということがあれば、それはとてもすばらしいことですね。

ところが、私たちは近年、お手本にするといいような人や、尊敬すべき人に出会ったとしても、その人たちを尊敬しようとしないで、反対に羨望《せんぼう》したり、あるいは嫉妬《しっと》をしてしまうことが、多くなってきたと思いませんか。私には、おとなたちばかりでなく、子どもたちもそうなってきたと思うのです。「何ちゃんっていいな、すばらしいな」と思ったときに、「すばらしいな」と思う感情が、自然に幼い子どものなかに育つことが大切なことです。

なにも尊敬という大げさな感情ではなくても、「何ちゃんは歌がうまいな、お絵かきがうまくていいな」と思った子どもが、「何ちゃんと友達になりたい」という気持ちになることは、とても大切なことなんです。自分自身もその子のようになりたいと思っているわけですから、いろいろなことが上手にできたり、よく知っている子と友達になれることは、子どもにとって喜びのはずだと思うのです。本来、子どもはそういうものだったのです。私自身、子どもだったころをふり返ってみても、本当にそうでしたから。

ところが、自分にないすぐれたものを持っている人に出会ったときに、尊敬するのではなくて、嫉妬《しっと》の対象になったり、卑屈になってしまうことがあるんです。そんな気持ちになってしまうということは、とてもさびしく不幸なことですね。でも、どうしてそういう気持ちになってしまうのでしょうか。

それは、子どもたちが競争原理のなかで育てられ、幼いころから厳しい選別にさらされているからなんです。そうすると、子どもたちが「何ちゃん、すばらしいな」というあこがれ、あるいは、尊敬の気持ちを持ったとしても、そのような感情だけではすまなくなってしまうのです。なぜなら、自分よりよくできる子がいるということは、その分だけ自分の存在価値や評価が、小さなものになってしまうということなんです。

幼い子どもたちが、たえず他の子との比較のなかで育てられてくると、そういう感情を持ってしまうことになります。そして、すぐれた友達を持つことができなくなってしまうとともに、自分より劣った子をみつけて攻撃することによって、自分の劣等感やストレスを、解消しようとするようになってしまうでしょうね。

子どもたちのなかに、人に感謝する、人を尊敬するという感情を育てるには、まず、私たちおとなが日ごろから、そういう感情を持つように努力することが必要なことですね。そういう感謝とか尊敬という気持ちや感情は、困った人や弱い立場にある人に出会ったとき、相手の気持ちになれる、思いやれるということと、いわば表裏一体になったものなんです。ですから、ある人に出会ったときに、羨望《せんぼう》する、嫉妬《しっと》をするよりは、その人に感謝できたり、尊敬できるというのは、とても幸せなことだという気持ちを、みなさんにも、ぜひ持っていただきたいと思っております。

私も臨床者として、ある意味では、不幸な人たちに日々出会っています。そういうとき、自分が不幸な状態でいてはだめなわけで、やっぱり幸せでいなければいけないのですね。そして幸せな人が不幸な人に出会ったとき、相手を見下げるような態度で接するなんていうことは、本来ありえないことなんです。また、けっしてそういうことはしてはいけないことなんです。

本当に自分が幸せだったら、相手の不幸を一緒に悲しむことができるし、相手の喜びを自分の喜びにすることもできるはずです。そうならないためには、さきほどもいいましたように、私たちはやっぱり幸せでいなければいけないのですね。どうすれば人は幸せになれるのかを考えるということではなくて、日常的なことに幸せを感じられるように、いつも心がけなければいけないと私は思っています。

それは自分の幸せのため、まわりの人の幸せのため、目の前にいる子どもの幸せのためです。そういう感情や気持ちを持って生きることが、人を思いやることになり、子どもに思いやりの気持ちを育てることになると、私は思っております。そして、そういう思いやりの感情を、子どもたちにしっかり伝えていくことが、今とても大事なことではないでしょうか。

思いやりの心は、どのようにして子どもに伝わるのでしょうか

子どもたちは身近な人から、思いやりの気持ちを持って接してもらうことによって、その心が伝わっていくと思うのですが、一番身近なお母さんに思いやりの心が育っていない場合は、

どうしたらいいのかということも考える必要があります。

同じ保育園にきている兄弟の一人が、病院にいかなくてはならないとき、多くのお母さんはぐあいのわるい子だけを病院に連れていき、もう一人の子はいつも通り保育園にきています。そうしますと、片方の元気な子は兄弟の苦しんでいるところや、お母さんが看病している姿をみないで、ふだんと同じ生活をして、何事もなかったようにすごしているのではないでしょうか。いくら、思いやりのある子になってほしい、他人の痛みがわかる子になってほしいといっても、現実には、この子たちにどういうふうに思いやりの気持ちが、育っていくのだろうと疑問に思います。

（保母）

思いやりの少ない親には、まずあいさつを

そういうことには、あまりこだわらなくていいと思います。お母さんが子どものうちの一人を看病するときに、他の子にまで手がまわらなくて、保育園で預かってもらうということは、そんなに心配しなくていいことだと思います。というのは、一人っ子だったら不可能なことでしょう。それじゃ、一人っ子の子どもには思いやりが育たないのかというと、そんなことはないのです。大切なことは親がその子が病気になったとき、十分に看病をしてあげるということなんですね。

思いやりを受けた経験の少ない子は、しばしば仮病をつかったりすることがありますね。病気になりたいという気持ちを持つのは、自分に対して大きな愛情を与えてほしいということで

す。これは病気への逃避といったりするのですが、病気になることを意図的にする子がいます。リストカッティング（手首を切ること）なんかも、そういうことだろうと思います。けれども、死ぬつもりはないのです。

それは、だれかに愛を求める、同情を得ようとする行為なんですね。しかし、十分に愛されているという実感を持てない子どもは、自分の命をあまり大切にできませんから、自殺しやすいことは事実ですが…。大切なことは、そんなことをしなくたって、愛され思いやられているという実感を、子どもが持てるように育ててあげることです。兄弟姉妹など、だれかが思いやりを受けている姿をみるだけでは、十分に思いやりは育たないもので、まず、本人がまわりの人から、思いやりの気持ちで接してもらうことが大切なことなんですね。

私は、東京の狛江市の保育園の勉強会に月に一回、もう二〇年以上も通って保育者の人たちと、いろいろなことを話し合ってきました。思いやりのない子どもというのは、親の思いやりを十分に受けてこなかった子どもたちだと思いますが、そういう子どもにどう接するかという話し合いもしてきました。そして、子どもたちのことを話し合う前に、まず、お母さんのことを考えました。

お母さんが子どもに思いやりを与えることができないのは、そのお母さん自身が思いやりを受けた経験が、今までの半生のなかで足りなかったからだと思います。ですから、みなさんには、そういうお母さんをどう思いやってあげられるか、どうしたらそのお母さんに、思いやりの心を育ててあげられるか、ということを考えていただきたいと思います。

たとえば、幼稚園や保育園なら子どもの送り迎えのときに、思いやりのある言葉をひと言でいいですから、そういうお母さんに対してかけてあげるのが、とても大切なことだと思います。

「いい天気になりましたね」「暑いですね。一日働いてこられて、お疲れでしょう」「髪をお切りになりましたね。似合いますよ」などと、ひと言でもいいんですよ。ほんのひと言の心からの思いやりを、母親が子どもを送り迎えにきたとき、すれちがいのときにでも呼びかけてあげる。近所の人の場合でも、朝晩に会ったときに「おはようございます」「お帰りなさい」という、簡単なあいさつでもいいんです。そういうことをくり返し続けるのが、人とのつきあいを始めるスタートなんですから。

あのお母さんがきたら、無理にでも走っていって、ひと言かけなくてはなんて、そんなことではないのです。そのお母さんだけに特別に声をかけるなんていうことは、とても不自然なことですから。どの人にもそういう気持ちで接しようというふうにして、でも、何ちゃんのお母さんと何ちゃんのお父さんには、とくにそういう態度でという気持ちを、持っていらっしゃればいいと思うのです。そういう気持ちをそっと胸の内に持っていて、その人を思いやっていただきたいと思います。その人をどう受け入れてあげるかという気持ちを、ひと言の言葉にこめて伝えることが必要なんですね。

ようするに、人は、自分がだれか周囲の人たちから思いやりを受けていないと、たとえ自分の子どもに対しても、思いやることができないようになってしまいます。そのお母さんが思いやりを受けてきたことが少なければ少ないほど、子どもを思いやる力がわいてきません。そういうお母さんには、いっそう、思いやりのあるメッセージを伝えることが、みなさんの最善の方法だと思います。

最初は、こちらがせっかく心から言葉をかけているのに、期待したような返事がこないとか、態度がみえないということはおおいにあります。だけど、すぐに返事がくることを期待して、声をかけるわけではないんだと思ってくださればいいんですよ。そういうことを続けてみると、成果はあがるものです。若いお母さんやお父さんたちはかならず変わりますよ。

一人っ子の子どもの育て方について

最近は一人っ子の家庭が多いようですが、一人っ子だと友達ができにくいのではないかとか、集団生活がうまくできなくなるのではないか、というご質問が多く寄せられています。

わが家は一人娘になりそうなのですが、育児をするとき、一人っ子の問題というのはあるのでしょうか。また長所もあれば教えてください。（二歳の子の母親）

一人娘は四歳になりますが、兄弟がいないので、どうも小さい子への接し方が苦手なようです。そのことをどう教えてあげたらいいのか、親としても気になるところです。（四歳の子の母親）

母子二人でいることも多く、子犬のように体全体で甘えてきます。また、嫉妬心《しっとしん》が強くまわりの人と話ができないほどです。なにかが足りないのでしょうか。（四歳の子の母親）

一人っ子のよさ

私の家は三人の子どもがおりますが、家内は母親として、子どもたちと一緒に生活してるなかで、「三人の子どもそれぞれに、一人っ子のところをつくってあげる」ことが、大切なことだといっていますね。

三人のうち、たまたま一人になった子がいたとしたら、そのときは、その子に対して一人っ子のように接するのです。その子どもだけしかいない、たった一人の時間をつかまえて、ゆっくりお茶を飲んでおしゃべりしてあげるとか、その子だけを連れて買い物にいったりするそうです。そういうときは、本当に子どもは生き生きとするそうです。

他の子どもがいるときに、その子だけを特別にするということはしませんけれど、日常生活のなかで、かならずその子と二人っきりになることがありますから。家内はそういう時間をとても大切にして、一人っ子のようにその子と接していると、親が自分だけに目をむけてくれると感じるのでしょうね、本当にうれしそうなんです。そして、そういうときは親の伝えたいこと、しつけといってもいいでしょうか、いろいろなことが子どもに伝わりやすいと思います。

思春期や青年期になっても、一人っ子のように接してもらったときの、なんともいえないくつろぎというのは、兄弟がいるときのくつろぎと、ちがうものだと思います。親と二人っきりで、向かい合っておしゃべりをしているときは、本当に話がよくはずむそうです。だから、一人っ子のように、それぞれの子どもと接するのは、とてもいいことだと家内はよくいっていましたね。

だからといって、一人っ子を家庭のなかだけで育てすぎたり、親が子どもをロボットみたいにコントロールしすぎてしまうと、子どもは他の人とつきあうのが下手になってしまいますから、これは心配かもしれません。けれども、一人っ子は親の愛情を自分だけに集めることができるわけですから、子どもに大きな自信を与えます。その結果、その子は他の人とのつきあいもできやすくなります。

そうなったら、近所の友達のところへ連れていったり、いとこの家に遊びに連れていったり、あるいは、自分の家に近所の子やいとこを呼んであげればいいのです。ですから、一人っ子だと友達ができにくいとか、集団生活に慣れるだろうかという心配を持っているお母さん方に、そういう心配はないということをわかってもらいたいですね。

たしかに、兄弟がいるということは、兄弟関係を通して、友達とか、近所の人とか、その他の人との人間関係を学んでいくうえで、いいところはたくさんあります。その場合でも、基本的には、まず、親と安心してつきあうことができることによって、他の人とも安心してつきあうことができるのだと思うのです。そして親の愛情とか気持ちが伝わるのは、その子と二人っきりのときが一番伝わるのですから、兄弟の多い家では、親は意識してそれぞれの子どもに、一人っ子の時間をつくってあげなくてはいけないわけですね。

そういう意味では、一人っ子の場合には、その子と向き合う時間を意識してつくるという必要がないのですから、その利点を十分利用したらいいと思います。一人っ子だからこその利点を生かして、親の気持ちや愛情を、たくさん子どもに伝えていけばいいのです。そういうときが一番伝わるものですよ。一人っ子のよさは、親が与えてあげるべき大切なことを、たくさん与えやすいのです。そういう絶好の関係が一人っ子だということも、わかっていただきたいと思います。

私の親しい人に、神奈川県にある養護施設の主任指導員をしている人がいます。その人は、施設のなかで子どもたちを育てるために、もっとも大切なことの一つに、子どもたち一人ずつに「えこひいきをしてあげなくてはいけない」といっていますね。どういうことかといいますと、どの子に対しても、一人っ子のように接する必要があるということなんです。集団生活であっても、そういう機会を上手につくって、一人ひとりの子どもに対して、「えこひいき」をしてあげなくてはいけないということです。

子どもが親にべったりとくっついていても大丈夫

子どもが母親にべったりとくっついて離れないと、心配しているお母さんもいらっしゃいますね。そんなことは心配することではないと思います。子どもがべったりくっついていても、お母さん自身が、それはたいしたことではないんだと思っていれば、子どものほうも安心して母親にくっついていられ、いつ離されるかという不安感を持ちません。そして子どもは、じきに満足して母親から離れていきますよ。

ところが、お母さんがこれでいいんだろうかと心配していると、その気持ちが子どもにも伝わって心配になってくるわけです。そうしますと、子どもはかえってお母さんから離れられなくなると思います。ですから、まずお母さんが、子どもとべったりくっついていても心配ないんだと、思っていてくださることがいいのです。

たしかに、子どもというのは、いろいろな人との柔軟な関係のしかたを学ぶことによって、成長とか発達をしていくものです。子どもたちは他の子どもと競争したり、主張したり同調したり、敵対したり仲直りしたり、嫉妬《しっと》したり誇らしく思ったり、そうしながら自分とのちがいを感じ取って、自分をつくりあげていくものです。他の人の気持ちをおしはかる能力と、自分

をつくっていくことは並行して育っていくものです。ですから、子どもの社会性を発達させるとか、社会的人格を形成していくということは、他の人を思いやりながら自己主張していくという、この調和を学ぶことが大切なことだと思います。

そして、年齢とともに、いろいろな人との交わりをだんだん広げて、深めていかなければならないことはたしかなことです。そのためには、子どもがいつまでも、親にべったりくっついていては心配ですが、無理につき放すこともないのです。子どもがお母さんから離れたがらなければ、そのままにしておいてあげながら、お母さん自身がいろいろな人との交わりを、子どもにみせてあげればいいわけです。もちろん、お父さんも協力しながら、両親で、家族ぐるみでするのがいいですね。

多くの人たちの話を聞いていますと、家族が近所の人とか、いろいろな人と親しくなっていくきっかけは、子どもの年ごろが同じということがよくあります。家族同士で行き来をする、幼稚園の送り迎えで親しくなるとか、学校の集まりで話し合うようになるとかして、つきあいが始まっていくものです。

つきあうきっかけができたら、今度は子どもと一緒に遊びにいく、子どもと一緒に遊びにきてもらう。あるいは、おたがいに子ども連れで遊園地に遊びにいってみるとか、動物園にいってみるとかすると、親同士も早くから交わりやすいものです。そういう経験を通して、子どもは自然に親から離れ、そして子ども同士でも遊び始めるものですね。

しかし、現代の人たちは、他の家族と親しく交わるということが、わずらわしく、苦痛にさえ思えてしまうようになっていますね。気兼ねになってしまう、だから自分の家族だけで行動しようとします。人との交わりのなかでくつろぎを感じられない、喜びを感じにくい、むしろ、気づまり、気兼ね、苦痛を感じてしまうということが多いですね。

こういう現代の日本人の生き方は心配です。ですから、一人っ子ならいっそう、そういう努力をしたほうがいいと思います。子どもの年ごろが同じで気の合う近所の人とは、家族ぐるみで行き来をするといいと思います。

できることなら、そういう二家族、三家族ぐらいが、動物園に遊びにいくとか、遊園地にいくとか、親しく誘い合っていけるという日常性があると、もっといいと思いますね。私はそういうふうなことは、ぜひ努力してつくっていく必要があると思います。地域での育児サークルなどもそういう意味で、とても意義のあることだと思います。

兄弟げんかのとき、どう対応したらいいのでしょうか

子どもはよくけんかをしますが、一人っ子の家庭は別にして、毎日のように兄弟げんかをしているのをみていると、親は「お兄ちゃんなんだから我慢しなさい」とか、「お姉ちゃんにむかって生意気なことをいってはいけません」とか、つい、口をだしてしまいますが、そういうとき、どう対応したらいいのか、迷っている方もいらっしゃるようです。

わが家では今、長男と次男がよくけんかをしますが、たいていは次男のわがままにあるようですが、つい上の子に我慢させてしまいます。こういうことについては、どうお考えでしょうか。

（一〇歳と八歳と四歳の子の母親）

三人ともまだまだ親に甘えたい時期だと思うのですが、残念ながら親は二人しかいませんし、夫は単身赴任で週末しか帰ってきません。三人の要求を受け入れてやりたいところですが、一人のいうことを通せば、もう一人の要求は通らないということもあります。こういうときは、どのように接したらいいでしょうか。

（一〇歳と七歳と五歳の子の母親）

兄弟げんかも人間関係をつくるための大切なこと

兄弟が多いということは、子どもたちが親に対して、それぞれがちがった要求をいっぺんにするものですね。そういう場合、さきほどもお話をしましたが、それぞれの子どもに、意識的に一人っ子の時間をみつけるようにして、その子だけの要求を聞いてあげるという姿勢が大切ですね。

そういうことをしてあげていれば、自分だけの要求を満たしてくれたという実感が伝わって、子どもの要求も少なくなってくると思います。また、子どもたちが一緒にいるときで、ばらばらの要求をされたときは、やはり、小さい子どもの要求から聞いてあげることです。そんなとき、上の子どもたちの不満は残るでしょうが、他の子どもたちの知らないところで、一人っ子の時間をつくってあげていれば、納得していくものだと思います。ですから心配することはないのです。

つぎに、兄弟げんかについての質問ですが、兄弟げんかの場合には、相手の体にも精神的にも傷つけたりすることがないものです。大さわぎをしてけんかをしていても、すぐにけろっと仲直りしているでしょう。それが兄弟げんかなんです。たいていは、子ども自身も上の子は下の子に対して、手かげんなどの配慮をしながらけんかをしていますよ。そしてけんかのあとは、いじめたほうは後悔しているし、いじめられたほうはしゃくにさわって、くやしくてしょうがないと思っているでしょう。けれども、あとに問題など残さずうまくおさまってしまいます。兄弟のなかに基本的な信頼関係があれば心配はないですね。ですから、けんかをしないのがいい兄弟というのでもないと思います。

また、けんかによって子どものなかの攻撃性や征服欲などが、解放されるという側面もあるわけですから、かえってけんかをさせないことによって、子どもの向上心がみがかれないほうが、問題だと思うぐらいがいいのかもしれません。そういう意味でも、兄弟げんかはむしろ大事で、しなかったら問題があるとさえ考えてもいいでしょう。そして、健康な子どもは兄弟げんかを多くするほど、友達とはけんかをしないし、友達と仲良く遊べるものです。したがって、親は兄弟げんかを困ったことだと思わないでほしいですね。

大切なことは兄弟げんかを、なるべく少なくさせようというのではなく、けんかが終わったあとで、子どもたちの気持ちを、親がどうやって楽にしてあげるかという、家族の雰囲気づくりや、親の態度に心をくだくほうが重要なことなんです。年齢の小さいときから、たくさんけんかをさせて早く卒業させてしまおう、というぐらいの気持ちでいるのがちょうどいいと思います。子どもはけんかをくり返すことによって、社会性を獲得するための学習をしているといってもいいかもしれませんから。

すこしむずかしい言い方かもしれませんが、本来、人間はいろいろな欲求を持っているものです。金銭欲、物欲、知識欲、探求欲…、人によってじつにさまざまな欲求があります。人間には、いつもなにかしら満たされない欲求がありますし、その欲求を満たそうとして努力しています。そして、たとえ一つの欲求が満たされても、つぎの欲求が生れ、また、その欲求を満たそうとするのが人間なんです。

ですから、すべての欲求が満たされているという人もいないのではないでしょうか。したがって、欲求不満がないという人もいないと思いますね。そして、その欲求を満たすということが、人間が向上するうえで、大事なエネルギーになっているのだと思います。ただその欲求が、金銭欲や物欲などだけに集中するとなると、すこし問題かもしれませんね。

あの人は欲求不満が強く、攻撃的な人だという言い方がありますが、それはかならずしもわるいことではないと思うのです。たしかに、人間の持つ欲求不満が過度になったとき、攻撃性をあらわにするということがあります。けれど欲求不満が強く、攻撃的な人というのは、別の見方をすれば、好奇心、発達欲、やる気の強い人だといってもいいでしょうね。

そして、攻撃性というものは人間の本能のようなものだと思います。それには他人の悪口をいったり、欠点を探して喜んだりするマイナスの攻撃性から、困難な山にアタックして登頂したり、前人未到の世界を開拓するような、プラスの攻撃性もあります。その攻撃性、あるいは、やる気といった意欲をどういう方向に変え、人間の向上、人格の形成にどうつなげていくのかが大切な課題なのです。

子どものけんかをおさえこまない

一般的に、親は争いを好みませんから兄弟げんかが始まると、つい、しかりながらやめさせようとしますね。けれども、兄弟げんかは健全な攻撃性、征服欲をたがいに傷つけ合わないで、自然な方法で向上心に変えていくのに、格好のトレーニングだと私は思うのです。ですから、

危険がないようなら、おおいにけんかをさせて見守ってあげることは、むしろ大切なことではないでしょうか。

親やおとなが兄弟の間であろうと友達との関係であろうと、単純にけんかを強制的におさえこんだり、また神経質に制止するばかりでは、子どもたちの健全な攻撃性を解放させる、せっかくのいい機会をうばってしまうことになってしまいます。

兄弟げんかが始まった場合、親はどうしたらいいのかということですが、けんかの最中に割って入って片方を保護したり、両方をたしなめたり、それぞれの家庭で、それぞれのやり方があると思います。兄弟げんかをゆったりと見守っている親もいるでしょうし、比較的口うるさく注意する親もいるでしょう。ですから、こういう場合には、こうしたほうがいいというような決まった対処法もないと思います。けれども、兄弟げんかが多くなるのは、子どもの自我が成熟しているということですから、親としては、けんかを上手に利用してしつけるのが、とてもいいやり方だと思います。

そして、けんかは強い者が弱い者をいじめるパターンにしばしばなります。それはいいことではないと教えても、幼い子どもの場合はききめはありません。「弱い者いじめはだめだよ」「小さい子をいじめちゃいけない」と、いくら注意しても、子どもにはなかなか守れないものです。それは、ずっとあとになってわかることなんです。子どもとはそういうものなんだということを、親は注意したり、しかったりするなかで、よく理解しておかなければいけないと思います。

けれど一方で、親やおとなは兄弟げんかがあったとき、そっと「弱い者いじめはいけない」「今のけんかは弟のほうがわるかった」というようなことは、かならず注意する必要はありますね。つまり、人間の基本的なあるべき姿を、おだやかに、くり返し教えていかなくてはいけないと思います。子どもの発達にもとづいて、子どもが社会の価値観にしたがって、自らの行動を学習していくことができるように育てていくのが、親の重要な役割です。それがしつけなんです。

また、兄弟げんかのとき、親は上の子に我慢させるということも多いと思います。上の子の気持ちを逆なでしたりして、下の子のほうがわるい場合もあるけれど、親はつい、上の子をしかってしまうことが多いですね。けれども、強い者が弱い者に対して一歩も二歩もゆずったり、豊かな人が貧しい人に手をさしのべたりするのは、人間社会のルールのようなものですから、そういうことを心配することはありません。

人間社会は強い者と弱い者、健康な人と病気の人、いろいろな人が共存して成立しているのです。ですから、兄弟げんかをして、強い上の子が我慢が足りないとしかられるのは、しかたのないことですね。私は、それでかまわないと思っています。なぜなら、一般的にいえば、やはり下の子のほうが、いじめられることが多いのですから……。お兄ちゃんも強い人のなかに入ったらいじめられる。弟も近所の小さい子、弱い子のなかに入ると優位に立てるのですから、大きい子が我慢する、強い者が我慢するということは世の中の道理であると、きちんと教えておくべきではないでしょうか。

兄弟げんかを経験できない一人っ子の場合には、サッカー、スイミング、野球のようなスポーツ、あるいは、絵画でも書道でもいいですから、クラブやサークルに入会させるのもいいでしょうね。「あの子は僕より上手だ、あの子は下手だ」などと、優越感を持ったり劣等感を持ったりしながら、人間関係を学習する場面に引っ張りだしてあげる必要があります。できれば、団体スポーツのほうがいいかもしれませんね。

また、登山のように健康的に取り組みながら、征服することを学習するというのもいい方法だと思います。一人っ子は、ともすれば自己中心的に物事を考えてしまう傾向があります。これは環境によってそうなってしまっていることで、本人にとっては、どうしようもないことですから、親は一人っ子の特性をよく知って、子育てしていただければよろしいのではないでしょうか。

私たち夫婦の、親としての経験からしますと、子どもたちの兄弟げんかは一種のスポーツのようなものにみえました。信頼し合っている者同士のわがままの言い合いですから、ゲームのようにも思えました。このことは兄弟げんかの特性ですね。ところが、友達とのけんかの場合はそうはいきません。本当の仲良しなら仲直りも早いでしょうが、表面的なつきあいの仲間とのけんかとなれば、仲直りにも時間がかかります。場合によっては和解できないまま、前のような親しさに二度ともどれないこともあるかもしれませんね。だからこそ、兄弟げんかをたくさん経験しておく意味があるわけです。子どもは、けんかによって、どうしたら他の人たちと仲良くつきあっていけるかを勉強しているのですから。

そして、けんかは強いほうがかならず勝ちます。ですから、ひどいルール違反に思えるようなことを、どちらかの子どもがやってしまったら、それは注意します。そして勝敗が決まってしまったら、そのときも、ゲームセットとかノーサイドということを宣言して、それで終わりにしてやります。親はレフリーの役割を果たすような気持ちで対処するのがいいと思います。スポーツとしてのゲームですから、勝ち負けや善悪には、あまりこだわらないでいるのが、審判としてはいい態度だと思います。

子どもが友達と一緒に遊べないので心配です

子どもたちは四、五歳になってくると、母親や家族よりも、親しい友達を求めるようになります。そして、友達との共感的なコミュニケーションを通して、自分自身の認識を深めていきます。ところが、なかなか友達と遊べない子どものお母さんから、心配のお便りもいただいています。

先生は本のなかで、子ども同士で遊ぶことの大切さをおっしゃっていますが、わが家は一人っ子のうえ、近所にあまり友達がいません。自分から進んで友達を求めていくタイプでもないようです。ですから、私からみると友達と遊ぶ体験が不足しているように思います。やはり、私が子どもの友達を家に呼んであげたほうがいいのでしょうか。

（六歳の子の母親）

最近、公園で遊ぶ子どもが少なくなって残念です。なるべく外でみんなと遊ばせたいのですが、友達は家でゲームをやっているのでむずかしいようです。またゲームを知らないと、子どもがいじめにあってしまうのではないかと心配です。

（五歳と二歳の子の母親）

育ち合うことの大切さ

現代の家庭では、一人っ子か二人っ子というように、子どもが少ない傾向になっていますね。兄弟が少ないということは、それだけ人間関係の練習が不足しがちになるということです。兄弟が多ければ自分の友達以外にも、兄弟の友達や仲間も出入りするので、いろいろな子どもとの接触やコミュニケーションの機会が得られ、それだけ複雑な人間関係ができあがりますね。ところが、家庭のなかで子どもが自分だけか、他に一人しかいないような場合には、家庭内の人間関係が決まったパターンになりがちです。

そのうえ現代の家庭では、子どもが自分だけ一人で家のなかにいても、テレビやおもちゃ、そしてテレビゲームなどで退屈を感じないですみます。ですから、あまり外で遊ぼうとしませんし、遊ぼうとしても空き地や広場など、遊ぶ場所も少ないのが現状です。さらに、子どもたちの多くは幼いときから、ピアノやバレーやスイミングなどの稽古《けいこ》事《ごと》などに通っていますので、子どもたち同士で遊び合う時間がなかなか取れなくなっています。現代の子どもたちは多かれ少なかれ、こういう現実におかれているのです。

子どもばかりでなく、おとなもそうですけれど、本来、人間が健全に育っていくには、他の人といっしょに育ち合うことが必要なことだと思うのです。そして、子どもを育てるということは、その子の年齢にふさわしい社会性を身につけてあげることですから、そのためには、子どもは子どもから学んでいかなくてはいけないのです。どういうことかといいますと、子どもたちが相手の意見や考え方が、自分とはちがうということに気がつくのは、友達との遊びのなかで感じることが多いようです。

そういうとき、子どもたちはあるときは自分の意見を通し、またあるときは相手の主張を認めるなど、相手の能力や性格を観察しながら、自分のとるべき態度や役割をつくっていくのです。そのようにして、子どもたちは社会性を身につけていくわけですね。ところが、それは一人だけではできません。子ども同士で学び合ってこなければ、子どもが社会に適応するための、社会的人格を身につけることはできないのです。ですから、他の子どもと一緒に育つということが、とても大切になってくるのです。

わかりやすい例でお話しますが、たとえば、英国には王室があり、わが国には皇室がありますね。王室のなかの子どもたちといいましょうか、王室の人たちはあまり他の人と育ち合ってこなかったと思います。

人が育つという場合に、なにが育たなければいけないのかといいますと、社会人として健全に生きていくための、社会的人格が育たなければいけないのです。そして、その社会的人格はだれかによって教えられるものではなく、だれか他の人と一緒に育ち合っていくなかで、つくりあげていくものです。だから、そのような環境で育てられないとだめなんですね。

王室の人たちは、ごちそうを食べていますから体は大きくなりますし、教育もしっかり受けていますので知識も豊かだと思います。ところが、わりあい閉じられた環境で育てられてきましたから、王室のなかだけでなら、しっかりと生活をできる人にはなります。けれども、社会的人格は本当には育ってないと思いますね。

近年、英国の王室の人たちは社会に開かれた王室にしようとしました。ところが、社会人として育ち合うような環境で育ってこなかった人たちを、社会に開かれた環境のなかにおきましたら、いろいろと問題がでてきましたね。たとえば、エリザベス女王以後の王室の人で、結婚生活を継続できた人はいないのです。エリザベス女王は開かれたところにいらっしゃらない、だから、育てられた環境のなかに、そのままいればよかったわけです。チャールズ皇太子とダイアナ元妃の離婚もそうですが、他の人と育ち合うということがなく育った人が、本当の意味で社会的に開かれた環境におかれたら、どうなるかわからないということだと思います。育ち合ってこなければ、人間は人間社会で自律して生きていけないということを、私たちは知らなければいけないと思います。

私たちの場合でも同じですね。たとえば、私が自分の子どもを育てようとするときには、親として自分の子どもを一生懸命育てますよ。そして、心をかけ手をかけたりして育てますと、その子どもは家族というなかではしっかりと生活できるし、家のなかでは平和にすごすおとなになっていくでしょう。けれども、それは社会人としてちゃんと育ったことではないのです。

育つということは、日常生活のいろいろな感情を共有し合いながら、他の人と育ち合ってなければいけないものです。ですから、自分の子どもがちゃんと育っているかどうかということは、自分の子どもと一緒に、だれかが育っていてくれるということだと、私は思います。

子ども同士が育ち合えるように努力する

このように、子どもが他の子どもたちと育ち合っていくことの重要さは、一般的には理解できるのではないでしょうか。けれど現実には、そういう社会ではなくなってしまいましたね。子どもが友達と遊び、育ち合っていける環境は、ほとんどなくなってしまったかもしれません。さらに、子どもたち同士で、うまく遊べなくなっているという背景には、親たちも近所や親類の人たちとコミュニケーションをすることが、下手になっているという現状もあるのではないでしょうか。

子どもを育てるうえで大切なことは、保育園で、幼稚園で、学校で、コミュニティで、その他の場所で、自分の子どもが他の子どもと育ち合っていけるような、場面や状況を与えるということです。そのためには、親が自分の子どもと一緒に、近所の子どもたちも育てているという、気持ちを持たなくてはいけないと思います。そして、近所の人たちに、自分の子どもたちも、育てていただこうという気持ちを持つことです。さらに、近所の人たちにも、幼稚園の先生や保育園の保母さんにも、そういう気持ちを持っていただくことが大切なことです。

私自身は自分の子どもを育てるときに、自分の子どもだけ育てようと思わないように心がけました。近所の子どもたちが、自分の子と一緒に育ってくれていると思いました。そのように心がけるということは、親も隣近所や地域社会の人と親しくするということです。まず育児を考える場合、このことがスタートのように思いましたね。ですから、自分の子どもだけを連れて、どこかに遊びにいくというのではなく、できるだけ近所の子どもも連れて、遊びにいくということをよくやりました。

もう、何年も横浜球場へいったことはありませんが、子どもが小さいときにはよくいきましたよ。そして、近所の子どもをよく誘いました。子どもの親しい仲間たちに声をかけて、おおぜい集まったときは外野席、少ないときは内野席でみました。

そういうとき、子どもたちは親とだけいくよりも、仲間が何人か集まって、親にフォローされながらいくほうが、うんと楽しいことなんだということがよくわかりました。親とだけで野球をみにいったときは、子どもは親の隣にちょこんと座っているだけで、あまり大声をだしたりしません。ところが、何人か仲間と一緒だと、子どもたちは大声をだしながら、親のことは無視して行動していましたね。

動物園や遊園地でも、自分の子どもたちだけを連れていった場合には、親のあとを、ただなんとなく歩いている印象が強かったですね。親の計画した通り、親の意思通りにただついてくるだけです。ところが、何人もの仲間が一緒にきてくれると、すぐに仲間同士で行動し始めます。親が「もうすこしゆっくり歩こう」といっても、子どもたちだけで、親をおいてきぼりにしてどんどん先にいってしまいます。「ああしよう、こうしよう」と仲間と相談し合って、子どもたちだけで行動を始めます、そして、そのほうがずっと生き生きしていますね。

親と二人だけのときと、近所の子どもが一緒にきてくれる場合とでは、子どもというのは、こんなにも行動がちがうものなんだと思いましたね。これは親を無視したというより、自分たちで自発的な行動をとるということなんです。このように、子どもは子ども同士で楽しみ合う、何々し合うという環境におきますと、非常に生き生きしてきます。このようにして、子どもたちは育ち合いながら、成長していくものなんですね。

幼稚園、保育園ではどう育ち合わせるか

子どもを集団で保育するときに、本当にうまい保育とはどういうことか、みなさんに、そういうことも考えていただきたいと思います。子どもたちがみんなばらばらで、まとまりがなくて始末がつかないというのは一番下手な保育ですね。子どもたちがなんとなく集まって、なにかをしているだけでも十分ではないのですね。では、みんなが先生や保母さんのいうことをきちんと聞いて、まとまっているようにみえるというのがいいかというと、それも、それほど上手な保育ではないのです。ただ単純に、クラスの子どもたちみんなが、保母さんが望んでいるような行動をいっせいにとっているのは、一〇人であろうと、二〇人であろうと、たった一人

の場合とそんなに意味はちがわないんですね。

一番上手な保育というのは、子どもたちがおたがいに気の合った仲間をみつけて、自分たちで相談し合って、おたがいにルールをつくり、あるいは新しい遊びを発見して、コミュニケーションし合いながら、行動するというのがいいのです。子どもたちが自分たちで考えて、だけど一人ではなくて、何人かで生き生き活動している。あっちに、ああいうかたまり、こっちに、こういうかたまりがあるという感じで行動できているのが、本当の意味で、ともに育っていることなんです。

そういうときに、どうしても仲間に入れない子どもがいるときには、子どもたちのかたまりのなかに、「Aちゃんもいれてくれる、Bちゃんもいれてくれる」と、その子に遊びの仲間のルートをつくってあげるのが、これもまた上手な保育なんです。

その子には、どういう子どもたちのグループがよさそうだとか、ちょっと遊びを変えてくれれば「何ちゃんだって入れるから」と、子どもたちに頼んだりする。そういう指導はこれまた保育者としての大きな腕であって、喜びであろうかと思うのです。そういうことを日々、みなさんがこれまでの経験を上手に生かし、いろいろな工夫をしながら毎日の保育をなさると、それは非常に楽しいことだと思いますよ。

そして、子どもを送り迎えにくる両親には、家へ帰ったあととか、休日とか、幼稚園や保育園にいない時間も、子どもたちをどう育ち合わせるかということを、近所の人と考えてほしいということも伝えていただきたいですね。親やおとなが、園をでたら、自分の子どもが他の子どもと、育ち合わなくてもいいと思っていたら、幼稚園や保育園のなかだけでは、きちんと生活ができる子どもにはなっても、社会で自律して生きていけるようにはならないのです。子どもにとって育つということは、自分と一緒にだれかが育ってくれている環境が、絶対になければならないものなんです。

過剰期待と早期教育について

親が子どもに対してこう育ってほしい、こういう子になってほしいと期待するのは自然なことだと思います。けれども、そういう親の期待が、知らず知らずのうちに過剰期待になって、子どもに影響を与えてしまうことがあります。過剰期待の問題、あるいは早期教育についてお話します。

> 私自身、学生時代いくら頑張っても、勉強ができずに劣等感を持ったことがあります。子どもにはそんな苦労はさせたくないと思い、そこで子どもになにか習わせたいとか、家庭でどうすれば頭のよい子になるかなどと悩んでいました。一方で、早期教育をさせることにも踏み切れないで、時間がすぎていくばかりであせりを感じています。
>
> （四歳の子の母親）

> 私は私立幼稚園に勤めております。四歳のクラスの男の子のことなんですけれど、大変母親の期待が大きくて、そのためにのびのびできないで、友達とも一緒に遊べないお子さんがいます。しばらくして遊べるようになったのですが、バイオリ

ンのお稽古《けいこ》を始めるようになってから、目をぱちぱちすることが多くなり、心配になって「お稽古《けいこ》がストレスになっているようでしたら、お休みしたらどうでしょうね」と、お話をしました。けれども、お母さんから「子どもはお稽古《けいこ》をいやがっていません」といわれてしまいました。そういうお母さんに対して、どんなふうに接したらいいでしょうか。

(幼稚園教諭)

過剰期待は親の愛情としては伝わりません

多くの親は自分の子どもに対する期待を、愛情だと思っています。あるいは、子どもの将来を思いやってのことだと思っています。だから、愛情の表現だと思っているわけですね。けれど多くの場合は、親はありのままの子どもの成長に期待するのではなく、子どもが親の思った通りになってほしいと、期待しているのではないでしょうか。

勉強ができるようになってほしい、スポーツもうまくなってほしい、ピアノや絵画も身につけてほしいなど、いろいろと期待します。そして、子どもの持っている能力にかかわりなく、親はどんどん期待を大きくしていきます。

このような過剰な期待は、親自身がどう思っていても、子どもに与える心理的なものは、子どもを拒否していることになるのです。子どもに対して愛情として伝わるのではなく、自分が拒否されたと伝わるものなんです。なぜなら、過剰期待というのは、今のままのあなたには満足していないということを、別の表現で伝えているだけなんですから。この心理的な関係は過剰期待された人でないと、なかなかわからないかもしれませんね。

たとえば、夫婦の間での過剰期待について考えてみると、よくわかるかもしれません。夫から毎日のように、こういう妻になってほしいとか、あるいは妻から、夫としてそんな状態では満足していないということを、いろいろな態度で言い続けられるとしたら、みなさんどんな気持ちになりますか。とてもつらいことではないでしょうか。

一般に、親が子どもに過剰期待をするというのは、親自身が自分のことに満足していなかったり、自分が孤立していて不安だったり、今の生活に不満があったりする場合が多いですね。そういうとき、親はなにかに生きがいを求めます。そして、一番身近な子どもを、生きがいにしてしまうことがあるわけです。自分の都合のいいように子どもに期待し、生きがいにすることによって、自分の不安から逃れようとするのです。ですから、そういう親は過剰期待によって、子どもがどういう気持ちでいるかということにも気づかないものですね。

現代は、親の過剰期待にさらされている子どもが、非常に多いですね。私たち臨床医が出会う、情緒障害といわれる子どもたちは、生まれつきの情緒障害でない場合がほとんどです。情緒障害といわれる子どもたちの多くは、親の過剰期待によるものだといってもいいかもしれません。

たとえば、自分の毛を引きぬいてしまうという子どもたちに、小さい子どもばかりでなく中学生や高校生にも、私は臨床の場で何人も出会ってきました。頭髪のほとんどすべて、つるつるになるまで引きぬいてしまった少女もいました。彼ら、彼女らは、たいてい親の過剰な期待に苦しんでいました。ですから、過剰期待がなぜいけないのか、子どもにとって最悪なのかということを、みなさんにも考えていただきたいと思うのです。

過剰期待になりがちな早期教育

私はときどき、保育園や幼稚園、それから、学校もありますけれど、父母会やＰＴＡの会などに招かれてお話をすることがあります。そういうときに、私はお母さんやお父さんに「自分の子どもが、どう育ってほしいですか」と、よく聞くことがあります。そうしますと、親の望みには個人差がありますが、ほどほどに、あるいは、うんと勉強ができる子になってほしい、これは親の共通した望みのようです。

しかし、子どもが勉強ができるようになれば、もうこれでいいと思う親も少ないですね。勉強ができるだけでなく、活動的なスポーツマンにもなってほしい、さらに情操教育として書道やお茶やお花、ピアノやバイオリンとか、あるいは絵がうまくかけるようになってほしいと、多くの親は思っているのです。

自分の子どもが学校の秀才でサッカー少年で、そのうえバイオリンが弾けたりしたらどんなにいいでしょうね。これはすばらしいと多くの親が思いますし、私だって自分の子どもに、そうなってもらいたいと思いますよ。親としてこういう希望を持つのは自然なことです。それに勉強やスポーツ、お稽古《けいこ》事《ごと》を教えてくれるところは、いくらでもあります。学習塾、スポーツクラブ、音楽教室、絵画教室など、ありすぎるぐらいありますよね。そういうところへ子どもを通わせれば、子どもはその子の能力なりに伸びていきます。

ですから、子どもにいろいろなものを与えるだけの早期教育とか、幼児教育だったら、子どもにとっても、すこしもわるいことではないと思っています。成果があがってもあがらなくても、親がそのことを気にしないで早期教育をするのであれば、それはいいのではないでしょうか。けれど多くの場合は、親は子どもの成果を期待しているわけです。

そうしますと、それは親の自己愛を満たすための、親の満足のための過剰期待となってしまいます。とくに近年、そういう早期教育が多くなっていますね。幼稚園などでも、英語などの幼児教育を取れ入れているところも、多くなっていますけれど、私は早く教育したからといって、成功するかしないかは偶然性のように思いますね。もっといいますと、百分の九九は成功していないのではないでしょうか。ですから、早期教育を考える場合は、やらないより、やったほうがいいという程度に、考えたほうがいいと、私は思っているのです。

幼児期の子どもにとって大切なことは、そういうことではないと思います。子どもの発達にとって必要なことは、まず乳児期には、自分の望んだことが十分に満たしてもらえること。つぎには、親やまわりの人に「こうするんですよ」といわれたことを、習い始めるとき（親の側からみるとしつけの時期ですが）、いつからできるようになるかは、自分まかせにしてもらっていること。さらに、幼児期後半の最後の仕上げは、自分のやりたいことをおもいきりできることだと思うのです。

これらは、子どもの依存欲求を充足することでもありますし、こういうことを満たされて育ってきた子どもが、一番順調に成長していることになると思うのです。そして、成長のそれぞれの時期に、精神保健がいい状態で育っている子どもというのは、生き生きとして輝いていますよ。

早期教育を考える場合、こういうことを、親は知っていなければいけないと思いますね。つまり、幼児教育によって知能がどんなに高くなったとしても、幼児は幼児なんです。そして知能と肉体と、それから社会性というものは、それぞれ別に発達していくものなんです。ですから、早期教育の結果、子どもの知能が高くなったとしても、情緒性、あるいは社会性は、まだ未熟ということがよくあります。

そういう子どもの知能と情緒性や社会性の落差が、大きければ大きいほど、その子どもの人格は支離滅裂になってしまいます。いろいろな面の発達がそろって早いか、そろって遅いかということであれば、大きな問題はないのですが、それがアンバランスになったときが非常に問題なんです。ですから、知能の発達が非常にいい子がいたら、一方では、おもいきり情緒的に、いい意味での甘えとか過保護を許しながら、人間関係をすこしでも豊かにしていく、あるいは、他の人に対する信頼感を育てていかなければならないのです。

アメリカでも一〇年ぐらい前までは、英才児たちは一年か二年、飛び級をするケースが多くありました。知能が進んでいても情緒が追いついていない状態で、飛び級をするわけですから、年長者のクラスのなかでは友達をつくることができませんし、その子が精神的な背伸びを強いられストレスになったりします。そして、思春期をすぎたころには、クラスの友達との間に精神的なギャップができたり、結局、神経症になったり、落ちこぼれたりして、そのストレスが暴力という形ででてくるという問題があり、今では、アメリカでは飛び級はすっかり影をひそめてしまったそうです。

二、三年ぐらい前に、日本でも高校二年生で、大学に入学させるということをやっていましたが、どうして、そんなにいそぐ必要があるのでしょうか。私はいろいろな面でのバランスがとれているほうが、子どもの成長過程で本当は一番健全なのではないかと思っているのです。親やおとなからみると、平凡すぎてつまらなくみえたりするかもしれませんが、本当はそれが一番いいと思います。

知識や技術を子どもにどんなに十分に与えたって、それは人格の完成にはつながらないということも、わかっていただきたいと思います。どんなに事業に成功しても、スポーツで成功しても、それは人格を育てることと別のことなのです。事業が成功したから人格者であるとか、バイオリンが上手になれば人格者になるとか、そんなことないというのは、わかっていただけると思います。そういうことに、親も気がついてもらいたいですね。

過剰期待をしている親にどう対応したらいいか

幼稚園や保育園などで、子どもに過剰期待をする親にどう対応したらいいのかという、幼稚園の先生からの質問もありますね。お母さんにどう接するかということは、非常にむずかしいことです。それは幼稚園や保育園の本来の仕事ではないですし、お母さんも、そういうことを期待しているわけではありません。期待されていないけれど、私たちはいろいろなことを伝えなければならないという意味では、とても大変なことですね。

親というのは、自分が孤独で不安が強ければ強いほど、子どもを生きがいにすることが多いものです。そして過剰期待する親というのは、いい意味でもわるい意味でも、一般的にプライドが高いようですね。ですから、幼稚園の先生とか保育園の保母さんが、お母さんの態度をあらためてもらおうと、批判するなど直接的な働きかけをして、無理に気がついてもらおうとすると反発がきますね。お母さんのプライドがすごく傷つくわけです。そういうことは、お母さんにダイレクトにいってもだめなんです。

保育者のみなさんが、親になにかを伝えようとする場合のいい方法は、それはすぐ伝わるかどうかわかりませんが、父母会などで両親にむかって、一般論としてお話をするのがいいと思います。そして、そのお母さんにむかっていっているのでないけれど、「あっ、もしかして自分のこと」というふうに、気がついてもらえるような語りかけをすることだと思います。

たとえ、はっと気づくときがあっても、何回でも耳にいれておかないと、どういう意味かわからないということがありますから、クラス会とか全体会のときに、くり返しお話をしていくより、しかたがないのではないでしょうか。

お母さんが自分の子どものチック症や、その他の症状について心配して、むこうから相談にこられたら、これは非常に伝えやすいでしょうね。ところが、相手が心を開いた状態でないときに伝えると、たいてい、プライドを傷つけてしまい、かえって事態はわるくなる場合が多いですね。

そういうことを伝えられると、現代のお母さんは子どもに対して、「あんたがちゃんとしてくれないから、お母さんが恥をかいてしまった」というような、そういう心理状態になってしまうのです。先生や保母さんが伝えるということは、とてもむずかしいことですよ。

けれども、幼稚園や保育園では、すこしでもその子の問題を解消する必要があります。そういうときには、先生や保母さんは、自分たちのいうことを子どもに守らせるというより、その子のやりたいことを、おもいきってやらせてあげるというような保育がいいですね。その子がすこしぐらい、はめをはずしてもいいんですよ。「自分の好きな絵を描きなさい、もっと大きく描いていいんだよ」とか、「いくら失敗しても大丈夫だよ」とかいいながら、子どもにのびのびした体験を、うんとできるようにしてあげるということが、大切なことだと思います。

すこし前に読んだ雑誌に、世界的なチェロ奏者ヨーヨー・マの姉ユーチョンのことを書いた、こんな内容の記事がありました。彼女は二歳半のとき、父親の手引きでバイオリンを始め、コンクールでは何度も優勝していました。ところが、四歳半からチェロを始めた弟のヨーヨーが、姉をしのぐ才能をみせるようになったとき、ユーチョンは一五歳でノイローゼになってしまったそうです。

その後、小児科医になったユーチョンは、今でも音楽を愛していますけれど、子どもに無理強いする親に対しては、「子どもの仕事は遊ぶこと」だといっています。また、「私は左手の技術と引き換えに、子供時代を失ってしまった」ともいっています。

私はこの記事を読んで、早期教育についてあらためて考えたとき、彼女の言葉はとても意味のあることだと思いました。

気になる子どもたち

いい子について

親の過剰な期待によって、親の顔色をうかがい親の望むことはきちんとする、いわゆる、いい子と呼ばれている子どもたちは、知らず知らずのうちに自分の気持ちをおさえてしまいます。最近の少年事件では「小さいときは、おとなしくていい子だった」という報道がよくありますが、そういう、自分をおさえて育ってきた子どもたちが、大きくなったときのことが心配です。

小学校二年の長女のことですが、あまり手のかからない、いい子です。先日、長女と次女を私の実家ですごさせたのですが、そのとき、二人がけんかしたので、母が長女をしかると、長女は母に手をだし、それを父にとがめられると、今度は物を投げて怒ったそうです。私の前では絶対そのようなことはしたことがありません。ふだん、私が厳しく怒るので反抗できずに、私の前ではいい子で我慢していたのでは…と気になっています。

（九歳と六歳と四歳と二歳の子の母親）

過剰期待といい子

親やおとなの期待することを先まわりして、期待通りの行動をする子どものことをいい子と呼んでいます。前にもお話をしましたが、過剰期待された子どもの非常に不幸なところは、人の評価に過敏になってしまうということなんです。ですから、いい子は親にいわれたことはちゃんとやろうとします。そして、なにをしなければならないかということに、いつも関心を寄せていますから、自分のやりたいことは後まわしにしてでも、やるべきことはちゃんとやります。親やおとなの顔色をみて、評価を得られるようなことは、よくやる子どもになります。そういう子どもは小さいときは、まわりの人からはいい子にみられますね。

一方で、自分がなにをしたいかということは、お留守になってしまいます。だから、生き生きと自分の活動ができなくなり、非常に受け身な性格になってしまいます。親の期待という、決められた枠に適応するように育てられてきましたから、おとなになっても、自分の本当の気持ちがよくわからなかったり、他の人に自分の感情や欲求を素直にあらわせなかったり、しっかりと主張することがうまくできません。

テレビや新聞では、大きな事件を起こす若者たちは、しばしば小さいときは反抗期もなくて、とてもいい子だったといわれています。反抗期というのは、幼い子どもにとっては相手を信頼しているから反抗できることなんです。ところが、親の過剰な期待に適応する行動ばかりをしてきたいい子は、結果として、反抗期という機会もうばわれてしまっているのではないでしょうか。そうすると、自分というものが育たない、主体性とか自主性が育たないという問題がでてきます。主体性とか自主性が育たないということによって、大きな問題が起きるのは思春期の年ごろになってからです。

思春期になるまでは、親の保護的な世界で生きていられるわけですから、子どもたちもいい子でやってこられます。ところが、保護的な世界をでて、仲間との本格的な生活が始まろうとするときに、自分というものが育たないままできた子どもは、仲間のなかに入っていけない、そして萎縮《いしゅく》してしまいます。典型的なケースの場合には、拒食症になったりします。そうでなくても、さまざまな意味での情緒障害の反応を示してきます。

ですから私たちは、子どもに過剰な期待をすることの意味について、親にしっかり伝え、わかってもらわなければいけないのです。ところが、親にちょっとやそっといっただけでは、よその子の話だと思って、なかなか自分の子どものことだとは、感じてもらえないですね。けれども、くり返しくり返し、親に伝える努力はしなくてはならないことだと思います。

いい子の問題

私たち現代のおとなたちは、自己愛的な傾向になっていますから、親やおとなは子どもに対して、自分が望むような子どもになってもらおうとしすぎてしまいます。本来は反対で、子どもの喜びが、親の喜びになるぐらいが自然なことなんです。そういう関係が逆転してしまって、いい子というのは、親の期待を敏感に感じ取って、親の喜びが自分の喜びみたいになってしまうのです。

つい私たち親は、親の喜びを自分の喜びにしようとする、いい子をつくってしまいがちです。家庭だけではなく、学校でも、教師がそういう子どもをつくっているのかもしれませんね。その結果、子どもの自主性をつぶしてしまうのではないでしょうか。そこのところが問題なんですね。

最近、親の前でいい子で、よそでは問題があるという子がいます。保育園でも多くなりました。だけど、保育園とか幼稚園とか小学校で、おたくのお子さんはこんなに心配なんだといっても、子どもは親の前ではちゃんとしていますから、「そんなはずない」と親は思っているわけです。子どもたちは親の前では他人行儀なんです。おとなになったときの、アダルト・チルドレンはみんな、親の前では他人行儀だったと思うのです。

本当は、よその人に少々ほめられても、「そんなにいい子じゃありませんよ」と親が思っているぐらいがふつうなんだと思います。そういう子どもは親に気づかいなんてしませんし、家庭で安心して自分の弱点、欠点をだしていると思いますね。反対に、家庭で安心して自分の欠点をだせないで、やすらげない子どもというのは、親の前ではいい子ですね。そのかわり、保育園や幼稚園や学校など外で荒れたり、問題を起こしたりします。そういう心配な子どもがふえているのです。

そういう子どもたちは、たとえば、いじめで自殺するほど苦しんでいても、親にはなかなか話せないのです。そして自殺した場合には、学校ではなぜ気がつかなかったのかとか、教師はどうして気がつかなかったのかとか、いろいろいわれていますね。でも、親だって気がついていなかったということを、私はいいたいですね。

そういう子どもたちは、親に本当に気を許していないのです。それはかわいそうですよ、くつろげる場がないわけですから。学校へいったら針のむしろ、家へ帰っても遠慮しているわけでしょう。本当は親からみて、いつも自分の欠点や弱点をだしているような子どものほうが安心なんですよ。だって親の前で他人行儀でいい子なんて、心配じゃないでしょうか。

人のいやがることをする子ども

保育園、幼稚園で人のいやがることを、わざとする子どもがいます。また、他の子どもに対して乱暴をしたり、いじめたりする子どもが多くみられるようになってきました。子どもたちのそのような行動を、どのように理解したらいいのか、お話してみたいと思います。

園にきている三歳の男の子ですが、他の子のいやがることをわざとする、反抗する、泣きさけぶ、わめき散らすなど保母の手がとてもかかります。かと思うと保母にべったりとして甘え、胸に手をいれる、顔をなめるなどの行動をとります。母親は連絡ノートに「一人で遊べるようになった」とか、「一人でお風呂に入れるようになった」とか、家ではそういうことはないと書いてくるのですが、園の様子をみていますと心配です。（保母）

人のいやがることをする理由

子どもが他の人のいやがることや、くり返して同じいたずらをするとしたら、その子は小さいときから、めぐまれた環境でやさしく育てられた経験が不足しているのだと思います。あるいは、望んだことを満たされながら育ってこなかったのだと思います。やさしく育てられてこなければ、やさしさというのは身についてこないものなんです。そして、それだけ人に対しても、不信感を強く持ってしまうものだと思います。

ですから、人のいやがることをするということは「こんなことをしても僕のこと好き」と、愛情を確かめているわけですね。どうしてそんなことをしてまで、愛情を確かめようとするのかといいますと、多くの場合、親子関係のなかで、小さいときから見捨てられるかもしれないという、子どもにとっては、おそろしい体験をしているのではないでしょうか。子どもたちにはいつも、親から捨てられるかもしれない、どこか大切にされていないという思いがあるのかもしれませんね。

本当にはそう思っていないでしょうが、たとえば、お母さん、お父さんは（お母さんのほうが多いかもしれませんが）、よくこういうことをいったりしませんか。「そんな子を生んだ覚えはありません」「勝手なことばかりして、お母さんはもう知りませんからね」「あんたのような子はどこかにあげてしまうから」と、軽い気持ちでいっていませんでしょうか。

このような親からのメッセージを、幼いときにくり返しいわれて育ってきた子どもは、心理的にはいつか捨てられるという気持ちが、心の底に積もってしまいます。ですから、いつも親やまわりの人の関心を得ようと、それが相手にいやがられるものであっても、そのことによって愛情を確かめようとするんですね。

これは子どもばかりでなくおとなたちも、相手の感情を確かめるときによくやる行動です。たとえば、恋愛中のカップルがいたとします。その恋愛をしている相手がデートの時間に、わざと遅れてくるというようなことがあります。まだ相手が自分をどう思っているか自信がないときは早くいきますよ。けれども、ちょっと自信がでてきて、相手の愛情を確かめたくなったときには、「待っててくれるかな」という気持ちで、遅れていったりすることがあるでしょう。

いつも愛情を確認していないと、安心ができないからだろうと思います。
　そういうことをする人は、小さいときからやさしく育てられてこなかった愛情を求めている人だと思いますね。人のいやがることをする子ども、あるいはおとなもそうですが、そういうかわいげのない人はいるんですよ。そういう子どもに対して、私たちはなかなかふつうの感情では、かわいいと思うことはできないですね。そして、そういうことをするのは、わがままだからとか、自分勝手な性格だからと思ってしまいがちです。けれども、生い立ちであるとか、自分がおかれた環境によって、だれでもそういう気持ちになることがあるのです。ですから、この子たちをわるい子だとか、とんでもない子で問題のある子だなんて、思わないであげていただきたいと思います。

　そういうことをする幼い子どもに対しては、「人のいやがることをするのはよくない」と、そっと伝えればいいのです。それは伝える必要もないぐらい、子ども自身が知っていることなんです。ほめられると思って、人をたたいたり、かみついたりしている子どもは一人もいませんし、本人もいけないことだとわかっているのです。そういう子どもは、いけないことだと知っていてやっているわけです。けれども、我慢できなくなってやってしまうのですね。

　私たちは、そういう子どもたちをみて、いけないことはすぐに注意しておかなければ、その子はわるいことに気づかないまま育ってしまうと思ってしまいますね。そして、大げさに注意したり、くどくどとしかったりすることがあります。けれども、いけないということは、その子どもにもわかっているのですから、そんな必要はないのです。

　それよりも、その子たちが今まで、望んだことが望んだように満たされてこなかったということのほうに、目をむけていただきたいですね。そして、大切なことは子どもが幼いときは、とくに親、保育者、教師、治療者がその子に対して、どれぐらいやさしさとか、いたわりをかけられるかということだと思います。

人間はだれでも、望んだことが満たされなかったりすると、怒りとか攻撃、いじわる、嫉妬《しっと》、そねみ、敵意という感情を持つものなんです。ですから、人のいやがることをする子も、そういう感情をださざるをえない環境で、育ってきたのだと思います。私たち人間はそういう感情を、道徳とか倫理観とか約束とかルールとかによって、できるだけ表にださないようにしているわけですが、自分がそういう感情をださないでもすむような状況や、環境にいられることに感謝していただきたいですね。

それから、そういう感情を強くだす子どもは、わるい子だとか、いけない子だとかという前に、そういう感情がどういうときにでてしまい、どうするとでないのかということも、考えていく必要があるのではないでしょうか。

乱暴したり、いじめをする子ども

幼稚園や保育園でも、他の子どもに乱暴をする子どもがふえてきているようです。その子たちの行動をどう考えればいいのか、どう対応したらいいのかというご質問が寄せられています。

保育園の三歳の男の子のことですが、他の子どもとぶつかるとオーバーに「痛い」とくってかかり、物を投げたり、かみついたり、引っかいたりします。言葉も乱暴で、「てめえ、おめえ、バカ、なんだよう」と連発します。だっこしてやると落ち着いてあやまりますが、この変化が大きいので心配です。もう一人は、自分より小さい子を押し倒したり、じやまと感じた子に対してはかみついたり、大きな声で挑発的な態度をとります。一方、自分の思い通りにならないと、いじけたりして落ち着きません。この子どもたちにどう接したらいいんでしょうか。

（保母）

保育所の友達にやや乱暴な子がいます。息子やほかの友達を押したり、たたいたりということが、お迎えのときによくみられます。二歳一〇か月の息子がある夜、突然「何君は、なんで僕に痛いことするの、ママ？」などといいます。なんと答えていいのか困ってしまいました。

（二歳一〇か月と一〇か月の子の母親）

欲求不満によって生まれる攻撃的な感情

人間には欲求不満になると攻撃的になるということがありますが、これはだれもがなるものなんです。欲求不満がなければ、人間は攻撃的な感情はださないですむのでしょうが、欲求不満のない人間というのもいないと思いますね。

欲求不満があるというと、否定的に受け取られがちですが、一方で、人間というのは微妙でして、欲求不満があるから向上心がでるという側面もあるんですね。こういう側面もあることを知っておくことは、とても大事なことだと思いますので、前にもお話をしたかもしれませんが、もう一度お話をいたします。

人間は一つの欲求が満たされると、かならずつぎの欲求を目指すものです、それが努力です、努力の原動力なんです。ですから、人間の向上心とか努力の背景には、欲求不満と紙一重の感情があるのです、あるいは、欲求不満とほとんど区別のつかない感情があるんですね。自分はもうこれでいいんだと思ったら、人間はそれ以上の努力はしないものですね。

けれども、欲求不満の度がすぎると、人間は攻撃的になってしまいます。欲求不満の程度が大きくなったとき、幼い子どもは他の子に乱暴なことをしたり、いじめたりします。そして、攻撃的になると同時に、赤ちゃん返りもするのです、退行するんですね。ですから、保育園にいる子どもたちは、まだ幼い子たちですから、質問にあるような、攻撃的なことをする子どもは、ほとんど赤ちゃんぽくみえるでしょうね。

自分がちょっとなにかされると、「痛い、痛い」と大さわぎするくせに、他の子には激しく攻撃する。保母さんがだっこしてあげると、赤ちゃんのようにべたべた甘えるくせに、つぎの瞬間には、また乱暴をする子どもがいるとおっしゃっていますね。こういう子どもたちは、赤ちゃん返りをしていながら、なんでもかんでもすぐ被害的になり、攻撃するけれど、精神的にはとても幼稚なんです。それから、赤ちゃん返りをして、うんと甘えて、欲求不満を解消しようとするのです。子どもたちのさまざまな行為をみるとき、そういうふうに考えていただくこともとても大切なことですね。

では、子どもたちがどういうときに、欲求不満になるかということも、考えてあげなくてはいけません。自分がこうしてほしいという、希望や願いが受け入れられないときに、子どもは欲求不満になります。それから、まわりから過剰な要求をされたときも、子どもは欲求不満になります。このどちらかなんです、あるいは、その両方です。すべてこれだといってもいいでしょうね。

質問にあるような、乱暴したりいじめたりする子どもの場合は、おそらく、この子たちの親には、子どものいうことをゆっくり聞いてあげる、心のゆとりがないんじゃないでしょうか。時間じゃなくて気持ちのゆとりがないのです。お母さんのなかには、台所仕事をしながらでも、そばに積木や電車やおもちゃを持ってきた子どもと遊べる人もいます。子どもと一緒にゆっくりおしゃべりをしながらお風呂に入るとか、子どもをひざに乗せながらゆっくりテレビをみるとか、そういうことをわずらわしく思わないで、ちゃんとできる人はいるのです。

ところが、「いそがしいんだから、あっちへいって」といってしまう親もいるのですね。あるいは、「早くご飯を食べなさい、早くかたづけなさい」「どうして、いうことがわからないの」という、指示や命令ばかりしてしまう人もいるのです。

ですから基本的にいえば、この子どもたちのほとんどは、家庭で自分の要求が十分かなえられていないと思いますね。お母さんやお父さんから、僕や私はこうしてほしいんだと思っていることが、十分満たされていないと思うのです。そのうえで、今度は、親がこの子どもたちに「ああしてほしい、こうしてほしい」「ああしなさい、こうしちゃだめだ」という指示や命令の程度が、大きすぎるということがあるのではないでしょうか。

過剰に期待されている、あるいは過剰な干渉が多い、ようするに、まわりからの要求がたくさん加えられているのです。このどちらかというより、おそらく両方によって、この子たちは度がすぎた欲求不満になっていて、怒りとか攻撃とかの感情を強くし、それから赤ちゃん返りや甘えの感情を強くしてしまう、こういうふうになっていると思うのです。

これは何度も申しますが、保育をする場合でも、教育をする場合でも、診療をする場合でも、

自分の気持ちをゆっくり聞いてもらう人を持たなかったら、人はだれもが、そうなってしまうということを、ぜひ知っていただきたいと思います。

おとなの場合でも、欲求不満があると攻撃的な感情になる

子どもだけでなく、おとなの場合だって同じだと思うのです。たとえば、自分は最低これぐらいは、給料をもらう価値があると思っているのに、すこししかもらえないというときには腹を立てますよね。そして、いらいらするでしょう。たとえ自分としては、この給料でいいんだと思っていても、同じ仕事をしている他の人が、自分よりたくさんもらっていたとわかると、また多少いらいらするでしょう。この場合は、欲求不満の程度は小さいでしょうから、いらいらも小さいかもしれませんが、そのように自分の要求が受け入れられないとき、人間は欲求不満になりますね。

私の身近でもこういうことがありました。ある会社で専門的な部署の人が、どうしても必要になった。けれども、その会社にはその専門の人はいませんでした。会社にとってその専門の仕事は、これからの時代を乗り切っていくには、ぜひ必要だということで、そこの社長さんは、そういう技能とか知識、経験を持った人を、大企業に勤めている人のなかから、引きぬいてこなければいけないと判断したわけです。その会社は大きな会社ではないので、専門職の人にきてもらうためには、高い給料をださなくてはいけないわけです。そうして、ある人がその会社に移ってきました。

ところが、その会社の他の社員からみると、いくら専門的な能力を持っているからといっても、若いのに自分たちより高額な給料だということは、とてもおもしろくないわけですね。た

とえ高い給料であっても、その人にきてもらえなければ、会社の見通しが立たないということも、その会社の社員もわかっているのです。だけど仕事をする時間は同じですから、やっぱり納得できないのですね。結局、移ってきた人は、同じ職場の人からなんともいえないいじわるをされて、その会社を辞めて、また別の会社に就職したそうです。

その人は、私が相談にのっているお子さんのお父さんで、「人間というのはこういうものなんですね」といっていました。人間にはこういう感情があるのです。一種の嫉妬《しっと》ですね。他の社員は、今までよりわるい条件になったわけでなくても、不平等なあつかいをうけたことに対して、そういう感情を持ってしまうのです。

いずれにしろ、人間というのは、嫉妬《しっと》にかぎらずそういう感情をいつも持っているわけです。だから、そういう感情を持つのは、人間としては下劣なことでいけないことだとか、攻撃的な感情をなくさなくちゃいけないというふうに思ったら、それは間違いなんです。人間にはそういう嫉妬《しっと》とか、いじめとか、攻撃的な感情というのはなくならないと思うのです。

落ち着きのない子ども

小学校で教室のなかを歩きまわったり、さわいだり、外へでていってしまう子どもがいるため授業が成り立たない、いわゆる、学級崩壊という現象が新聞やテレビで報道されています。最近では、そういう子どもたちが幼稚園や保育園でも目立つようになってきました。このような現状についてもお話していきましょう。

保育園の四歳の女の子のことなのですが、この子は教室のなかではふらついていて、落ち着きがなく行動も不安定です。また、他の子がいやがることをいったり、いつも保母を求めています。このような子と、どう接したらいいのか、お話をお願いします。

（保母）

落ち着きのない子の二つのタイプ

落ち着きのない子どもというのは、どういう子どもなのかと考える場合、一般的に落ち着きのない子どもには、二つのタイプがあると思います。一つには、心配なことがあったり、欲求不満でいらいらして、落ち着かない場合が考えられます。心配事があったり、欲求不満だったりすると、子どもにかぎらず、おとなの場合も落ち着かなくなると思います。

みなさんも一回や二回は、居ても立ってもいられないという、心配事を持ったことがあるのではないでしょうか。人間は強い欲求不満とか心配事とかがあると、落ち着かなくなるものなんです。そして、いらいらして知らず知らずのうちに、貧乏ゆすりをしたり、つぎからつぎへと、たばこを吸うというようなことをしたことがありませんでしょうか。「すこしじっとしていなさい、そんなにそわそわしたって事態は変わらないんだから」といわれても、じっとしていられないということがありますよね。

それともう一つは、脳の神経的な仕組みになんらかの障害がある場合です。たとえば、脳炎の後遺症とか髄膜炎の後遺症とか、脳に明らかに障害がある子どもは、しばしば落ち着きがなく、そして、衝動性が強いことがあります。脳の神経の伝達がうまくいっていないと、いくつかの情報を同時にまとめることがむずかしいのです。そのために、なにか行動をしようとしてもなかなかうまくいかない、また、思うように体の動作ができないためいらいらしたりします。ですから、まわりの人からは不器用な子だとか、落ち着きない子だとみられてしまいます。この子たちのことは*注意欠陥多動性障害（ＡＤＨＤ）とか、*学習障害（ＬＤ）と呼ばれています。

　そういう子たちをみていると、たとえば、遊戯をしたり体操したりする全身運動や、ご飯を食べるとき、箸《はし》やスプーンの持ち方が不器用だったりします。あるいは、洋服を着るときや、絵を描くときのクレヨンや鉛筆の使い方など、手や指先が不器用な場合があります。さらに体の運動面の機能だけでなく、集中力がないとか、不注意だとか、衝動的であるとか、さまざまな面にもあらわれてきます。

　このような知的障害はないけれど、落ち着きがなく多動だったり、動作が不器用だったり、衝動性が強く他の子をたたいたりするというような気になる子どもたちが、近年目立ってきたように思います。ここでは注意欠陥多動性障害や学習障害の子どもたちのことについては、あまりお話をできませんが、あとでくわしくお話をしたいと思っております。

　落ち着きのない状態の子どもたちのことを考える場合、欲求不満とか、心配事などでいらいらして落ち着かないのか、あるいは、そういう不器用な体質、いろいろな情報をうまくまとめられないという素質によって、落ち着かないのかということを考えなくてはいけないと思いますね。

　私も直接に、ご質問の子どもに会っているわけではありませんので、どちらのケースかは、はっきりとはいえません。けれども、たとえば落ち着きがないと同時に、洋服を着たり脱いだり、箸《はし》をつかったり、遊戯をするときの全身の動きが不器用であれば、そういう体質、素質を持った子どもではないかと思います。

一般的にいいますと、注意欠陥多動性障害や学習障害といわれるタイプの子どもたちは、きわめて不器用で同時総合機能がわるい場合が多いですね。みなさんからみて、落ち着きのない子だと思えたときにも、子どもによっては、こういう側面もあるということも、知っておいていただきたいと思います。

同時総合機能については、あとの章でもお話いたしますが、いくつかの情報を同時にまとめて、考えることができる機能のことをいいます。私たちがふつうに生活をしていますと、私たちには、一度にさまざまな情報が入ってきますね。そういうとき、同時総合機能がなんらかの理由でそこなわれていると、同時にいくつものことに焦点が当たらずに、いつも一つのことにしか、焦点が当たらないという状態になります。

わかりやすいので、体の同時総合機能のことをお話します。注意欠陥多動性障害や学習障害といわれるタイプの子どもたちは、たとえば、手と足の動かすという情報が、脳から伝達されたとき、手の動きはできますし、足の動きもできるのです。ところが、手と足を一緒に動かすということが困難なのです。縄跳びのような手と足を同時に動かすという、動作をするのはむずかしいのです。

手と足を同時に動かし、ある動作ができるということは、いくつかの情報を同時にまとめることができるということです。そういうことがうまくできないので、こういう子たちは不器用だとみられてしまうわけですね。簡単な説明になってしまいましたが、再度このことについては、お話をしたいと思っています。

＊学習障害（LD＝Learning Disability）
＊注意欠陥多動性障害（ADHD＝Attention Deficit Hyperactivity Disorder）

気になる子どもたちを、どう育てたらいいのでしょうか

今までお話をしてきました、気になる子どもたちについて、幼稚園、保育園など集団で育児をする場合、どのように接していったらいいのか、また、その子のことを両親にどう伝えていったらいいのかを、お話してみたいと思います。

> 園に気になるお子さんがいるものですから、親に伝えようとしましたが、「自分の育児の方針は間違っていない」と受け入れてくれません。逆に、こちらを批判してくる両親がいます。こういうタイプの人には、どうやって接していけばいいのでしょうか。保護者のことではなく、子どもの将来のことを考えると、とてもかわいそうになってしまいます。
>
> （保育士）

子どもをおさえつけないでください

おもちゃをふりまわしたり、わざと人のいやがることや、小さい子をいじめたりする子どもに対して、幼稚園、保育園などでは、どう対応したらいいのかといいますと、厳しくしかったとしても、けっしてよくなりません。かえって事態はわるくなるということを、まず知っておいてください。園でそのようなことをする子どもは、本当は、親にむかってやりたいのに、それができないので園でやっているのです。ある意味では、家でできないことのうさ晴らしなんです。

たとえば、子どもが親にべたべたくっついて甘えたり、いたずらしたり、ちょっと乱暴なことをしたりして、愛情を確かめようとする場合、がんとはねつけてしまう親もいるんですね。子どもにとって、確かめることなんかできないほど、こわい相手もいるんですよ。ですから、子どもはちょっとでもこんなことをしたら、かならず殴られちゃうとわかっている相手にはそんなことはしません。

一方で、そういうこわい親やおとなは、子どもに対して、がんと厳しく対応すれば、ちゃんということを聞く子になると思っているのです。そういうやり方で育児をして、子どもがおとなしくなったからといって、「ほらごらんなさい、ちゃんということを聞くじゃないですか」とか、「この子は甘えてわがままをいっているだけなんだ」と思ったら、それは間違いだと思いますね。この人にさからったら、どんな目にあうかということがわかれば、子どもが相手のいやがることをしないだけなんです。

本当は、子どもたちを自由な気持ちにしてあげて、自主的にルールを守れる子にしなければいけないわけでしょう、それが育児や教育じゃないですか。親やおとなに強圧的におさえこまれるから、子どもたちが、親のいう通りにするというのではいけないのです。育児や教育の大事なところは、子どもの自発的な行動を許しながら、ある程度、自分の感情や欲求をセーブができるように、子どもたちを育てていくところにあるのではないでしょうか。

そうでなければ、たえずこわい人がいなければ、ルールは守れないということになってしまいます。たしかに、厳しくおさえこんでしまえば、その場は、一見おさまったようにみえるかもしれませんが、その子どもに、ますます人に対する不信感を、うえつけることになるのです。

それは、けっしていい育児や教育ではないと思いますね。

仮に、家でおさえつけられているのと同じようなことを、子どもに対して園でやったとします。たとえば、強いおしおきをするとかすれば、その子は園でも我慢する子になるでしょうね。けれども、家庭でも園でもおさえつけられてしまったら、その子の欲求不満はたまるばかりです。今度は、学校に入ったあとはどうなるのか、こういうことも考えなくてはいけないのです。

もしそこが、ものすごいスパルタ教育の厳しい学校だったら、そこでも欲求不満はふくらんでしまいます。さらに、思春期、青年期はどうなるのかということです、どんどん問題が先送りになって、うんと大きな問題になるでしょうね。実際に、多くの問題や事件が起こっているじゃないですか。

だからこそ、子どもが小さいときには、望んだことを満たしてあげる必要の大切さがあるんだと思います。園で人のいやがることや、乱暴なことをするということは、別の見方をすると、園でしかできないのかもしれません。気になる子どもたちがそういうことをするのは、園にきてやさしさや愛情に接したからだと思うのです。ですから、今までの不足分を取りもどすかのように、これでもかこれでもかと愛情を確かめる行為として、人のいやがることをするのではないでしょうか。

たしかに保育をする仕事をしていて、そういう子どもをかわいいと思えないこともあると思うのです。けれども、かわいくないということがあっても、少なくとも腹を立てることはしないで、ふびんな子だと思って、やさしく接していただきたいと思います。たとえ、たった一人であっても、やさしく受け入れられたという経験は、その子どもにとって、とても大事なことなんですから。

子どもの望んだことを、たくさん聞いてあげてください

まず幼稚園や保育園でできることは、みなさんのほうからの「ああしなさい、こうしなさい」というような、要求や指示や命令は可能なかぎり小さくする、少なくすることが大切です。この子には「まだこんなことはできないんだ」ということを、認めてあげなければいけないわけです。ですから、他の子どもと同じようにいってもだめなんですね。

それはその子に能力があるとか、ないとかということではありません。人間は能力があれば、だれでもができるということではなく、やる気持ちになれるような環境でなければできないわけです。できない子どもというのは、その能力がないんじゃなくて、やる気が起きないのではないでしょうか。そういう子には、子どものほうからの希望や要求を、たくさん聞いてあげることが大切なんです。そうすれば問題の解決は早いですね。

ところが、そういう子どもたちに、なんでもいうことを聞いてあげようという気持ちで接すると、今まで聞いてもらえなかった分を、どっと一時に要求してきますね。要求がエスカレートする、あるいは、図に乗ってくるようにみえることがあります。そして、このままこの子たちを甘やかしたら、けじめがつかなくなって、とんでもないことになると思ってしまうかもしれません。けれども、その子たちは今までの満たされなかった分もまとめて満たしてくれと、こういっているだけなんです。その不足分は本来、親に対するものだと思いますけれど、その子たちには、この不足分は親にとか、この不足分は保育者にとか、そういうふうに気持ちの整理は、まだできないのですね。

そのうんと大きい、どっとした要求を、どれぐらいかなえてあげることができるかということが大切なことですね。極端な言い方をすれば、そういう子どもたちは、保育者に甘えること

ができれば、それだけ小さい子や弱い子に対する、攻撃的なものは減ってくるものです。自分の要求が受け入れられるという経験が、積み重なっていくと、やがて甘えも少なくなり、そしてなくなり、やがて攻撃的な感情もほどほどになってくると思います。健全な範囲内にとどまってくる、こういうことになりますね。

ひと言でいえば、みなさんがこういう子どもたちの要求を、どれぐらい聞いてあげられるかということからスタートして、他の子の場合なら「こうしちゃいけない、ああしなさい」と、指示とか命令したくなるようなことを、どれだけいわないでいてあげられるかというのが、気になる子どもたちに対する、保育の重要な部分だと思うのです。

たしかに治療機関のように、治療者がマンツーマンで個室やプレイルームで、子どもたちとプレイセラピーをしているようなところなら、どんな要求だって受け入れてあげることができるかもしれません。ところが、幼稚園とか保育園という集団の場面でのむずかしさがありますね。どういうことかといいますと、それまでは満足して、ふつうに生活していた他の子どもたちが、同じクラスのなかに特別に目をかけてもらう子がいると、「どうして何ちゃんだけあんなことがいいんだ」というふうになってきます。

ですから、他の子どもたちに対して、みなさんの保育、育児が従来通りであっても、Aちゃんや Bちゃんにだけ特別なことをすれば、他の子どもたちはいらいらしてきます。集団の保育というのは、そういうむずかしいところがあるわけですね。とても欲求不満の度がすぎてしまって、あえて申し上げれば、病気になっているような子どもの場合には、治療機関でマンツーマンで治療しなければならないでしょうね。けれども、幼稚園や保育園でやれる限界というのは、他の子どもの欲求不満を誘発しないように、他の子どもからみて、「何ちゃんえこひいき

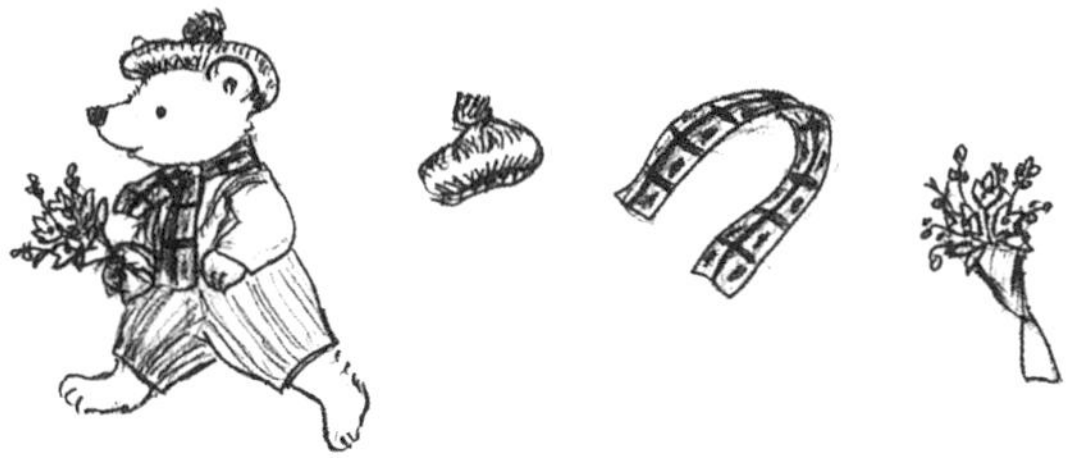

をされている」という気持ちを感じさせないですむ範囲内で、なにができるかということを、みなさんは考えなくてはならないのです。

そのときの、みなさんの基本的な対応としては、子どもの要求をたくさん聞いてあげる、話を聞いてあげることなんです。おんぶしてほしいとか、だっこしてほしいとか、散歩にいくときには、僕と手をつないでほしいというようなことを、どれぐらいまでなら不自然でないか、子どものいうことをどれぐらいなら聞いてあげられるだろうか、ということを考えることだと思います。

同時に、こちらからは、この子に「こうしてほしい」とか、「ああしちゃいけない」といいたいことを、なんとか我慢できるようになるということです。子どもができるようになるまで、待ってあげることができるかということです。この二つを心がければいいわけです。本当をいうと、親もそうあってほしいと思いますね。

保育者は親にどう接するか

保育者のみなさんは、自分たちがそういう子どもに接するように、親にもそうしてほしいと思われるでしょう。そして子どもの接し方についても、みなさんがいわれることが、親にうまく伝わっていけばいいと思っていらっしゃるでしょうね。けれども、そういうことを指摘されますと、ほとんどの親は、かえって育児が下手になりますよ。

みなさんにいわれて、すぐ直すことができるぐらいなら、はじめからちゃんとできているのです。できない親だからこうなっているわけです。できない親にできない希望を伝えるというのは、だいたいマイナスの場合が多いのです。

質問にあるような、気になる子どもたちの親に、「この子が保育園で他の子をかんだり、たたいたりする」とか、「保母さんにべたべた甘えたりして、他の子の何倍も手がかかる」ということを伝えますと、子どもたちは家庭で親からつらい仕打ちを受けることになります。きっと親は家に帰ってから「もっといい子にならなくちゃいけない」「ああしなさい、こうしなさい」と子どもにいいますよ。そして、そういうときの親の注意というのは、子どもには親からの怒りとか命令とか指示とか拒否とか、そういう感情のほうが強く伝わるものなんですから、子どもをもっと欲求不満にさせてしまいます。

それに一般的にいいますと、子どもを欲求不満にしてしまう親というのは、親自身も欲求不満の場合が多いようですね。親自身が自分の欲求を、もっとかなえてもらいたいと思っているのです。そして、子どものことを、あれこれいわれたくないと思っているわけです。

ですから、園ではそういうことはいわないほうがいいですね。いわないほうがいいというより、親自身のことまで幼稚園や保育園ではできませんよね。みなさんがこういう子どもの親にできることというのは、親の不安を解消してあげて、欲求不満を小さくしてあげるように、親のいうことをゆっくり聞いてあげることでしょうね。

そして基本的には、保育者のみなさんの育児にかんしての希望などは、ひと言も伝えてはいけないのです。そういう意味では、みなさんの仕事は大変といえば大変ですね。毎日毎日、こんなに手のかかる面倒なことばかり、つぎつぎとやってくれる子どもの親に、保育の苦労の一つや二つをぶつけてやりたいと、みなさん思われるでしょうね。けれども、そうすると、翌日からもっとひどくなるんです。もっとむずかしくなりますよ。みなさんが、手のかかる子どものお母さんの気持ちも、受け入れてやろうという姿勢を持たなければ、本当に事態はちっともよくならないと思うのです。

保育者のみなさん一人ひとりにも、欲求不満だってあるわけですから、かわいげのない子どもの親の気持ちまで、聞いてなんてあげられないという気持ちになるかもしれません。けれども、みなさんは保育という職業を選んだわけですから、プロとしての対応をなさらなければいけないと思いますね。こういう子どもたちの親には、本当にいやみや小言の一つもいってやりたいと思っても、それは絶対いっちゃいけないことなんです。

反対に、「おはようございます。今日は寒いですね」と、気持ちのいいあいさつをしてあげる。あるいは「かぜがはやっていますけれど、気をつけてくださいね」と、ほっとくつろぐような、ひと言をかけてあげるだけで十分なんです。本当にひと言だけでいいんですよ。

一回いったからといって、親の気持ちがすぐ変わるわけではありませんし、一〇回も一〇〇回も必要かもしれません。けれども、そういうひと言がたびかさなっていって、お母さんの気持ちがいやされて、自分にはやさしい言葉をかけてくれる人が一人いる、二人、三人いる、自分にはこういう人たちとのつながりがあると、だんだん実感してくるわけです。

お母さん自身が受け入れられることが積み重なって、はじめて、子どもをゆっくり受け入れられるようになるわけです。あるいは、子どもの気持ちをくみ取ることができるようになるのです。ですから、くり返し、ほんのひと言でいいですから、やさしい言葉、明るい言葉、気持ちのいいあいさつをかけてあげていただきたいと思うのです。みなさんが親にできることはそういうことだと思います。治療者じゃないんですから、治療機関で三〇分も一時間も、カウンセリングに時間をついやすというわけじゃないのです。わずかな時間でいいですから、ちょっとひと言、声をかけてみてください。

最近は地域育児センターとか地域保育センターといって、いろいろな悩みや不都合や苦労があって、育児がうまくいかない親たちを支援する、そういう政策がとられるようになりました。それはこういう理由からだと思いますね。

ゆとりをもって子どもに接してください

こういう気になる子たちが、さらに欲求不満をためていくと、それを社会にむかって攻撃するタイプと、なにかに依存するタイプの二つのタイプの人がいます。大人になっての依存というのは、アルコール依存とか薬物依存ですが、依存症になる人は、ほとんど欲求不満を持っています。そして、その度がすぎている、一定の限界を超えている状態の人が、依存症になるのです。

しかし、欲求を満たされたいという感情はだれにでもありますから、欲求不満を持つ人を軽《けい》蔑《べっ》するとか、ふつうの人とはちがうんだと考えるのは間違いなんですね。だれにでもある感情が、あることを契機に、あるいは環境、生い立ちのために、強くでてしまったというふうに考えてくだされればいいわけです。

私自身、日ごろ診療しながらこんなに意をつくしても、理解してくれようとしない人と話したり、こちらが疲れていたり、睡眠不足だったりすると、ちょっといらだってしまうことがあります。そして、ちょっとした契機で、「あんなひと言いわなければよかった」と思うようなことを、つい、いってしまうことがあるんですね。

診療が終わってから、お茶を飲みながら反省をすることがよくありますよ。あの言葉は相手のためを思っていったことではなく、こちらの気持ちがいらいらしていたから、つい、でたひと言だなと思うことがあります。一年に何回かは、そういうことが私もあります。どうしてあんなことをいってしまったのだろうかと、よく考えてみたら、自分の気持ちのいらだちがおさまらないから、いってしまったということや、そういう感情になってしまうということは、人間にはあるわけですね。みなさんはいかがでしょうか。

そういういらだった気持ちを少なくする、あるいは、できるだけなくすためには、私たちは日ごろから、健康でなくちゃいけないのです。それには体も心も疲れてないことが大切ですね。精神的にひどいストレスを感じているとか、自分が欲求不満になったら、とても相手の欲求なんかにこたえられるはずはないのですから。自分自身が欲求不満にならないように、心身をひどく疲れさせないようにしていただきたいと思います。

私たちが職業的な場面でいったりやったりすることとは、極端なことをいえば、一つ一つが、相手のためになっていなければいけないわけです。なんであんなことをいってしまったのかなどと、後悔することがないようにすることが必要なのです。ところが、後悔しなければならないようなことを、くり返しいっているのに気づかない人もいたりします。これは最悪でありまして、相手はそこにいくたびに傷ついて帰ってくる、そういう治療者とか教育者はいるだろうと思います。もう自分自身が欲求不満のかたまりみたいな状態になっていて、食べるためにはしょうがないから、勤めているなんていう人もいるわけです。

その場合でも、相手が医者の場合はまだいいかもしれません。なぜなら、あの医者はいやだから、こっちの医者にいこうと思えばできるわけです。そういうときに、一番責任が重い仕事は、学校の教師だろうと思います。生徒のほうからは先生を選べませんからね。幼稚園や保育園はどうでしょうか。親の都合で選べるけれど、子どもからは選べないということがありますから、やっぱり保育者の仕事もかなり責任が重いのではないでしょうか。

それから、だいたい、こういう仕事はなにか目立った問題があった場合に、短期間で解決できるなんていうことはめったにないものです。ですから、努力したらすぐに成果がでないと満足できない、という気持ちを持たないほうがいいですね。別の言い方をしますと、今の状態をわるくしないためだけでも、最善の努力が必要なこともあるんですから、今の状態よりわるくなっていないということは、たいした努力だという見方もあるんですよ。

私たち臨床の仕事をしている人や、学校の先生や保育者だけでなく、できたら、親やおとなにも、十分な努力をしたのに結果がなかなかでてこないからと、いらだったりしないで、そんな程度のものだというぐらいのゆとりを持って、子どもに接していただけたら、それだけで、ずいぶん子どもの気持ちも、楽になるのではないでしょうか。

母親の不安

母親の育児に対する不安

『子どもへのまなざし』でも取り上げましたが、約三〇〇〇人のお母さんを対象にした調査では、育児に心配や不安を持っていないと答えた母親は三分の一ぐらいでした。「育児に自信がない」「自分のやりたいことができなくなる」「なんとなくいらいらする」という、三つの項目で調査したものでも、育児不安を持っていないと答えた母親は、ほとんど同じ割合でした。母親だけではありませんが、女性が育児に対してマイナスの気持ちを、持ってしまうことについてお話しします。

この本を読むことにより、自分の子どものころの、親との関係についても考えるきっかけとなり、大変よかったと思います。ただ、気持ちの整理ができたからといって、いざ実行となると、やはり自分が悩んだり疲れていると、子どもとの関係も、おだやかとはいかなくなってしまいます。

（一歳の子の母親）

先日、テレビで「上の子に悩まされる親たち」という番組をみました。私も二人目が生まれてから、上の子をかわいくないと思ってしまうことが多くなりました。そんなときは、この本を読んで、気持ちを落ち着かせるようにしますが、気持ちがおさまらないときもあります。こんなだめな親にアドバイスをお願いします。

（二歳と六か月の子の母親）

私自身、集団での行動に入りにくく、人づきあいが苦手で、協調性もないのではないかと思います。また、子どもに対しての口調もきつくなりがちです。私のしつけ方はこれでいいんだと思う反面、本当にこれでいいのだろうかと、不安も多くあります。

（六歳と四歳の子の母親）

現代人の孤独、孤立が母親を不安にする

家で育児を中心に生活している母親も、外で仕事をしている母親も、あらわれ方はちがっていても、多くのお母さんが育児不安を訴えていますね。育児の中心は母親がになっている場合が多いので、ここでは「お母さん」という言い方をしています。では、現代のお母さんたちは、どうして育児に対して不安を持ってしまうのでしょうか。それは、多くの母親が、孤独で孤立しているからなのではないでしょうか。孤独で、孤立した状態というのは人間を不安にさせます。それから、孤独で、孤立していればいるほど、自分に自信が持てなくなってしまうものです。

本題とそれるかもしれませんが、ここで孤独ということについて、すこし私の考えをお話し

ます。「孤独な性格」とか、「孤独な生涯だった」とか、ひとりぼっちの状況を説明するときに、よく孤独という言葉がつかわれます。また「ひとりになって考えたい」という意味でも、孤独という使われ方もしますね。

ひとりでふっとくつろぎたいとか、ひとりでやすらぎたいというような孤独の場合、これは、一方でいつでも、親しい友人と交われるという安心感があるから孤独になれるのです。ですから、とてもいい友人がいる、家族がいる、恋人がいる、よき理解者がいる、そういうところで成り立つ孤独というものは、ある意味では、ぜいたくな孤独といってもいいですね。それはすばらしいことです。

ところが現在、引きこもりの青年がたくさんいますが、引きこもりの彼らは、ひとり孤独でいることで、くつろいだり、やすらいだりしているなんて感覚はまったくないのです。むしろ、ひとりぼっちで孤立して、不安でおびえています。孤立して苦悩しています。孤立というのはそういうものだと思います。

けれども、私が孤独ということを考える場合、人を信じている、人から信じられているという自信があるから、ひとりでもいられる、孤独の状態でいられるということではないかと思っています。いつでも友人が得られる、交われる安心感があるから、ふっとひとりになりたい、孤独になりたいといえるのが、孤独ということだと私は思っています。

ただし、一般的には、孤独も孤立も他の人との交流がなく、ひとりぼっちというような意味でつかわれることが多いので、ここでいっている「孤独はよくないんだ」ということは、孤立した状態という意味として、理解していただきたいと思います。

人との交わりによって不安はなくなる

話をもどしますが、結婚している人ならば、妻は夫から受け入れられている、愛されている。あるいは、かけがえのない失いたくない存在だと思われていれば、これは自分に十分自信を持つことができるわけです。自分を信じることができれば、夫婦という関係だけでなく、他の人も信じることができるものです。その結果、友人や知人にめぐまれ、さらに自分に対して自信を持てるし、安心するものです。そういう人たちがまわりにいるということは、孤独や孤立につながらないものです。

たとえば、お母さんが育児にちょっと不安を持ち、だれかに助けを求めたいと思ったとき、話を聞いてくれる夫がそばにいる、実家のお母さんがいる、あるいは近所の人でも、友人でも、そういう人がいっぱいいれば心配はないのです。そういう人たちに、自分が受け入れられているとか、愛されているという実感があればあるほど、育児不安というのもなくなると思うのです。人間の幸福というのは、人を信じる力にあるということ、あるいは、信じられる人を持っているということだと思うのです。これなしでは、本当は、人間は健全には生きられないんじゃないでしょうか。

ですから、自分の子どもが幼稚園や保育園にいったときに、近所の人とちょっとおしゃべりをしてみようという、気持ちを持つことも必要なことなんです。現実には、子どもの年ごろが同じというだけで、だれとでも気が合うというわけではないというのも事実だと思います。けれども、気の合いそうな人をみつけるという努力も大切です。いきなりだれとでも親しくなんてならなくてもいいんですよ。まず気の合いそうな人に、親しくあいさつでもしたらいかがでしょうか。あいさつというと単純で簡単なことのようですが、人と人とのコミュニケーションのはじめには、かならずあいさつがあるのです。親しくなれそうな人に声をかけ、ゆっくり待ってていらっしゃればいいのです。そんな小さなところから、人とのつきあいが始まるものなんですね。

自分はだれとも合わないんだということがあったら、それこそ問題だと思いますね。これは現代人の孤独、孤立からくる一つの不安だと思うのです。人間というのは孤独、孤立になったら、だれもが健全でいられないということを、よく知っていたほうがいいと思います。どうも人間というのは、孤独、孤立になればなるほど、自己愛的になっていくものなんです。自己愛的になるということは、自分自身のことが大切ですから、自分が望むようにまわりの人を操作しようとします。そして、そういう人は人間関係をつくりにくいものです。さらに、自分で人間関係が苦手だと、直感的に思いこんでしまいますから、人とのつきあいをしようとしません。その結果、一番つきあいやすい自分の子どもに対してさえ、自己愛を投影してしまうのですね。

現代人は、夫や妻と、父母と、近所の人と、会社の同僚や友人などと、心からつきあうことができなくなってきましたね。そして、いつも孤独で、孤立した状態でいると、自分に自信が持てなくなり、さらに、そういう自分に不安を持ってしまうのです。今度は、自分に不安があるから人間関係を持ちにくい、人間関係を持てないから孤独になり、孤立してしまう。そうすると、また、そういう不安が生まれてくるというように、いつまでも続く悪循環になってきます。基本的には、人とのつきあいから逃げるのではなく、もっと意識してまわりの人とのつきあいを持とうという生き方が、私は大切なことだと思います。そうすれば、自分に対する不安もなくなっていくと思うのです。そして、子どもの育児に対する不安も、なくなっていくでしょうね。

それから、前にもお話をしましたが、育児で過去にいろいろ問題があったとしても、やり直しがきかないということはないんですよ。たしかに、むずかしいこともあると思いますが、いつまでも過去にこだわっていてはいけないと思います。そういうこだわりがなくなれば、過去が帳消しになって、未来が明るくなってくるものです。

お母さんは、この子がこうだから不安だとか、この子の将来はどうなるのだろうとか、そういうことばかり考えていてはいけないのです。どんな結果になるだろうかということなんかに関係なく、この子のために母親として、自分が一生懸命できることはこういうことだと、自信を持ってやってくだされば、それだけでもう立派な生き方なんですよ。

私はこういう心の持ち方が本当にいいと思っています。読者のなかで『子どもへのまなざし』を、もっと早く読みたかったといっている人たちは、きっと「じゃ、こうすればいいんだ」とわかって、すでに先をみて生きているんですね。それで私は十分いいと思っています。

母性がうすい、育児にむかないという悩み

最近、子どもがかわいいと思わないとか、育児にむいていないのではないかと考えたり、悩んだりしているお母さんがいます。

母性というのは、その人の育ちで決まるのかなと思うこともあるんですが、どん

なふうに育つものでしょうか。私が前に受け持っていたクラスの子どものお母さんで、自分は母性がうすいということに気がついて大変悩んでいました。母性のうすいお母さんにはどのように対応したらいいのでしょうか。（幼稚園教諭）

保育の仕事を一〇年していました。そこで感じたことは、お母さんもいろいろな方がいらっしゃって、世の中、やはり育児にむく人、むかない人がいるような気がします。ですから母親と一緒にいても、かわいそうな子どももいるのが現実のように思えます。先生はどう思われますか。（保母）

母性がうすい、育児にむかないという親はいないと思います

質問にもあるような、母性がうすい、あるいは、育児にむかないと思っていらっしゃるお母さん方がふえてまいりました。そういう場合、どうしてそういう気持ちになってしまうのか、ということを考えなくてはいけませんね。

母性的なものの発達という研究がありますが、その研究によりますと、お母さん自身の生育歴が大切だそうです。それから、夫婦関係や親子関係もとても大切なことです。親が子どもを虐待してしまう場合は、たいてい夫婦は仲がわるいようです。夫婦仲がわるければ、かならず虐待するという意味ではないのですが、夫婦仲がいいのに虐待してしまうということは、まずないのです。そして、母性的機能を発揮するためには、夫婦仲がいいほうがいいんですね。母性的機能や父性的機能がうまく働くには、自分の親との関係、自分自身の生い立ち、そして夫婦関係などが、みんな関係していることは事実なんです。

つぎに、自分の出産経験がどういうものであったかということがあります。出産がひどく難産だったというときに、しばしば、母性がわきにくいという人もいます。たとえば子どもが三人いたとしますと、三人のなかで一番難産だった子に愛情がわきにくいと、はっきりいうお母さんもいますね。けれども、すべての母親がそうなるという意味ではないんですよ。

それから、出産直後の母子分離の時期が早くて、そして、その期間が長いと、母性的な感情が育ちにくいといわれています。ですから本当は、子どもが生まれるとその瞬間から、赤ちゃんはずっとお母さんのそばにいるのが一番いいのです。そういうことに気がついて、今では、産院でも母子とも健康であれば、新生児室へ赤ちゃんを引き取らないことを、だんだん奨励するようになりました。けれども、未熟児であったり、母子のどちらかの健康が不十分であったりすれば、これはしかたのないことですね。

そういうことがまじりあって、育児にマイナスのイメージを持ってしまい、母性がうすいとか、自分は育児にむかないと思ってしまうお母さんが多くなったのだと思います。けれども、自分が心と時間と手をかけてやれば、この子はこんなに輝くんだということに、喜びや生きがいを感じられるのもまた、親だと思うのです。そういう生かされ方をする自分に生きがいを感じるのが、子育ての真っただ中にいる親の自然な姿だと、私は思っているのです。

いつかこんなエッセーを読んだことがあります。雑誌のコラムだったか、新聞の記事だったような気もするのですが、日本の同時通訳のはしりのような人で、鳥飼玖美子さんという人がいて、あの方が結婚なさって、そして妊娠をされたときのことです。そのときに鳥飼さんはなにを考えたかというと、「自分のやっている仕事に大きな生きがいを感じているので、やがて、おなかにいる子が生まれたとき、自分の仕事がうんと制限されるのではないか。そういうことになったらつらい。だから、この子が生まれたら自分の両親に、どれぐらい協力してもらおうかとか、いい保育園をみつけなくてはとか」、いろいろなことを一生懸命考えて、それなりの準備をして出産をしたそうです。「ところが生まれてみたら、もうそんな考えが、みんなすっとんでしまって、もうこの子のそばにだけいたいという気持ちになった。こういう気持ちこそが母性なんだろうか」、ということを書いていらっしゃるのを読みました。

　私たち男には経験できないことですが、私は家内に聞いてみたら、それはそうだといっておりましたね。でも、そういう感情になれない人もいるでしょうし、そういう感情には、個人差があるだろうと思います。けれども、前にもお話をしましたが、過去にこういうことがあったから、母性がうすいとか、育児にむかないということは、本当はないと思うのです。たしかに困難はあるとは思いますが、せいぜい母性的な気持ちが育ちにくいという程度に、考えてはいかがでしょうか。

　胎児期に、出産のときに、出産直後に、いろいろな問題が生じてしまうということがあっても、そこにすべての原因を求めて、だから、私は母性がうすいんだとか、育児にむかないんだとか思ったら、育児だけでなく、これから生きていくときの姿勢として、いつも過去にとらわれてしまうということになってしまうと思うのです。いろいろあったけれど、こうしてみよう、ああしてみようという生き方が大切だと思うのです。

母性的なものを回復すること

　子どもに対して「それでいいんだよ」といってあげ、くつろぎや、やすらぎや安心感を与える機能は母性的なものです。一方、「そんなことでどうする、こうしなくちゃいけない」「人間というのは、このように生きていかなければだめだ」と、子どもに指摘し伝えるのは父性的なものだと思います。子どもを育てるときには、母性的なものと父性的なもの、その両方が必要であり、家庭のなかにこの二つの機能がうまく働かなければならないと思います。

そして本来は、母性的なもの、父性的なものは、だれの気持ちのなかにもあるものなんです。女の人のなかに母性的なものが豊かにありますし、父性的なもののあるのです。男性のなかにも母性的なものもあるし、父性的なもののあるのです。

こういうことを家族とおしゃべりをしていると、家内は私にむかって「あなたは男性だけど、母性的なもののほうが多くあるんじゃないの」と、母性的なものを感じるというのです。父性的なものがないという意味じゃないのですが、おそらく、私は現代の子どもたちを対象にした、臨床の仕事を長くしているうちに、だんだんそういうふうになってきたのかもしれません。というのは、それほど現代の子どもには、母性的なものが与えられる機会が、とぼしくなってしまったような気がしていますから、つい臨床の場では母性的に対応しているのでしょうね。

本来、だれでもが母性というものを持っていることは、これはたしかなことなんです。同時に学習することによって、育ってくるという部分もあると思います。その両方が合わさって、豊かになってくるものだと思います。

ですから、さきほどいいましたような、出産のあり方がどうであったとか、母子分離が早かったというような、育児に対するマイナスイメージを持つお母さんに、どうしてあげられるかということも考えなくてはならないことです。たとえば、出産がすこしでも心地いいようにする、あるいは、母子分離をできるだけしないようにする。それから、お母さんが孤独、孤立をすることによってストレスを持たないように、育児に対するサポートシステムをつくってあげることも、とても大切なことだと思います。

よく母性的な感情がわきにくいという人は、人間関係のなかでも、いろいろな感情がわきにくいことがあるのです。そういう人は、夫や自分の親、近所の人や友人との関係も、もうひとつ深まらないということがありますね。母性の豊かな人と、そうでない人は、たとえば、幼稚園や保育園での子どもの送り迎えの様子をみていると、保育者のみなさんはわかると思うのです。両親とみなさんとの関係がしっくりいきやすい人は、その親と子どもとの関係も、うまくいっているようにみえると思います。

子どもとの関係がうまくいっていない親は、しばしば、みなさんや、他の人との関係もうまくいかないことが多いですね。ですから、子どもの送り迎えのときに、みなさんがそういう親に、どういうひと言をかけてあげられるか、やすらぎや、くつろぎになるように、どう接してあげられるかということも、重要なサポートの一つだろうと思います。みなさんが、こういうことをずっと継続していくことによって、母性のうすい人も母性をすこしずつ回復していくのではないでしょうか。

自分の欠点がいやでたまりません

育児をするときに、まず子どもの欠点より長所に気がついてくださいと、お話をしてきました。けれども、親自身が自分の欠点を気にして、自分が好きになれないという人が、案外多いようです。

先生は「ありのままの子どもを受け入れることの大切さ」ということをおっしゃっていますが、とてもむずかしいことだと思います。逆に、自分の欠点などは直したいと思っているのです。

（三歳の子の母親）

私は、自分をありのままに認める、自分を好きになる、自信を持つということがなかなかできないのです。そうすると子どもや他人のことも、ありのままに認めることができずに、考えれば考えるほどできなくなって悩んでいます。私は欠点や弱点は直していくように、努力したほうがいいのではないかと思っています。

（四歳と二歳の子の母親）

私自身、思春期に入ってから、自分の存在に対してまったく自信がなく「私はだめな人間」とか、「早く死んでしまったほうがいいのに」とか、漠然とそういうふうに思っていて、人生に対しまったく生きぬいていく自信も、意欲も、喜びもみつけだせないでいました。しかし幸いにも、私自身のありのままを認め、受け入れ、愛されているという実感ができる方に出会うことができ、私は自分を愛し、まわりも愛せるようになりました。なぜ思春期のときに、そういう思いを持っていたのか、よくわかりません。

（二歳の子の母親）

短所よりも長所に目をむけることの大切さ

人間というのは、ありのままの自分を受け入れてもらえなかった、あるいは、愛してもらえなかったという場合、自分に自信が持てなくなってしまうものなんですね。そして、どうしてなんだろうと考えたときには、きっと自分の短所や欠点に目がむくと思うのです。それから、自分の短所や欠点を直そうとするのではないでしょうか。

それでも、なかなか人から受け入れてもらえない場合には、それは自分の直そうという努力が足りないんだと思ったりします。けれども、そうではないんですよ。自分の短所や欠点を直せないから、人から受け入れてもらえないということではないのです。反対に、ありのままの自分を受け入れてくれる人がまわりにいると、たとえ短所とか欠点とかがあっても、もうそんなことは気にならなくなるものなんです。自分の欠点がいやでたまらないという質問に対しては、三番目に質問した方が、もう答えているようにも思いますね。

私は、三十年あまり児童精神医学の臨床医をやってまいりました。それから、二十数年、親をやってまいりました。その経験のなかで、私が考えてきたことは、すぐれた親とすぐれていない親、いい教師とあまりいいとはいえない教師とのちがいは、どこなんだろうかということです。そういう分類がいいかどうかわかりませんが、多くの人と会って強く思うことは、人の長所や才能を発見する能力のある人のほうが、だいたい、すぐれた親であり、教師ですね。反対に短所や欠点のほうばかりに先に目がいき、それを神経質に直そうとする人のほうが、どうもすぐれてない、あるいは、育児や教育に、失敗してしまうことが多いのではないかと実感しております。

たとえば、私が親として子どもの長所より短所のほう、だめなほうをたくさん気づいてしまい、自分の子どもに「おまえのこういうところは、早く直さないといけない」といったり、あるいは、臨床者として相談においでになる患者さんに、「あなたはこういうところを直さなけ

れば、幸せにはなれませんよ」というとしたら、これはすぐれていない親であり、よくない臨床者だと思いますね。

「おまえはそのままでいいよ。こんなすばらしい点があるんだから」とか、「君にはこんないい点があるじゃないか」と、親として、臨床者として共感を感じることができれば、その子はたいてい、うまく育っていきますし、患者さんも順調に回復していくものです。

育児とか教育にとっては、その子が持っているいい点を、そのまま子どもに気づかせてあげることが、とても大事なことなんです。もちろん、短所や欠点を気づかせてあげてもいいですけれど、それはなかなか直せるものではないんですから、「うるさくいわないでおいてやろう」というぐらいの気持ちで接するほうがいいんですね。

みなさんも、ご自分の短所や欠点や弱点を直すことができましたか、あるいは、日々直すようにしていらっしゃいますか。私は自分の欠点など、なかなか直せないんです。ですから、私ができることといえば、短所や弱点などはそっとしまっておくといいましょうか、目立たないようにしておく程度ぐらいのことです。私にはそれぐらいしかできませんね。それでなにか困ったことがあったかというと、ほとんどなかったと思います。

子どもの持っている短所や欠点などを、注意して早く直しておいてあげないと、そのうち困ったことになるとしても、今すぐに直さなければならないということは、それほどないと思うのです。たぶん、短所や欠点などをいちいち指摘しなくても、子どもはちゃんと育っていくと思います。ようするに、ありのままの子どもでいいということなんです。あるいは、子どもはありのままでしかいられないということでもあるんですね。

ですから、みなさんにやってほしいことは、できるだけ子どものいい点を、たくさんみつけてあげて、みつけてあげるというよりも、いい点を感じ取る力をみがいていただきたいと思います。子どものいい点を感じ取って、共感の気持ちを持って接していただくと、子どもはそれだけでうまく育っていくと思っています。

しつけに大切なことは、いい面を気づかせてあげること

親や保育者や教師が、子どもを教育したり、しつけたりしていくときの姿勢には、大ざっぱにいいますと二つの姿勢があると思います。一つは、その子の持っている短所や欠点を、注意して直してあげようという育児の姿勢。もう一つは、その子の持っている長所を発見して、伸ばしてあげようという姿勢。ふつうには、この二つの育児の姿勢があるのではないでしょうか。

私たちが子どもたちに、日々いっていることというのは、「そんなことをしてはいけないでしょう、こう直しなさい」といっているか、「よくできたね、あなたには、能力や才能もあるんだから伸ばしていこう」といっているか、この二つの言い方のどちらかだと思います。そして、一般的には、弱点や欠点を直すように指摘するということが、しつけの第一歩のようにいわれているのではないでしょうか。けれども、私の臨床活動の経験では、しつけるときに大切なことは、その子どもに長所のほうをたくさん気づかせてあげ、欠点や弱点はずっとあとで直せばいいという姿勢のほうだと思っています。

人間というのは、まずは他の人から長所をしっかりとみつけてもらい、その長所を自分でも気づいて、育てられていくのが本当にいいように思います。そして、目にあまる弱点や欠点は徐々に直していくということでいいんですよ。ですから、育児や教育や臨床のしかたは、短所も欠点も、もちろん長所も、みんなひっくるめてまるがかえで、親として「おまえのこと大好

きだ」、先生として「あなたのことをとてもすてきだと思う」、臨床者として「あなたはすばらしい人間だ」と感じ取ることだと思うのです。

もし自分が、他の人のすぐれた点を感じ取ることができなかったら、親としても、教師としても、保育者としても、臨床者としても、目の前にいる子どもを、そういう感性を持った子に、育ててあげることはできないわけです。けれども、私たちはしばしば、その子の短所や欠点、だめな点から注意をしたくなるものですね。その結果、子どもに自信を失わせてしまう、劣等感を強く持たせてしまいます。欠点を指摘する人に対して、おそれをいだかせてしまう、不信感をいだかせてしまうのです。

欠点や短所ばかりを注意され続けることによって、子どもは自分自身を信じられなくなってしまいます。こういうふうにしてしまうのが、もっとも不適切で下手な教育であり、育児であり、しつけであると、私は思っています。

子どもというのは、私のこと、僕のことを大好きだといってくれる人に、どれだけめぐまれるかということが、その子がどれぐらい自信と誇りを持って、生きていくことができるかを決めることになるんだと思います。たった一人でもいい場合もありえるだろうと、私は思います。あっちでこういわれ、こっちであんなことをいわれたって、私にとって、この人が無条件で承認してくれている、すばらしいといってくれる、比喩的《ひゆてき》ですが、そういうことがあれば、人はかなり安心して生きていくことができるわけですね。

豊かな社会では人の欠点が先に目についてしまう

私たちは、そういうことがわかっていると思っていても、つい短所や欠点のほうを指摘するようなことばかりをいってしまいますね。みなさんも今日一日をふり返ってみて、自分の家庭で、自分のクラスで、子どもたちに対してあれこれと、注意ばかりいってきたと思いませんか。私たち臨床者は、しばしば、自分が日々やっている臨床的な営みを、ビデオカメラで全部収録して、終わったあとにそれをみて、あのときあんな言い方をしないで、こういう言い方をすればよかったとか、おたがいにディスカッションすることがあるんですよ。

みなさんも場合によっては、自分の家や、保育室での一日すべての情景をビデオカメラで撮って、やってごらんになるといいかもしれませんね。そうすると、子どもをほめている時間が多かったか、しかっている時間が多かったか、あるいは、いろいろなおしゃべりの言葉のなかに、相手をほめる言葉とか共感する言葉が多かったか、非難する言葉や注意している言葉が多かったかということが、よくみえてくると思います。

おそらく人間にとって、人のすぐれた点を発見することはむずかしいのでしょうね。反対に、子どもたちの持っているすぐれてない点といいましょうか、目ざわり、気ざわりなことは、だれにでも感じられることなのでしょう。もともと人間というのは、人のいやなところのほうを、感じやすいところがあると思うのです。さらに、私たちが生活している環境も、そういう感情を大きくする方向になっているように思います。とくに今の日本は、日本人をそういう方向にむけているようにも思うのです。

私が大変親しくしていただいた、高名な心理学者であり文化人類学者でもある、我妻洋という先生がおいでになりました。何度か講演会などで同席させていただいたことがありますが、その我妻先生がよくこういうことをおっしゃっていました。「人間というのは、どこの国民だとか、どの民族だとかに関係なく、経済的、物質的に豊かな社会に住んでいると、外罰的、他罰的になる」と、こうおっしゃっていました。

なにか不愉快なことがあると人のせいにしたくなって、人を罰したくなるのを他罰とか、外罰というそうです。不愉快なことがあったときに、自分のふだんの心がけが不十分だから、努力が足りないから、今、こういう思いをしなければならないんだ、というふうに感じる感性を、内罰とか自己罰というそうです。

人間は経済的、物質的に豊かな社会に住んでいるほど、外罰性、他罰性を強くするし、「もの」の非常にとぼしい社会に住んでいるほど、内罰、自己罰的になるという、本性を持っているとおっしゃっていました。それから、もう一つ「人は過密社会に住んでいればいるほど、人間関係が希薄になり、過疎地の人ほど人間関係が濃密になる」ということも、おっしゃっていましたね。豊かさと過密さが一緒になりやすいのも、人間社会の一つの傾向だそうですが、この両方が合わさりますと、私たちは目の前や自分のまわりにいる相手に対して、だれであろうと、その人の持っている長所より、欠点や短所のほうに敏感になる。これも人間の特性なんだそうです。

反対に、貧しい社会、過疎社会に住んでいる人ほど、相手のいい面を感じる感性が、自然に育ってくるというわけです。豊かさ、過密さというのは、しばしば競争原理に支配されますから、相手のすぐれたところを感じることが、自分の劣等感を感じるという不安につながって、相手の短所や欠点を感じて、安心しようとするところもあるのではないでしょうか。

ところが、競争原理が働きすぎない社会とか、過疎社会とか、経済的に貧しい社会の場合には、私たちはあまり競争、競争という生き方をしませんから、自分よりすぐれている友達を持つことができるし、すぐれている人と親しくなることに、おそれを感じないですむということ

ろがあります。日々の生活のなかで、すぐれているものを持っている人に対する安心感があるし、喜びがあるんでしょうね。

私たちが住んでいる日本にも、過疎地はありますけれど、おしなべて過密社会であり、豊かさがありますから、私たちがごくふつうに日々をすごしていますと、相手のいやな点のほうを感じやすくなり、長所のほうを感じにくくなっていると思います。

人間というのは、だれにも長所があり短所があります。長所のない人なんかいないわけです。けれども、人の持っているいい面とわるい面のうち、私たちはわるい面のほう、いやな面のほうを感じやすくなっているのも事実ですね。

したがって、親子や夫婦や兄弟、あるいは、近所の人やその他の人との争いは、以前の貧しかった時代よりも多くなっているだろうと思います。ですから、私たちが子どもと接するときも、その子のいい面を感じるというよりは、欠点や弱点を感じることのほうが、多くなってきたのではないでしょうか。それは大変不幸なことですね。このようなことも、みなさんに考えていただきたいと思っております。

子どもへの虐待

親が子どもに暴力をふるったり、養育を放棄したりする子どもへの虐待が、調査を始めた一九九〇年に比べて、約五倍もふえているという新聞の記事がありました。どうして親が子どもに虐待をしてしまうのか、また、どうしたら踏みとどまれるかなどについてお話しします。

自分でも頭のなかではわかっていても、子どもの態度や行動に、すぐにかっとなって、そこまで怒らなくてもというぐらいに、ヒステリックに怒ってしまうことがあります。子どもに対してはしつけじゃなくて命令と強制ばかりです。自分でも本当にひどい母親だと思っています。けれども、早く直さなくてはいけないと思っていても、いろいろな不安があったりして、自分がコントロールできなくなっているようです。子どもにどう接して、どうすればいいのかわからないという状態です。

（四歳の子の母親）

幼稚園のお母さんのなかに、育児ストレスに悩んでいる人が何人もいます。「気がつくと子どもをたたいている」「私は母親として子どもを思う感情がうすい」と悩んでいる人には、どのようにしたらいいでしょうか。

（幼稚園教諭）

主人は仕事オンリーの人で、家庭のことや子どものことは、すべて私まかせで協力してくれません。そのストレスのためか、すこしのことでかっとなって、子どもをしかったり、たたいたりしていました。そして、自己嫌悪になったりのくり返しでした。この本を読みだしてから、それがすこしずつなくなり、なにか肩の重荷が取れて、楽になったように思えます。

（七歳と三歳の子の母親）

親が望んだように、子どもがしてくれないとき虐待をする

育児をしているとき、幼い子どもの欲求と、親の欲求とがくいちがった場合には、子どもの

欲求を優先してあげることができるのが、人間が生きていくためのルールだと私は思います。そして親は、子どもの欲求を自然に受け入れることができるものだと思っています。幼い子どもたちが自分でできることは、まだまだかぎられていますし、自分の欲求を満たしてほしいという気持ちでいっぱいなんですから、親が子どもの欲求を満足させてあげるということが、まず大切なことなんです。

ところが、そういうことができないお母さんが多くなりましたね。もちろんお父さんでもいいのですが、とくに幼い子どもにとっては、自分の欲求のほとんどは、お母さんに受け入れてもらう場合が多いので、ここではお母さんという言い方をしています。

では、どうしてお母さんは子どもの欲求を、ありのままに受け入れることができなくなってしまったのでしょうか。それは日ごろから、お母さん自身が自分の欲求をいろいろな人に、受け入れられていないということなんです。自分の欲求を夫に受け入れられている、近所の人とか友人とか保育者とか職場の同僚とか、いろいろな人にたくさん受け入れられていれば育児不安もなくなりますし、まわりの人から愛されているという気持ちを持つことができます。

そうすれば、そのことによって自分に自信を持つことができ、気持ちにゆとりができますので、自然と子どもの欲求も受け入れやすくなるし、母性も発揮しやすくなるのです。ところが、お母さんが自分の欲求を、受け入れてもらっていないと感じていると、孤独で、孤立した気持ちになっていって、いらいらしたり不安感を持ってしまい、子どもの欲求も受け入れにくくなります。

そうするとどうなるかといいますと、自分の欲求を子どもにぶつけるのです。子どもの欲求を無視したり、拒否して、自分の欲求のほうを子どもにむけるわけです。夜泣きをしないでほ

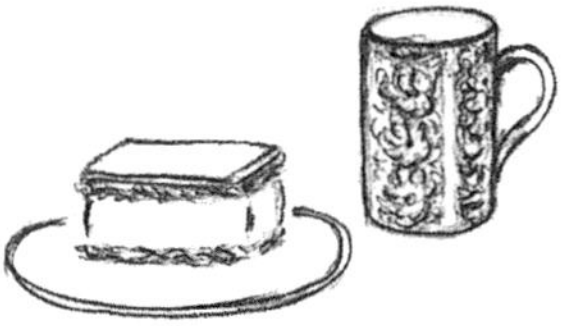

しいとか、おしっこは失敗しないでほしいとか、離乳食を早く上手に食べるようになってほしいとか、そういうお母さん自身の要求を、子どもにむけてしまうわけです。

その極端なものが子どもへの虐待なんです。虐待というのは、親の欲求を子どもがうまく満たしてくれないときに、自分の不安やいらいらした気持ちが引き金となって、衝動的に怒りを爆発させることです。だから、幼い子どもを計画的に虐待をする親はいないのです、ほとんどの場合が衝動的なんですね。

それは子どもが親の望んだようにしてくれないときに、さらに自分の欲求を拒否したようにみえるときに、激しくいらだってしまい、子どもを虐待するわけです。本を読んで苦労してつくった離乳食を、なかなか食べてくれないのでかっとなる。食事の支度でいそがしいときに、よちよち歩きの子どもが、お母さんの足元にまとわりついて泣く。そういうとき、いらいらしているお母さんが、衝動的に子どもの頭を、フライパンでぱーんとたたいてしまったということが、実際にあるんです。

お母さんが自分の欲求を子どもにむけるのではなくて、子どもの欲求を受け入れてあげるようになるためには、お母さんの欲求をだれか他の人に、たくさん受け入れてもらわなければいけないのです。本当は、お母さんが自分の自慢話とか、愚痴とか、その他のささいなことでも、安心して話せる人を持てば、問題の多くは解決すると思いますね。

お母さんが夫にむかってでも、友人にむかってでも、同僚にむかってでも、保育者にむかってでも、だれでもいいんですよ。そういうことを安心して話せるような雰囲気をつくってあげれば、お母さんは安心するのです。それが現代の保育センターとか、育児センターをつくろうということの基本理念だと思うのです。保育センターや育児センターには、お母さんを受け入れてくれる人がいる、お母さんとコミュニケーションを、ゆっくりしてくれる人たちがいるわけです。相談とかカウンセリングとか、むずかしい言葉をつかわなくても、現代版井戸端会議になるところが、お母さんの近くにあればとてもいいことだと思いますね。

幼稚園や保育園でも、そういうお母さんの子どもも預かっていると思いますので、先生とか保母さんとかが、お母さんとゆっくりコミュニケーションをしてくださることは、とてもいいことですね。すぐにできるものではありませんが、みなさんが、根気よくそういう対応をしてくだされば、お母さんは安心しますし、母性的な行動も自然にできるようになると思います。

質問にありますように、子どもを虐待する親はふえております。どうしても直らないという母親もいますね。実際、私のところにも「自分は子どもをせっかんしすぎた、しかりすぎた」と、泣きながら電話をしてくるお母さんもいます。

そういうとき、私は「昨日一〇回怒ってしまったら、今日は九回にすればいいんです。今日九回怒ってしまったら、明日は八回にすればいいんです。すぐに怒りを全部やめる必要なんかないんですよ」とお母さんに話しました。そして、「昨日一〇回怒られたけれど、今日は九回だ。今日九回怒られたけれど、明日はもっと回数が減るんだということが、子どもに伝わっていけば、それだけで子どもは、希望を持っていい子になっていけるんです」、こういうふうに私はお話をいたします。

私は気休めをいっているわけではありませんし、それは本当のことなんです。子どもは、今日より明日にすこしでも希望があれば、それだけで十分生きていけるものなんです。それが子どもなんです。

家庭について

片親でも育児はうまくいくのでしょうか

厚生省の調査で、昨年(一九九九年)の結婚件数は、七六万二〇一一組、離婚は二五万五三八組ということが新聞にでていました。離婚の他にも、夫婦のうち片方が亡くなってしまったなどの理由により、片親で子どもを育てるケースも、多くなっているように思います。このような場合、どのように子どもと接していったらいいのでしょうかという、ご質問も寄せられています。

子どもが生まれる一か月前に、主人が急病で亡くなってしまいました。そのため一人での子育てになってしまい心細いことも多くなりました。これから母親一人の力だけでは乗り越えにくいことにぶつかるでしょうか。また、母親は、男親の代わりもできるのでしょうか、方法がよくわかりません。(一歳の子の母親)

子どもにとっては、両親がそろっているのが一番いいことだとは思いますが、いつもけんかばかりしているよりは、片親でも明るく暮らしていたほうがいいかなと思いまして、二か月前に離婚しました。片親の子どもの育て方というか…、気をつけたらいいということがあれば教えてください。

（一歳の子の母親）

子どもが健全に育つために必要なこと

ふるくから、片親あるいは両親のいない家庭は「欠損家族」と呼ばれ、それだけで欠陥があるとされてきました。しかし第二次世界大戦後、日本では多くの母親が戦争未亡人となり、父親のいない家庭で、戦後の困難な時代に子どもを育てながら生きてきたわけです。そんな苦労の多い時代でも、子どもはちゃんと育ってきました。

母親一人で子どもを育てる毎日の暮らしは、経済的にも精神的にも、とても大変なことだったと思います。けれども、その当時の母親は子育てをするとき、経済的にはともかく、精神的には現代のように孤独であったり、孤立したりしていませんでしたね。そして、子どもたちも母親以外の近所の人や、親類の人など多くの人とふれあいながら育ってきました。ですから、本来は母子家庭だから、父子家庭だからということで、子どもがうまく育たないことはないということを、まず知っていただきたいと思います。

男性とか女性とかに関係なく、私たち人間には母性的なものも、父性的なものも、それぞれあるものです。程度にちがいがあっても、みなさんはかならず母性的なものも、父性的なものも持っているのです。ですから、片親であっても、うまく子どもを育てることはできるのです。

なぜなら、父親であっても、母親であっても、一人の親が母性的なものを十分与えながら、必要なところで、父性的な役割も果たしていくことは可能なことなんです。

まず、子どもを十分に受け入れてあげる、子どもの望んだことを望んだ通りに与えるという、母性的なものを子どもに満たしてあげたうえで、こういうことはやってはいけないという父性的ものを教えていけば、子どもはうまく育っていくものです。

子どもに対して母性的なものも、父性的なものも十分に与えられていれば、母子家庭であろうと、父子家庭であろうと、子どもを健全に育てていくことは可能だと思うのです。たとえば、私が子どもの学校の関係で親しくしていただいた、石丸寛さんという高名な指揮者がいらっしゃいます。先般お亡くなりになりましたが、最後の最後まで九州交響楽団を指揮していらっしゃいました。あの方は父子家庭に育ちました、お父さんの手で育てられた方なんです。けれども、非常にバランスのいい人格者でした。

家事などは、お手伝いさんが応援にこられたかもしれませんが、お父さんから母性的なものも、父性的なものも十分与えられて育った方だろうと思います。また、母子家庭であっても、立派に子どもを育てたお母さんは、いっぱいいらっしゃいますね。

ところが、両親二人そろっていても、子どもが健全に育たない家庭もたくさんありますね。それは、どういうものが母性的なものであり、父性的なものなのかということを、両親が十分に理解していないからだと思います。それから、どういう順序でそれらを、子どもに伝えていけばいいのかということが、わかっていないからだと思います。

一人の親が母性と父性の役割を使い分ける

現代は離婚が大変多くなりましたね。たしかに夫婦にすれば、いろいろ努力もしたし、話し合いもした結果、それでも離婚せざるをえなかったということなのでしょう。でも、離婚というのは、どんな理由があったにしろ、子どもにとっては不幸なことですね。しょせんは、おとなの側の一方的な論理なんです。離婚したときの子どもの年齢や家族の状況にもよりますが、子どもの心に傷を残すことは間違いないと思いますね。

けれども、夫婦がやむをえない事情で離婚されたら、親は自分一人だけで子育てをしないことが、なによりも大切なことです。子どもというのは、わずかの人の手によって密室的に育てられるより、地域のおおぜいの人のなかで成長するほうがいいのです。ですから、親が一人の場合には、これまで以上に、友人との関係を親密にして、近所や親類の人とも、できるだけつきあいを多くする必要があります。

当然、お母さんだけが人間関係を豊かにするのではなく、子どももお母さんの友人や、近所や親類の子どもたちのなかで育てるわけです。保育園に子どもを預けていれば、送り迎えのときには、他のお母さんや保母さんとも積極的に語り合うことも大切なことですね。一番いけないのは、自分たちの親子関係以外、他の人との交流や関係がないことです。これは、ぜひとも強調しておきたいと思います。

もちろん、育児の中心的存在は母親ですが、子どもが四、五歳になったら親だけに育てられていてはだめだと思います。子どもはたくさんの人のなかで、いろいろな人間関係を経験することで、共感性や自主性が養われていくものなんです。そういう過程を通して、子どもは友達や仲間を求めていくものだと思います。

すこし前のことですが、テレビをみていましたら、東アフリカのタンザニアにある国立公園の野生のチンパンジーを、赤ちゃんのときから、その成長過程を一〇年間にわたって記録したドキュメンタリーをやっていました。

チンパンジーのある群れに赤ちゃんが生まれました。すると母親は、まず群れのオスの一頭一頭に近づき、赤ちゃんを紹介していくのです。赤ちゃんが成長して一歳ぐらいになると、そのころは好奇心がおうせいですから、なんでも口にしたり、引っ張ったり、たたいたり、さまざまな行動をしています。そういうとき、母親は危険なことに対して注意はおこたりませんが、子どものしたい放題にさせていました。

もうすこし大きくなってくると、今度は気の合う別の母子のところにいき、一緒にすごします。そうすると、同じぐらいの子ども同士が、遊び始めるというわけですね。すると、五歳（人間では中学生ぐらい）をすぎると、子どもは自立をうながされる時期になります。すると、母親は食べ物のみつけ方や道具の使い方などを、子どもに実際にみせながら学習させていきます。そして自立の時期になっても、子どものチンパンジーはときどき母親に甘えて、もうでなくなったお乳を吸おうとしますが、母親はけっしてお乳を飲ませようとしません。一方で、おとな社会で必要な毛づくろいを子どもにもしてあげながら、おとなになる準備を教えていました。

私はテレビをみながら、人間の親と子どもの関係、育児のしかたについて考えさせられましたね。チンパンジーの母親は、あるときは、子どもの望んだままを認めてあげるという、母性的なものを与えながら、一方では、群れのなかでしてはいけないことを厳しく教えるという、父性的なものも伝え、子どもが独り立ちができるように育てているんですね。私には、チンパンジーの母親は、ある意味では、母性と父性を合わせ持った育児をしているようにみえました。一〇年間の成長の記録のなかには、感動的な場面がたくさんあり、本当に、母と子、育児について考えさせられました。

いろいろな事情で、片親で子どもを育てる場合、個人的な感想としては、父子家庭は母子家庭より、はるかにむずかしいのは事実だと思います。一般論としていわせていただければ、母親は家庭のやすらぎや、くつろぎをつくる中心であり、父親は社会性のモデルとして位置づけられています。家庭のなかで子どもを育てる場合には、母性的なものと、父性的なものが必要と前にもお話ししましたが、この二つの機能を子どもに伝えていくためには順序があるのです。

妊娠、出産、授乳といった一連の行為は女性（母親）にしかできないことですし、だれかが代わってやることのできないものです。この過程のなかでは、家庭のやすらぎをつくる主役は母親であり、そのほうが子どもの精神衛生にとっても安定感を与えると思います。こういう母性的なものが、十分に子どもに働いたうえに、社会の一員として生きていくときに不可欠なことを、教え、伝えていくのが父性的なものだと思うのです。

子どもの年齢が低ければ低いほど、つまり、乳児期から幼児期の初期にかけては、家庭という場にあって、主役を演じるのは母親がむいていると思いますね。直接的に子どもに接するのは母親であり、それに対して、父親は育児という舞台で、母親という主役を引き立てる助演の役目なのです。このような主演と助演の役割の分担が大切なんだと思います。それは、どちらのほうが価値があるというのではなく、同等な価値があると思うのです。あくまでも、いい意味での役割分担であると考えるべきではないでしょうか。

ですから、親が一人で育児する場合には、主役と助演を演じながら、育児をしていくことが大切だと思いますね。まず、母性的なもので子どもを受け入れてあげて、そのうえで父性的なものでしつけとか、教えるべきことなどを子どもに伝えていけばいいのです。この順序を大切にして育児にあたっていけば、片親だとかということは心配することはないんですよ。

祖父母との関係について

昔は三世代、四世代家族など、大人数の家族のなかで育ってきた子どもが多かったと思います。それが核家族になることによって、育児をめぐって祖父母との関係にも、変化があらわれているように思います。そして、つぎのような心配がお母さん方から寄せられています。

私が働いているので、実家の母が子どもの面倒をみてくれることになっています。けれども、愚痴っぽいのと、自分の思い通りにならないと「そんな子は大きらい」などと平気でいう人なので、子どもが傷つかないかと心配です。

（二歳の子の母親）

うちは同居なのですが、おじいちゃん、おばあちゃんに対して、上の子が冷たい態度をとるので、私が言い聞かせています。それでも祖父母は気がすまないようで、子どもに対して怒ったり、たたいたりします。どうすれば、祖父母と子どもとの関係がうまくいくでしょうか。

（六歳と四歳の子の母親）

初孫ということもあって、非常にかわいがってくれているのですが、毎週遊びにいくたびに、おもちゃを買って待っている状態です。先日、祖父と一緒に買い物にいった子どもが「おもちゃはいらない」といったのに、「いいからなにか買いなさい」と、欲しがらないのに買い与えている有様です。こういう状況が子どもにも、わるい影響を与えるのではないかと心配です。（五歳の子の母親）

祖父母は育児のわき役

よく祖父母が育てた子どもは三文安とかいわれていますね。だけど、私は長年の臨床経験のなかで、こういうことを感じています。たとえば、両親と死別してしまった、あるいは、ひどい例では両親が行方不明になったという場合に、子どもが祖父母に育てられるというケースがあります。両親がいないので、やむをえず祖父母が子どもを育てたケースで、すばらしく育った子どもの例をいくつも知っています。親が育てるよりいい場合もいっぱいあるのです。

それは、祖父母がその子どもに対してふびんさを持っていますから、育児の場面で、自然に母性的な感情が豊かにでてくるのでしょうね。ですから、年寄りっ子は三文安といいますけれど、三文高の場合もあるんですよ。

ところが、両親がいるのに、祖父母が子どもを育てているケースの場合にはうまくいきません。むしろ、三文安、五文安の子どもが多いようです。そういう子どもを、私はたくさんみてきました。基本的には、子どもはやっぱり親を望んでいるのです。祖父母の育児がだめだというわけではありませんが、子どもにとっては、祖父母は親に怒られたときの、ちょっとした避難場所であったり、気まぐれに愛されたいときに遊びにいくところなんです。ですから、子どもにとってはやっぱり親が一番いいんですね。

たとえば、私の子どもの場合でも、とくに子どもが小さいころはそうでしたね。いくら祖父母にかわいがってもらったり、よくしてもらっていても、「おじいちゃん、おばあちゃんとお留守番してよ」というと、「いやだ」といって、母親のあとを追いかけていっていました。「お母さんは、今日はおまえたちを連れていけないんだから」といっても、子どもは「いやだ」というのです。ときどき、母親から強くしかられたとしても、それでも親がいいんですね。

だから、祖父母は「やっぱりお母さんがいいんだね、ママがいいんだね」と、よくいっていました。それはその通りなんです。ですから、お母さんもお父さんもいるのに、祖父母が育児の大部分をしている場合には、やっぱり欲求不満の強い子どもになりますね。

両親が働いていて、どうしても祖父母の協力の必要な場合もあります。そういう場合でも、まず、母親ができるかぎりのことをする、父親も最大限の努力をして、育児にかかわる必要があります。前にもいいましたけれど、たとえ時間が短くても、子どもとどう接するかが大切だというのは、その通りなんです。

そして、両親の育児の時間が不足した分を補充する意味で、祖父母が育児をすることは、私はわるいことではないと思っています。けれども、それはあくまでも補充でして、祖父母が育児の中心になったら、困ったことが起きると私は思いますね。祖父母が育児の主役になったらいけないのです。それから、三世代、四世代家族の場合も同じで、両親が主役で育児をしているのであれば、いくらでもうまくいくと思っています。

ですから、祖父母は孫の育児については、わき役というか、助手ですよという認識をしっかり持たなければいけないと思いますね。一方、両親は、たとえ祖父母に育児を協力してもらっている時間は多くても、おじいちゃん、おばあちゃんには、たんに手伝ってもらっているだけなんだ、という気持ちを持たなくてはいけません。そして育児はあくまで自分たちがやっているんだ、主役を果たしているんだという認識をしなければいけないと思います。そうでないと、子どもはうまくいかないと私は思いますし、子どもに強い欲求不満を与えてしまいます。

現代の家庭のほとんどは核家族になりました。そして、母子家庭、父子家庭もふえてきています。そういうなかで、祖父母が育児に果たす役割も、考えていかなければならないと思います。たとえば、祖父母は子どもにとって、情緒的な結びつきの強さや影響力で、両親についで大きな存在になるし、また、幼い子どもが親のつぎになつくのも祖父母なんです。ですから、祖父母が育児の先輩として、両親の育児のわき役という気持ちを持ちながら協力してくれれば、それはとても大きな力となると思います。

育児の主役が親であれば、祖父母が孫を甘やかしても大丈夫

つぎに、おじいちゃんが孫になんでも買ってしまうという質問があります。こういうことも、それほど心配することはないんですよ。祖父母が孫に、おもちゃを買い与えてばかりで困るというときに、親は自分が育児の主役だという気持ちをしっかりと持って、祖父母にちゃんといえばいいのです。たとえば、「孫が欲しがっていないものまで買ってきても、おもちゃ箱をいっぱいにするだけですよ」と、これだけを祖父母にいってあげたらいいのです。

そして、孫が本当にそれが欲しいといったときに買ってあげたほうが、あるいは、孫がこうしてほしいといったときに、そのようにしてあげたほうが孫にとってはいいことなんだと、祖父母にも、わかってもらえるといいですね。それに子どもというのは、他のことで欲求不満がなければ「あれが欲しい」「これをやって」などと、いろいろといわないものですよ。

そういう意味では、私のところの祖父母は、孫が本当に望んだことは、一つも拒否しなかっ

たですね。それどころか他の人がみたら、孫に対して猫かわいがりをしすぎるぐらいでしたね。子どもが小さいときなんか、夕食の前なのにチョコレートを食べさせているんですから。「そんなことしたら、夕食が食べられなくなりますから困ります」と家内がいっても、「いや、この子が食べたいといっているからね」といって、食べさせていました。そういうときには、私たちも「こんなことは一週間に、一回あるかどうかだからいいよね」と、我慢していましたけれど…。

こういうこともふくめて、祖父母は孫が本当に望んだことは、全部受け入れていたのです。だから、大きくなってから祖父母から頼まれたことには、子どもたちは「いやだ」といったことがありませんでした。祖父母の体力がおとろえたときに、なにを頼まれても、子どもたちは「いやだ」といわなかったですね。

私たちがみていてもびっくりしましたよ。「老人クラブにおじいちゃんいきたいんだ、杖《つえ》だけじゃあぶないんだ、おまえ、杖《つえ》がわりについてきてよ」というと、「うん」といって、どの子もついていきました。これは見事で、あらためて教えられましたね。そして、老人クラブに連れていって、「帰りたくなったときに電話するんだよ、迎えにきてやるから」といって、迎えにいきました。祖父母のいうことを、わが家の子どもたちは拒否しませんでした。

家内の実家の両親たちも、「おまえのところの子は、なんでも聞いてくれてやさしい子どもたちだ」といっていました。けれども、子どもたちは小さいときに、自分の望んだことを、祖父母に受け入れてもらってきましたから、祖父母の頼みには、「いやだ」といわなかったのでしょうね。

子どもたちも大きくなると、親が「ちょっとこれを手伝ってよ」というと、「僕ばかりにいわないで」とか、「僕ばかりじゃなくて、お兄ちゃんにいいなよ」とか、「あっちにいえ」とかいいます。わが家の子どもたちは、いうことを聞かないほうじゃないと思いますけれど、ときどき、そういうこともありました。けれども、祖父母の望んだことは、すべて聞いていましたね。

祖父母と一緒に生活する場合でも、親には、「自分が育児の主役なんだ」という気持ちを持って、育児をしてほしいですね。四〇週も自分のおなかにおいて、いとおしんで育てて、産みの苦しみをして、母乳もあげながら育児をしてきたのですから、「自分で生んだわけでもない人に、この子の育児という大事な仕事を、代わってやれるはずがないんだ」というプライドを、親には持ち続けてほしいですね。

こういうことを通して、自分のなかに育まれてきた母性的なものと、他の人にできるはずがないという育児に対する誇りは、とても大切なことなんです。「育児なんてだれにだってできる」と、こんな安易な気持ちで育児をやっている人がいたら、その人はたぶん、どんな仕事に対してだって、ちゃんとした姿勢で仕事はできないと、私は思っています。そういう誇りをいつまでも持っていてくだされば、祖父母との関係において、すこしむずかしいことがあっても大丈夫だと思うのです。

家族、家庭の危機と地域社会の崩壊

この一、二年、いわゆる、少年事件が連続して起きています。新聞や雑誌などで問題の解明について、いろいろな視点から発言がされています。そこでは、少年たちが起こす事件の背景として、家族や家庭、地域社会の崩壊が語られていますが、そういうことについて、すこし考えていることをお話してみたいと思います。

少子化、核家族化が進むなかで、子どもを上手に育てるためには、地域社会とのつながりが大事になってくると思うのですが、どうやっていったらいいでしょうか。

（三歳の子の母親）

一人ひとりが孤立しすぎたことにより、家庭や社会がこわれつつある

現代の家族の問題を考えますと、私はその背景に現代人の孤独さがあると思うのです。人間というのは孤独で、孤立した状態になればなるほど、自分のことだけを考えるようになるのですね。

前にも孤独ということについてお話をしましたが、人間にとって孤独というものは、場合によっては、必要なときもあるかもしれません。たとえば、人間はひとりになってくつろぐこともあるし、ひとりだけで自分をじっとみつめるというときもあると思います。そういう意味で

の孤独は、自分が交わることができる人がまわりにいて、たまには、ひとりになって孤独を愛するというような、人間に与えられた大事な時間でもあると思うのです。けれども、ここでいう現代人の孤独は、家族や親類の人、あるいは近所の人との関係をつくれない、そして、ひとりぼっちで孤立した状態を、イメージしていただくとわかりやすいと思います。

本来、人間というのは、他の人からケアしてもらいながら生きるものだと思うのです。そのためには、自分も他の人をケアしなければいけないのです。老人をケアする、近所の人や友人をケアする、夫と妻もおたがいにケアし合う、こういう関係がおたがいにあると、私たちも自分がいろいろな人からケアされているという実感が、日常的に生まれてくるでしょう。

その実感が自分の子どもをケアできるという気持ちになっていくのです。こういうことは、かつては日常生活のなかで、自然にできていたことだと思うのです。けれども、現代の人たちは、そういう自然な感情を失いつつあるようですね。

そういう自然な感情を失いつつある大きな原因には、孤独で孤立した生活のなかで、私たちが自己中心的、利己的になりすぎたからだと思います。あるいは、自分だけを大切にする生き方を追い求めすぎたということだと思うのです。どういうことかといいますと、それは現代人の多くが、「個性を大事にする生き方がいいんだ」という風潮のもとで、生きてきたからではないでしょうか。けれど本当は、個性を大事にする生き方、あるいは個性的な個の確立というのは、個だけではできないのです。他の人との関係によってしかできないものなんです。

エリクソンもいっていますが、アイデンティティーというのは、いろいろな人との関係を通して自分をつくることです。たとえば、乳児期には母親的な人によって支えられ、幼児期には家族的な人によって支えられる。もうすこし大きくなると、だんだん地域の人たちによって支えられる部分ができて、さらに小学校時代、学童期には、仲間によって支えられ、そして、仲間の目を通して自分をみることによって、個が確立していくわけです。

それがアイデンティティーだと思うのです。さらにアイデンティティーは、価値観を共有できる仲間にめぐり合うことによって、よりたしかなものになっていくものです。だから、個人でいくら勉強しても、個の確立はできないわけです。世界に一人しかいないという個性的な個の確立というのは、他の人とのちがいを自覚すること、それを感じ合うことを通してできるものなんです。他の人との間に、どこに共通点があり、どこに相違点があるのか、そして、自分の個性を仲間との関係のなかで、教えられながら個をつくっていくわけです。

子どもが育っていくときに、育ち合う仲間が大切なように、おとなにとっても他の人との関係のなかで、おたがいに支え合いながら生きていくことが、大切なことだと思うのです。ところが、そういうものが家庭にも、社会にも失われてきたということが、家庭や地域社会が、こわれつつある原因ではないかと思うのです。

自己中心の生き方では、人を信じることができません

私は臨床の場でいろいろな子どもに会ってきました。たとえば、援助交際をしている少女に会うと、彼女らは例外なく「だれにも迷惑をかけてない」と、こういう言い方をするんですよ。けれど本来は、子どもたちは親やおとなに対して、安心して迷惑をかけながら、生きてこなくてはいけないと思うのです。

乳児期の赤ちゃんをみれば、そこらにおしっこをたれ流しにしたり、泣きたいときに泣いたり、迷惑とはいわないかもしれませんが、全面的にまわりの人に面倒をかけているんですよ。

親やおとなに面倒をみてもらわなければ、赤ちゃんは生きていけないでしょうね。そして、子どもは大きくなるにつれ、だんだん人にかける迷惑が小さくなり、さらに、相手から迷惑をかけられても耐えられるようになっていって、個が確立していくのです。

人間はだれもが、他の人に迷惑をかけて生きているのです。迷惑をかけると同時に、迷惑をかけられることにも、平気にならなくてはいけないのです。ですから、だれにも迷惑をかけていないと思っている人は、もしかしたら、まわりの人にすごい迷惑をかけている人かもしれませんね。

ですから、本当に自律している人というのは、うんと迷惑をかけることができる人をたくさん持っていると思います。そして、相手からも迷惑をかけられることを、受け入れることができる人だと思います。いつも自律とは相互依存だと申し上げていますが、相互依存を通して自律することが、個の確立につながるのです。

私は三〇年以上、臨床の仕事をしていますし、乳幼児健診も同じぐらいの年数をやってきました。そこで感じることは、極端な言い方をすれば、年々、子どもの困難な問題を、親は引き受けにくくなってきたということです。一〇年、二〇年、三〇年前には、親は自分の、不幸で悲しい運命というか、子どもの困難な問題を早く引き受けることができました。

それが現代の人は、だんだん引き受けることができなくなってしまいました。子どもの困難な問題ばかりでなく、親自身の困難な問題も、自分で引き受けることができなくなってきました。それは私たちの生活のなかに、孤独さ、そして孤立した状況がどんどん進んできたからだと思うのです。

孤独や孤立の裏側は自分勝手さでしょう。人間というのは、孤独になればなるほど人を信じる力が弱くなり、自分勝手で自己中心的になっていくものです。自己中心さが、じつは孤独さのあらわれだと思います。自己中心的な人には相手が寄ってきませんし、自分のほうも、人と交際する力が弱くなっていると思いますね。

けれども、人間の幸福というのは、人を信じる力がある、あるいは信じられる人を持っていることだと思います。本当はこれなしでは、人間は健全には生きられないのではないでしょうか。だけど、そういう人はそれを、自分を大切にして生きているとか、自分は個性的な生き方をしているとか、思っているのでしょうね。

以前に、NHKのETV特集で拒食症の女の子が、「信じられるのは自分だけだ」ということをいっているのをみましたが、そのなかで、拒食症の子の母親も「信じられるのは自分だけだ」と、口ぐせのようにいっているんですね。けれども、自分だけしか信じられないということは、本当は自分のことも信じられないということなんです。ようするに、だれも信じられないということですね。それは究極のところは、自分も信じていないということなんです。

だれも信じられないということは、自分を信じてくれる人がいない、自分を愛してくれる人がいなかったということなんです。ですから、そういう人たちは、自分自身が人を愛する力が弱いということをわかりたくないために、自己愛的に生きようとしてしまうのでしょうね。

子どもたちが家庭から放り出される時代

自己愛的な傾向がどんどん強くなれば、自己愛のさまたげになるようなことは、みんな排除しようとします。ですから、まず、家庭から老人が排除されましたね。私たちの子どものころは、家族が老人の面倒をみていました。老人が働きざかりのころは、自分が家族を背負って立って、自分が年老いたら、つぎの世代の人に面倒をみてもらって亡くなっていく、これがふつうでした。ですから、家族は老人をケアするのが、あるいは面倒をみるというのが、ごくふつうにできました。

ところが、今は家族機能のなかには、そういう能力はもうなくなっているようにみえます。あるいは、どんどんうすらいでいると思います。やがて、自分の子どもの面倒をみることも、だんだんできなくなるだろうと思うのです。自分で生んだ子どもだから、自分で面倒をみるというのも、自分たちを育ててくれた親だから、自分たちで親の面倒をみるというのも、かつては常識だったのです。けれども、その常識がくずれてきたわけですね。

その代表的なものが、現代人は、とくに日本人は世界一長生きであるのに、子どもを生まないということですね。自分は長生きするけれど、つぎの世代をになう子どもたちのことは思いやらないわけです。だから、日本人全体の心理現象を考えてみれば、これはきわめて利己的であり、自己愛的ですね。子どもを生んで育てることよりは、自分が今、どう生きるかということのほうに一生懸命なんですから。

一方では、日本人の今の心理現象のなかには、自分だけはいやされたいという気持ちがあるんですね。他の人をケアするのは面倒なことだけれど、自分はケアされたいと思っているのです。日本は、世界で有数の子どもを生まない少子国になりましたが、ペットの数では世界でも高い水準だと思うのです。

多くの人がイヌを飼う、ネコを飼うということはするわけですから、ケアをするのがいやなわけではないんです。けれども、人間関係のなかでくつろぎや、やすらぎを求めるより、イヌやネコにケアされようとしているんですね。私たちは自分で自分のケアもできないほどに、孤独感を強くしてしまったのでしょうか。

そういうことを考えてきますと、若い親たちがなにかの契機で、今より子どもをもっと上手に、育てられる時代がくるように思えますか。私にはそう思えないのです。おそらく将来は、幼稚園とか保育園とか、そういう職業を選んだ人たちが、日本中の子どもたちを手わけして、育児にあたるという時代がくるんじゃないでしょうか。そういう時代になってきたことを、みなさんも考えていただきたいと思っています。

第二章

育児、母性と父性、家庭について

育児という仕事

子どもが生まれて仕事を辞めたお母さん方のなかには、社会から取り残されたような気持ちを持ってしまう人も多いようです。そういう欲求不満が積み重なって、子育てに対して不安を持ってしまうのではないでしょうか。また、仕事を続けているお母さん方からも、仕事と育児を両立させることのむずかしさについてお手紙をいただいています。

私は仕事を持っており、一年後には復帰しようと考えていました。けれども、私は仕事と育児をうまく両立させていらっしゃる方のように器用ではないので、仕事をして、そのあと子どもに余裕を持って接することは、きっとできないだろうと思い、あと二、三年は自分のキャリアを中断しても、家族のためにつくそうと思い始めました。

(二歳の子の母親)

「家に帰ってもだれもいない生活が続くと、非行へ進む危険も高い」と書いている記事を読み、やっぱり働きながら子育てなんて無理だなあと思ってしまいます。

そうしますと、主婦は子どもが独立するまで、家に閉じこめられていなければならないのでしょうか。でも、働きたい母親、働かざるをえない母親もいるわけで、本当にどうしたら仕事と育児を両立できるのでしょうか。また、専業主婦はどうやって自己確立すればいいのでしょうか。

（三歳の子の母親）

育児は一番価値のある仕事です

この間テレビをみていましたら、ウィーンフィルのクラリネットの首席奏者の方が、インタビューに答えて「仕事にうちこめないと、人生を楽しむことはできない」という話をしていました。仕事にうちこめないと、人生も台なしになるといっているのでしょうね。

私は、仕事というのはなにも外で働くことばかりではなく、子どもを育てることは、大仕事だと思っているのです。ところが、現代の日本では、育児にうちこめないというお母さんが多くなってきましたから、この言葉はとても印象的でしたね。

家にいるお母さんであろうと、外で仕事をしているお母さんであろうと、子どもを育てることにうちこめれば、本当は、人生を十分に楽しめると思うのです。子どもを保育園などに預けていて、たとえ一緒にいる時間が少なくても、子どもを育てることにうちこめれば、私はそれで人生がより豊かになると思っています。

もっといいますと、私は育児にうちこめる人が、本当に人生を楽しんでいる人だと思っているぐらいなんです。それから、育児にうちこめる人が、他の仕事にもうちこめる人だといってもいいかもしれません。ですから、親になったら、お母さんもお父さんも、育児をしている時間は、しっかりと育児にうちこんでもらいたいですね。それが自分の人生を楽しむことなんですから、この一番大切なことを、みなさんにわかっていただきたいと思います。

世の中にはいろいろな仕事があります。そのなかでどんな仕事が一番価値がありますかと聞かれましたら、私はすぐに、つぎの世代を思いながら仕事をする、そういう仕事が一番価値があると答えるでしょうね。つぎの世代を思いながらする仕事といっても、すこしわかりにくいかもしれません。

たとえば、公害の少ない自動車をつくるということは、環境を守りながら、つぎの世代まで豊かな自然を残すという意味では、価値がある仕事です。世界の子どもたちが飢えないで暮らせるように、農作物を豊かにつくる方法を研究することも、価値のある仕事だと思います。新しいコンピューターを開発することが、多くの人たちの生活を豊かにするのであれば、そういう仕事も価値のあるものです。もっといろいろな価値のある仕事があるかもしれませんが、つぎの時代も、もっと豊かな生活をできることを考えて仕事をしている人は、とても価値のある生き方だと思うのです。

そういう価値のある仕事にすこしも劣らない、あるいは、それ以上の仕事というのは、つぎの世代を生きる人を、大切に育てていくことだと思うのです。子どもを育てるということは大仕事だと思いませんか。つぎの世代を生きる子どもたちを、お母さんやお父さんが育児をしている、あるいは、幼稚園や保育園のみなさんが、子どもたちをしっかりと保育をしているということであれば、これは最高の仕事だと私は思うのです。

相田みつをさんという人の言葉に、「自分の番、命のバトン」というのがあります。「父と母で二人、そのまた両親で八人、こうして数えていくと一〇代前で一〇二四人、二〇代前になるとなんと一〇〇万人を超すんです。過去の命のバトンを受けついで、今、ここに自分の番を生きている。それがあなたの命です。それが私の命です。みつを」。こういうのがあるんです。私はこの言葉がとても好きです。今、自分の命の番を生きている私たちは、自分の両親から命のバトンを引きつぎました。その命のバトンを、つぎの世代の人たちに、自分の子どもたちに渡していこう。育児という仕事はそういうことだと思うのです。

そういう意味からすると、先人から自分が命を受けついだという感謝と、つぎの命を、ちゃんと残していこうという、ひとつの使命感とでもいいましょうか、これは人間のもっとも価値のある仕事だと思いますね。

金銭に換算できないものを、仕事と思わなくなってきました

私たちはいつのころか、経済を最優先することになり、収入がともなわない仕事は、仕事と思わなくなってしまいました。直接、自分が現金を持って帰らないと、あるいは、自分の預金口座に金銭が振り込まれてこないと、仕事をしているような気にならなくなってしまったのです。そう思いませんか。

だから、大学なんかでも、哲学科で哲学の勉強をしようという学生は、少ないと思いますね。人間が思索したり、いろいろなことをいくら考えたって、それで収入が入ってくるわけではないのですから。そして、売れる思索というものなんてないでしょうね。芸術家だって本来は、すぐれた芸術作品を黙々とつくるのが仕事だったのです。だから昔は、芸術家はいつも貧乏でしたね。どうも現代の作家や芸術家は、売れる作品をつくるということに、気をうばわれる人のほうが多くなってきたと思いませんか。

私たちは、経済的なことを優先させるのはいけないといいながら、やっぱりそれを最優先課

題においていますよね。そして現代の人は、一見、収入をともなわないようにみえる家事とか、育児というものを避けようとするようになりました。

私の家内は、おもに家で仕事をしているわけですから、家で洗濯をする、家族の食事の用意をするということをしても、直接の収入にはならないでしょう。けれどその仕事によって、私や子どもたちが安心して外で生き生き働けるのです。私はそういう仕事は価値が高いことだと思いますし、家内も自信と誇りを持っていると思います。

たまには、外へ仕事らしいことにいきますが、それはほとんどボランティアですから収入はともないません。いくつかレギュラーで、重い障害児たちをケアする仕事をしています。そして、一回いくとそこに集まった方たちから、五〇〇〇円いただくのです。二人で組みになっていきますから、二五〇〇円ずついただくわけです。まるまるゼロのボランティア活動ではないですが、ちょうど交通費ぐらいでしょうか。だけど、それはとても価値のある仕事だと思って、家内は非常に喜んで仕事をしております。

収入のともなわない仕事を軽視するという風潮は、経済を優先した結果ですね。最近は環境保護のこともいわれるようになってきましたが、オゾン層が破壊されているとか、地球の緑が減少しているとか、水質が汚染されているなどという環境問題に取り組んでも、大きな利益を得ることはできませんから、そういう問題を、私たちはないがしろにしてきたと思います。

その結果、どんなことが起きるか、どんなふうに困ったことになっているか、あるいは、つぎの世代を生きる子どもたちの命のなかに、心のなかに、さまざまな副産物が生じてしまうことを、私たちは知っているわけです。口ではそれらの問題の重大性についていっていても、一方で、やはり経済を優先しているというのが現実ではないでしょうか。これらのことは、つぎ

の世代を思わない生き方の最たるものだと思うのです。

こういう時代だからこそ、一番価値のある仕事は、つぎの世代を思い描きながら生きることだと思います。そして、つぎの世代になにを残してあげるのかといったら、まずは、育児という仕事によって伝えられる、母性的な営みだと私は思っています。

仕事と育児はもちろん両立できます

それから仕事と育児は、両立するのでしょうかという質問もあります。女性が働くから、育児がうまくいかないということはないのです。そんなことは、けっしてないと思いますね。女性が働くということは、なにも現代だけがそうなのではなく、昔から、おそらく日本人にかぎらず、他の国の人もほとんど共働きだったのではないでしょうか。

私は自分の少年時代をふり返ってみましても、父と母は野良仕事を朝から晩まで、毎日やっておりましたから共働きといえるでしょうね。ですから、私はともに働くということはちっとも不自然なことではなく、自然なことだろうと思っているのです。けれども、子どものいる女性が働くといった場合には、現代は、子どもを「人に預ける時代」、あるいは「預けて働く時代」と、こういってもいいかもしれませんね。

一方で、働く女性がふえるとともに、育児に不安を持つというお母さんも目立ってきました。たとえば、お母さんが育児の主役だとしますと、そうでない家庭もあるでしょうけれど、子どもを人に預けて働くことによって、子どもと接する時間が少ないことに、不安を持ってしまうことがあるのです。働いているから育児がうまくいかないんじゃないかと、思ってしまうわけです。子どもと接する時間が長い家庭の子どもがよくて、短い家庭の子どもの育児はうまくいかないかというと、そんなことはないんですよ。

実際にアンケート調査をみますと、一般的な傾向として、今のお母さんたちは子どもと一緒に長い時間いると、自分がいらいらしてきて、育児にマイナスの感情を強く持ってしまう人のほうが多いですね。全部のお母さんが、そうだということではもちろんありませんが、そういう傾向があるということです。ですから、働きながら育児をしている人よりも、専業主婦のお母さんのほうが、育児に対してマイナスの感情が強いということがあるのです。

保育園に預けて働いているから、育児がうまくいかないとか、子どもがうまく育たないかもしれないという心配は、まったくないと思いますね。お母さんが働いているから、育児が下手というわけではないのです。専業主婦で育児の下手な人もいっぱいいるんですから。

もし、そのように考えていらっしゃる人がいたら、考えをあらためていただきたいと思いますね。なによりも大切なことは、子どもと接している時間を、どうすごすかということなんです。それは家で育児をしているお母さんであろうと、仕事を持って育児をしているお母さんであろうと、まったく同じことなんです。

子どものそばに、長時間いるかいないかということと、子どもを育てることにうちこむということは別の問題なんです。子どもを保育園なりに預けて働いているお母さんは、子どもとすごす時間は少ないのですから、その短い時間を親として、子どもとどう接するかということを考えることです。お母さん方が子どもとの時間を、大事にしてあげようという気持ちになられたら、これはたいしたものです。

そして、かならずしも、子どもと一緒に長時間いる必要はないんですよ。なぜかというと、僕のお父さん、僕のお母さん、私のお母さん、私のお父さんはこういう人なんだということが、子どもにわかればいいことなんですから。「僕のお母さんはこういうお母さんなんだ」という、いいイメージを持ちながら子どもが保育園で生活している、これはわるいことではないですね。迎えにきてくれるお母さんを心待ちにしながら、楽しみながら遊んでいるということは、非常にいいことですよ。

ところが、「仕事をして疲れているんだから、うるさいことといわないで」「お父さんは疲れているんだから、肩になんかのぼらないでくれ」「お母さんは疲れているんだから、泣かないでちょうだい」とか、つい、いってしまう親がいるんですね。そういうことは、子どもにいってはいけないんです。一緒にすごす時間が短くたって、その時間をちゃんと接してあげれば、子どもはある程度のことには、あるいは、相当なことにも耐えられるし、傷つくこともないし、問題も起きないと思います。このことはお父さんに対しても、意味としては同じですが、ここでは女性に視点を当てながらお話をいたしました。

では、子どもにとって、いいお母さんのイメージというのは、どうするとできるのかということですね。横浜市の南部地域療育センターの小児科の今野先生が、「ビーイング・マザー」と「ドゥーイング・マザー」というテーマを取り上げながら、人間の感性について、いいことを書いていらっしゃいます。「ビーイング・マザー」とは、お母さんであるという意味です。そして、「ドゥーイング・マザー」は、お母さんをするという意味です。

そういうことからいいますと、たとえば、保母さんの仕事というのは、子どもたちの本当のお母さんではないわけですから、保育園でお母さんをすること、「ドゥーイング・マザー」でしょうね。けれども、子どもたちにとって望ましいことは、保母さんたちがかぎりなく「ビーイング・マザー」であることなんです。本当のお母さんは、お母さんであることですから「ビーイング・マザー」なんです。ところが、本当のお母さんでも「ドゥーイング・マザー」という人がいるわけです。母親を演じているだけという人もいるんですね。

それでは、「ビーイング・マザー」、お母さんであることというのは、どういうことなんでしょうね。本来、親にとっては、自分の子どもというのは、まるごとそのまま承認できる存在だと思うのです。自分の子どもに対して「こうあってくれたらいいとか、ああでなくちゃいやだ」という気持ちではなく、ありのままの子どもを、受け入れることができるということなのです。「ビーイング・マザー」、お母さんであること、あるいは親であることというのは、そういうことだと思うのです。

子どもがちゃんと育っていくために、お母さんは子どもにとってかけがえのない存在です。そのお母さんに対して、子どもがプラスのイメージを持つために、「ビーイング・マザー」、お母さんであることが、私はとても大切なことだと思っています。

母性と父性について

最近の少年たちが起こす事件のたびに、父親はもっと厳しくあるべきだとか、父性の回復が必要だとかいわれています。すこし長くなりますが、母性と父性についてのお話をしてみたいと思います。

子どもを育てることにおいて、母性的なもの、父性的なものが必要といわれていますけれど、現代においては、それが否定されたり、あるいは育っていないのが現状かと思います。家庭とか、保育園とか、幼稚園とか、子育てをする人たちが、その点についていてどう考えればいいのでしょうか。

（保母）

だれにでもある、母性的なものと父性的なもの

私は母性と父性という言葉で代表される子どもを育てる機能は、それぞれとても大切なことだと思っています。けれども、母性と父性、あるいは母性的なものと父性的なもの、こういってもいいと思いますが、母性はお母さんだけが持っているもので、父性はお父さんだけが持っ

ているものという考え方は、間違いだと思うのです。

なぜかといいますと、本来、母性的なものと父性的なものは、人間にはだれの気持ちのなかにもあるものなんです。女性のなかに母性的なものは豊かにありますし、父性的なものもあるのです。男性のなかにも母性的なものもあるし、父性的なものもあるのです。

親ならその両方を持っているわけですから、母子家庭であっても父子家庭であっても、子どもをきちんと、バランスよく育てるということはできることだと思います。一方で、たとえ両親がそろっていても、母性的なものも父性的なものも、きわめて不十分な家庭もいっぱいあると思うのです。年々、そういう家庭が多くなってきたと思いますね。

そして、このごろでは、母性とか父性という表現を、つかわないようにする風潮があるようです。母性とか父性という表現をやめて、親性《おやせい》とか両親性《りょうしんせい》という言い方をしようという傾向がありますね。そういう風潮は、父性的な役割より母性的な役割のほうが大変なことであり、しかも、育児の役割を女性にたくさん負わせ、それが女性に重くのしかかるのは、不公平じゃないかという考えからでてきたのだと思います。

けれども、どういう言葉をつかっても、私は従来から母性的なものとか、父性的なものといわれていたことを、しっかりと機能させながら育児をすることの大切さは、なにも変わっていないと思っています。

私はそういう風潮にはなじめないし、むしろ今こそ、母性とか、父性の本来的な役割を考える必要があると思っているのです。そして単純に、母性的なものはお母さんが、父性的なものはお父さんが負うべきだということをいっているのではなく、まず、もう一度、家庭における母性や父性の意味について、しっかりと考える必要があるのではないかと思っているのです。

子どもが育っていくときには、まず第一に、母性的なものが家庭のなかに必要だと思うのです。たとえば、こういうことではないでしょうか。両親が「おまえのこういうところがいいね。お母さんもお父さんも、そう思っているよ」というようなことを、子どもに対して感じることなんです。口で表現するのもいいですが、本当に、両親が日々の生活のなかで、子どものことを心から、条件なしに好きになってあげることです。そうすれば、子どもに「お母さん、お父さんが、僕のこと、私のことをこう思ってくれている」と、ちゃんと伝わりますよ。そのことは、子どもに絶対伝わりますから。

そして子どもは、親がそう思ってくれたというだけで、生き生きと輝くのです。子どもにとっては、自分のいいところを感じてくれる人の隣にいることが、なんともいえないやすらぎであり、くつろぎなんです。親や家族がそうすることによって、子どもたちは自信を持っていくのです。そういうことができるのが母性的な機能なんですね。

みなさんも自分の家庭に帰るとほっとするでしょうし、多くの家庭にも、そういうほっとする雰囲気はあるんです。たぶん、家庭に大きなくつろぎや、やすらぎの雰囲気があればあるほど、多くの人はまっすぐに家へ帰ると思うのです。ところが、仕事が終わっても寄り道しないと家に帰れない人が、ビジネスマンのなかにはいますね。家に帰ってもほっとできない人ほど、寄り道をするのではないでしょうか。

それは家庭以上に、ほっとする場所が他にあるからですね。寄り道する人がみんな、家庭ではほっとできない、そんなことをいっているわけじゃありませんよ。けれども、家に帰ればほっとできる、くつろげる、やすらげるというものを、家庭のなかにつくりだしているのが母性的な機能なんです。それはお母さんが一人で負うということではないかもしれませんが、母性的な機能がつくりだすくつろぎや、やすらぎは、家庭のなかになくてはならないものだと思いますね。

わが家では私の家内が一人で、その役割を負っていますし、それを他の家族が享受していると思います。そのことを私の家内は不都合には思っていないでしょうね。それが自分の大きな役割であり、誇りにも自信にも思っています。喜んでそういう役割を負っていると思いますから、それでいいと私は思っています。

家族にとっては、家へ帰ることが大きなくつろぎであり、やすらぎであり、なぐさめであり、休息なんです。家でほっとできるということは、外では許されないことが、家に帰れば許されるということですし、外ではなかなか得られないものが、家では得られるということなんです。こういう雰囲気を家庭のなかにつくるのは、やはり母性的なものなんです。

一方、父性的なものの役割はどういうものかといいますと、人はどう生きるべきか、どんな価値観を持って、どんな理想を持って生きるべきかを、伝えていくことにあると思います。人間が社会生活、共同生活をするうえでは、どんな規則があるのか、そしてそれを破ったときは、どんな責任を負わなければいけないのか、ときには罰せられるということを、しっかり伝える役割が父性的な機能だと私は思います。こういうもののバランスのうえに、人は社会人としての人格をつくっていくものだと思います。

母性的なものと父性的なものの意味

母性的なものと、父性的なものをもっと考えてみましょう。たとえば、子どもが三人いた、あるいは五人いたとします。一般の人がそれぞれの子をみる場合、「あの子は頭がいい」「この

子はやさしい子だ」とか、「器量のいい子だ」「そうでない子だ」とか、いろいろな言い方をしますね。けれども、母性的なものからみると、自分の子どもに対して「この子は好きだ、あの子はきらいだ」と、子どもを区別することはできないのです。それが本来の母性なのではないでしょうか。

　ところが、だんだんそうでなくなってきましたね。私はお母さんの集まりなど、いろいろな会にいったとき、「どうしても好きになれない子がいる」ということで、相談を受けることがあるのです。こんなことはかつてはなかったと思います。例外的にはあったかもしれませんが、今は、そんなにめずらしいことではないんですね。

「この子は好きだけど、あの子はきらいだ」ということを、自分の子どもに対して、本当に感じている母親がいるんです。そして、その感情をどうすることもできないというのです。本来、母親というのはそうじゃないんですよ。もっといいますと、できのわるい子のほうがかわいいといいますか、ふびんさも手伝うとかいうこともあるかもしれませんが、そういう子ほどかわいいんですよ。

　すこし極端な比喩《ひゆ》ですが、わかりやすいのでつかいます。たとえば、三人の子どもがいて、最悪の状況があって、だれか一人しか生き残らせることができない、そして、その一人を選ばなければならないと仮定したとき、母性的なものは、それができないのです。

　映画のタイタニックではありませんけれど、自分の子どものうち一人しか、ボートで救出できないとしても、「この子は頭がいいとか、性格がいいとか、勉強ができるとか」、そういうことでは、母性的なものは一人を選ぶ決断はできないのです。どんな個性や素質やいろいろなものがあろうと、どの子も等しく大切なんです。かわいいんです。子どもに対するそういう機能が母性なんです。

「よし、そうなったらしかたがない。三人のなかの一人を救出しよう」と、ある意味で割り切れるのが父性的なものかもしれません。父性的な機能は決断できるのです。どちらがいい、こちらがわるいといっているのではありません。それは子どもを育てるうえで、どちらも大切な機能なんですから。

そういうときに母性的な機能というのは、「子どもは優劣なくかわいい、どの子も好きです。どの子もかけがえなく大切です」というのが母性なんです。母性というのはお母さんだけにあって、お父さんにはないといっているのではありませんが、そういうものなんです。

ですから、子どもたちに対しては、まず、母性的な機能を感じさせてあげてほしいと思うのです。子どもたちが「お母さんはおまえのことは大好きだよ」「お父さんはおまえのここがすばらしいと思っている」といわれながら、家庭で育てられるのが一番いいのです。

そして、幼稚園や保育園では、「Aちゃん、Bちゃん、C君、D君、あなたのここが先生大好きだ」「ここのところがいいなと思っている」と、保育者が子どもたちのいい点を感じ取っていただいて、それを本人に気づかせてあげることが、大切なことだと思います。

こういうことが母性的なものなんです。父性的なものはむしろ反対でしょう。「ここがいたらないから、しっかり直さなくちゃね」「こんなことじゃだめだよ」ということを指摘してあげるのが、父性的なものだと思っています。

講演会や小さな集まりなどで、みなさんから「どんなふうに子どもを育てたらいいですか、ひと言で答えてください」と、質問されることがよくあります。ひと言で答えるのはむずかしいのですが、私は「自分のことが、好きになれるような子どもに育ってほしい」と答えます。

それでは、どうすれば子どもが自分で自分のことを、好きになれるかということですが、その子のことを、好きになってくれる人にめぐまれなければ、子どもは自分のことを好きになれないのです。ですから、お母さんやお父さん、保育者やまわりの人が、目の前にいる子どもを、好きになってあげることが大切なことなんですね。

子どもを好きになってあげるためには、まず、みなさんが自分のことを好きになるという必要もありますね。みなさん自身も、自分で自分のことが好きですかと問いかけられたときに、なんと答えるでしょうね。

一〇〇％好きだなんていう人はだれもいないと思います。もし自分のことを一〇〇％満足していたら、もう発展や向上の努力も必要なくなってしまいますよ。実際には、まだまだ自分はいたらないんだ、不十分だ、きらいだと思えるところを、みんながある程度は持っているわけです。そして、不十分なところを克服しようとしているし、同時に、自分で自分の好きなところを、伸ばそうともしているわけです。

おそらく、人間は一〇人いれば一〇人、一〇〇人いれば一〇〇人、いろいろな程度に自分のことを好きであり、自分のことをきらいであろうと思うのですが、全体としては、ほとんどの人は自分のことが好きなんですよ。

私たちがこうやって元気で、希望に満ちて生きていけるということは、自分で自分に与える得点が合格点なんです。あるいは合格点より、もっと好きだと思っているかもしれませんね。そのように、自分で自分のことを好きになれたときに、子どもにも「自分のことが好きになれるような子に育ててあげたい」と、多くの人が思うのではないでしょうか。

母性的なものが伝わらないと、父性的なものも伝わらない

一般的にいいますと、子どもたちのなかに、母性的なものが十分に与えられたあとにしか、父性的なものは働かないということがあります。この順番は決定的なものなんですね。母性的なくつろぎや、やすらぎ、そういうものが子どもたちのなかに、十分伝わっていないのに、父性的なものを、いわゆる、しつけとか教育とか訓練によって育てようとしても、これはなかなか育ちません。あるいは、育ちにくいと思います。

この母性的なものが伝わってから、父性的なものが伝わるということを、みなさんに知っていただくことは非常に大切なことです。ですから、母性的なものが子どものなかにしっかり与えられたあとならば、父性的なものも与えやすい、こういうことになります。

たとえば、こういうことを考えていただくと、わかりやすいと思うのです。社会のなかでルール違反をしている若者たちや、おとながたくさんいますね。現代社会でのルール違反の最たるもの、むしろ、犯罪といってもいいと思いますが、缶ジュースのなかに毒をいれて、おもしろがっているような人がいます。おもしろがっているかどうかわかりませんが、あんなことをしないでいられない人がいるわけです。

これは基本的にいえば、父性的なものが、その人のなかに伝わっていないということです。社会人としてやってはいけないことが自覚できない、それ以上に、犯罪行為をしてしまっている。そういう人は、そんなことがいかにわるいことか、重々承知してやっているわけです。けれども、しないでいられないのです。

そういうことをする人たちにむかって、新聞やテレビやラジオが、「あなたはとんでもないことをやっているんですよ」「あなたがやっていることは、いかに非人間的なことなのか、考えてごらんなさい」と、くり返しいっていますね。だけどその人に、そんなことをいっても伝わりません。

「あっ、そうか、わかった」「とんでもないことをやってしまった、明日からやめよう」なんて思う人は、はじめからやらないわけです。そういうことはいくらいっても伝わらないのです。そして、その人が捕まってから生い立ちをみると、おそらく、その人のなかには母性的なものが欠落していると思いますね。子どものときに母性的なものが、ちゃんと与えられないまま、おとなになってしまったのです。くつろぎや、やすらぎが十分に与えられるような家庭で、育ってこなかったのだと思いますね。ですから、母性的なものが十分機能していない人格のなかには、父性的なものが入りこむ余地がないわけです。

さらにこういう事件が、この何年かの間にありました。いつでしたか、横須賀で毎日新聞の記者が深夜の帰宅途中に、駅前で暴走族が信号を無視して走っていくのをみて、それを大声でとがめた。そうしたら彼らはUターンしてきて、その記者を殴り殺してしまったという事件がありました。

同じようなことで、所沢で、ある不動産会社の社長さんが、深夜に何人もの人と列をつくってタクシーを待っていた。そこへ若者のグループで割りこんできたので、それをとがめたら、若者たちがみんなで、その不動産会社の社長さんを殴る、蹴《け》るをして殺してしまったという事件もありました。まだご記憶があることでしょう。

そういうときに「そんなことをしてはいけない」と注意する。これは父性的なしつけであり、教育です。だけど、彼らは母性的なものが十分与えられていないまま、育ってしまったわけです。私たちが、彼らはもう二〇歳近くになっているのだから、これぐらいのことはわかるはずと思って注意しても、母性的なものが十分与えられていない若者たちに、父性的なもので注意してもだめなのです。

こういう事件があると、小さいときから厳しくしつけてこなかった、現代のおとなが無責任だとか、昔はおとなたちが近所の子どもや若者たちに、注意をすることができていたから、昔のおとなは責任感があったなどと、こんなことがよくいわれますね。けれども、私はそうは思いません。

彼らを注意をして事態がよくなるならば、だれでも注意をすると思います。彼らに社会的なルール違反を指摘することによって、事態が好転するようであれば、おとなたちは見逃したりしないで注意するでしょう。そうではないのです。逆に、事態はわるくなるわけです。彼らにもっと大きな事件を、起こさせてしまうことがあるわけです。若者たちが注意した相手を傷つけてしまう。ひどい場合には、殺してしまうことだってあるのです。

注意する人自身にとっても、どんなひどい、しかえしを受けるかもしれないということは明らかなわけです。だから注意をしないのです。母性的なものが不十分なままに、大きくなってしまった少年や青年たちの、間違った行為を見逃しているおとなを、無責任だとは思えないのです。

無責任になったというならば、注意をするとか、しないとかいうことよりも、子どもに対して、私たちは幼児期の育て方に無責任になった、こういうふうにいったほうがいいかもしれません。ちゃんと社会のルールを守れる人格をつくるために必要な、乳幼児期の育児にかんして無責任になった、こういうふうにいうなら、私はいいと思いますね。子どもたちが小さいころから、十分に母性的なものを与えられてこなかった結果が、今、少年や若者たちが起こす事件の多さという形で、あらわれているのではないでしょうか。

母性的なものは、子どもの長所を受け入れることから

今までお話してきましたように、子どものなかに母性的なものが十分に機能してからでないと、父性的なものは機能しないのです。三歳児神話とか三つ子の魂とか、非常に象徴的な比喩《ひゆ》でいうのですが、その年齢ぐらいから、だんだん父性的な機能が、子どものなかに伝わっていくわけですから、その前から子どものなかに、十分に母性的なものが与えられていることが、大切なことだと思うのです。

ところが私たちは、子どもをしつけたり、教育したりするときに、しばしば、父性的なものから入ろうとします。子どもたちの弱点、欠点を指摘して、直してあげようと思ってしまいます。また、ルール違反する子どもたちに対しても、「そんなことをしちゃいけないでしょう」と、父性的なものを伝えようとしますね。けれども、それは子どもには通じないのです。通じにくいということも、みなさん承知していることと思います。だけど、いわずにいられないからいってしまうのです。

私は子どもの弱点や欠点は、あまり指摘しなくてもいいと思っています。ときにはしないほうがいいとさえ思えます。なぜなら、これは本当をいいますと、どうせ直らないものなんですよ。それは自分自身でもよくわかるんです。私は自分の欠点や弱点なんて、何度いわれたって直らなかったですからね。

何度いってもわからない、あるいは、いわなくてもわかるようなことが、どうしてこの子にはわからないんだと思ったときに、必要なことは、口で注意することではないのです。保護的

な役割をする親や保育者などが、まず母性的なものを、その子どもに与えていくことです。どんなことがあっても、母性的なものからしかスタートしないということが、まず大原則としてあります。そして、子どものなかに母性的なものが十分働けば、父性的なものも、自然と入っていくのはたしかなことなんです。

ですから、育児をするうえでもっとも大切なことは、子どもの長所を十分に感じ取ってあげて、そのいいところを「あなたには、こういうすてきなところがある」と、本人に伝えてあげることです。それは母性的な機能ができることだと思うのです。せっかくある長所は、子どもに気づかせてあげるほうがいいんですよ。

長所は長所として、その子のなかに絶対あるものですし、長所は消えないものです。だけど、気づかせてあげないと、宝の持ちぐされで終わってしまうことがあるのです。ですから、私たちが心がけることは、子どもの場合には、長所ばかりみつけてあげることですね。これは過保護とか甘やかしとか、そんなものじゃ全然ありませんから。

くり返しになりますが、こういうことを十分しないうちは、子どもの欠点や弱点を指摘しても通じないということですね。母性的機能のうえの父性的機能なんです。その二つの機能が働かなければならないときには、絶対的に順序があって、母性的な機能が十分に子どものうえに働いていないうちは、父性的な機能は絶対働かないんです。

この順序を間違えると、育児や教育はまったくできないと思いますね。子どもが何歳になったから、こういうことは教えなくてならない、ということではないのです。豊かな母性的な機能が働いていない人に、何歳になったからといって教えても、子どもには伝わらないと思います。

そうやって、子どもが自分が受け入れられている、愛されていると感じることは、子どもの自信になるんです。そして、子どもは自信をしっかり持つことができれば、自律した行動をとっていけるのです。規則が守れるようになるのです。それから、今度は社会のルールを押しつけられても、守れるようになっていくわけです。

以前、私の大変親しい、神奈川県のある養護施設の主任指導員の先生に、養護施設からみた母親とか、母性の問題についてお聞きしたことがあります。その先生はどういうことをおっしゃっているかというと、養護施設のなかにも、いろいろなむずかしい問題を起こす子どもがいますし、もちろん、いじめも非常に多いそうです。

そういうむずかしい問題に対応するときに、その先生は「甘えと、えこひいきを、子どもたち一人ひとりに、とくにむずかしい子どもには、それを実感させてあげなかったら、むずかしい問題は直らない。逆にそうしてあげると、むずかしい問題は非常に早く直る」と、こうおっしゃっているんですね。ルールが守れるようになる、いじめっ子が、いじめっ子でなくなるそうです。

「えこひいき」っておもしろい言葉ですね。いい言葉だと思います。本来、母性というのは「えこひいき」をすることではないでしょうか。その子どものなかの、いいところだけを感じてあげることなんです。人間というのは、「えこひいき」されてきて、力強くなっていく面もあるんですよ。

恋人同士がおたがいを「えこひいき」し合う、夫婦がうまくいっているときは、おたがいが「えこひいき」をし合っているわけです。人というのは、いつもだれかに「えこひいき」されているというのが、健全でいられる一番の秘訣《ひけつ》ですね。

私たちはもしかしたら、そのために結婚して夫婦になるとか、親友を持つとか、あるいは、恋愛をするということだろうと思います。家庭へくつろぎに帰るというのは、そこが自分を「えこひいき」してくれる場だ、あるいは、甘えられる場だと、こういうふうに言い直してもいいと思うのです。

けれども、子どもがみんながそろっている場では、「えこひいき」はできませんね。たまたまその子と二人きりになる瞬間に、お目当ての子どもに、どう「えこひいき」感を与えるか、どんなひと言を、どんなスキンシップを、どんな態度をということだと思うのです。母親というのは、子どもが三人いても五人いても、みんな「えこひいき」しているのです、もちろん父親だってそうかもしれません。そのことがとても大切なことなんです。

幼稚園や保育園でも、母性的なものを与えてください

幼稚園や保育園でみなさんが、人のいやがることや、乱暴なことをしている子をみつけたとき、今すぐに、父性的なものをしっかりと教えなくてはいけないと思われるかもしれませんね。そういうとき、まず、その子に母性的なものを、どう十分与えてあげられるかを、みなさんには工夫していただきたいと思うのです。

さきほどもいいましたが、父性が機能するのは、母性のうえにですから、母性が働いていないところへ、父性を働かせることはできないのですね。このことも十分におわかりのことだと思いますが、つい、すぐに注意しなくてはと思ってしまうものなんですね。

みなさんがそれぞれ持っていらっしゃる得意技で、抱きしめてあげるのがいいか、やさしい声をかけてあげるのがいいか、一緒にならんでおしゃべりしてあげるのがいいか、絵本を読ん

であげるのがいいか、砂場で一緒にトンネルを掘ってあげるのがいいか、きっとさまざまな方法があるでしょうね。

たぶん、私のような立場の者がうかがいしれないような、いろいろなアイデアが、みなさんの園のなかには日々あるだろうと思います。それをその子に寄りそって、やってあげてください。それが十分できるようになると、父性的なものを、うるさくおっしゃらなくても、子どもはちゃんと身につけていきますよ。

お母さんに、先生に、保母さんに好きといってもらいたい、そういう感情はどの子にもあるわけです。できることならルールを守り、役割をちゃんと果たして「いい子だね」と、いわれたいという気持ちはあるんですよ。ところが、その前にそれどころでない満たされない思いや、緊急さしせまったものが子どもたちのなかにあるんです。

ウーロン茶に毒をいれている人だって、本当は文化勲章かなんかをもらって、みんなにほめられたいという思いはあると思うのです。あるいは、武道館のステージで多くの若者たちに囲まれて、歓声をあびて演奏したい、そんな思いもあるだろうと思うのです。ところが、自分のほうをみてほしいという欲求はあるのですけれど、現実には、なかなか実現しないのです。一方、母性的なものが十分与えられてきた若者は、そんなふうにして、自分のほうをみてほしいという欲求も、そんなに感じないものですね。

私たちは、うっかりすると、その子の弱点とか、欠点のほうに目をうばわれてしまい、その子のいいところも、みえなくなってしまうのです。本当は、私たちは気の持ちようで、あばたもえくぼにみえるのです。人間ってそういうところもあるんですよ。ところが、いやな子だと思ってしまうと、えくぼがあばたにみえたりするぐらい、いやになってしまうことがあるんですね。

園のなかで、困ったことをしじゅうやってしまう子は、しばしば、長所も短所にみえてしまうのです。かわいいえくぼであるはずなのに、それが、あばたにみえてしまうぐらいの、気持ちになってしまうことがあるでしょう。それをどう、みなさんが克服するかということも大切なことだと思うのです。そんなことをいろいろとお考えいただいて、子どもたちにとっての、今日的な意味での母性と父性について、考えていただきたいと思っております。

現在、母性と父性ということについて、さまざまな議論がありますね。ありますけれど、私たちの社会は、どんどんそういうものを、失う方向にむかっているように思います。社会のなかに、母性も父性もどんどん失われてくると、保育者のみなさんが、そういう役割を果たしていただかなくてはならないと思うのです。こういう流れは、もう止められないかもしれないと、私には思えてなりませんね。

比喩的《ひゆてき》にいいますと、母性も父性も保育園で与えていただく。あるいは、保育園時代は母性的なものを与えていただく、学校へ入るようになったら、保育園を引きついで、学校が父性的なものを伝えていくという、そんな時代になってしまったのかもしれません。家族や家庭には、もうあまり期待しない、期待できない、生んでくれるだけで十分です。そのかわり、保育者が保育園で育てますから、三人や五人は生んでください。という時代になってしまったかもしれませんね。

いずれにしても、保育者のみなさんは、まず母性的なものを、子どもたちに豊かに与えてください。そうでなければ、その子の生涯は、いつも申しますように、幼児期は建築物の基礎工事ですから、基礎工事をあいまいなまま、建物を建てられてしまって、社会にでていかなくてはならないということになってしまいます。

そうしたら、そういう子どもは大きくなって、どんなあやふやな人生を送ることか、あるいは、非社会的、反社会的な行動をとってしまうかもしれません。ですから、みなさんが、その子のなかにある、特別なよさをみつけてあげる、気づいてあげる、そして、子ども自身にそれを気づかせてあげることだと思うのです。

いいところがないなんていう子はいないのですから。「私があなたを、ちゃんとみてあげたんだから大丈夫」というふうに、みなさんが自信を持って、社会に送り出してあげられるような、あえていえば、母性的な役割を、母性的な機能を果たしていただきたいと思っています。

父性的なこと、しつけや訓練をしっかりしてあげなくてはということは、頭のなかや、心のなかにちょっと残っていればいいんですよ。なんといっても、母性的なものが十分に与えられていない子どもに、父性的なものは伝わらないのですから、このことの大切さだけでも、みなさんの心に、とどめておいてくだされぱいいと思っております。

健康な家族、家庭の役割について

最近の少年による事件のたびに、「親はなにをしていたのか」とか、「家庭が崩壊しているのではないか」など、さまざまな意見が報道されています。そこで、家庭の役割とはなにかについても考えてみたいと思います。

高校教師として生活指導を担当していますが、いろいろと考えさせられました。この本を読んでなにが大切なのか、父親としても、私自身のよりどころになったような気がします。

（七歳と五歳と一歳の子の父親）

私は子どもの前で乱暴な言動をする夫を、その場で非難しています。子どもにとって、親の言い争いはいやなものだと思いますが、「良い者と悪者が闘っているのだ」といっています。また、子ども自身も乱暴なことをする一方で、「お父さんのやっていることはおかしい」ともいいます。不幸にして、人格の基礎工事がよくなかった人を、親に持つ子どもを健全に育てるために、なにをすべきなのか、アドバイスをお願いします。

（五歳と二歳の子の母親）

幼い子に対する育児の分担について

私は、家庭のなかで炊事とか洗濯とか掃除など家事について、今までのやり方とちがって、父親と母親が役割を分担して、機械的に交代するということはいけないと思っていません。けれども、育児について、機械的に役割分担をしているとしたら、子どもの要求に対して、自然に受け入れてあげるという態度で育児をすることができないと思うのです。とくに、幼い子どもにとっては、おっぱいを飲むことから、おしっこやうんちの世話などは、やはり母親に頼るしかないと思うのです。

赤ちゃんの授乳のしかたについて、乳児院でのこういう研究があります。何時間ごとに決まってする定時授乳と、子どもが望むたびに授乳をするのと、どちらがいいのかということです。このことは二十数年前に、もう決着がついていますが、定時授乳ではなくて、子どもの望むように授乳をしたほうがいいといわれています。

子どもによっては一回の授乳量もさまざまで、一回に多く飲んで、つぎまで長く待てる子どもは、定時授乳でもいいかもしれません。けれども、少量ずつ何回も飲む子どももいるわけです。このように赤ちゃんというのは、個人差があるんですね。そういう場合には、子どもの個人差にしたがって授乳するほうが、子どもにとっては、いろいろな意味でいい育児なんです。そして、そのことによって、子どもはいい成長をするわけです。

どういうことかといいますと、子どもがおっぱいを欲しがったときに、お母さんがすぐやってきて授乳してくれると、子どもにとっては、自分の欲求が満たされることになり、そのことによって人を信じる力とか自分を信じる力、あるいは、主体性とか自主性というようなものが育っていくのです。ところが、子どもが望んだにもかかわらず、定時授乳を頑固に守ると、子どもというのは相手に対する不信感、それから、自信のなさ、ささいなことで挫折《ざせつ》をする、忍耐力がない、主体性、自主性がないといったように、そういうふうになっていくということがわかりました。

今、なんでこんな例を持ち出したかといいますと、親や保育者があらかじめ、こういう育児をしようと、プランを持っていれば持っているほど、たまたま子どもが、そういう親のプランに合う、性格や体質を持って生まれた子どもならいいのですが、そうでなかった子どもの場合には、育児のプランに自分が合わせられなかったということで、無力感、自己不全感、あるいは孤独感を、持ってしまうということがわかってきたからなのです。

育児について、両親がお父さんとお母さんの役割を、機械的に交代するということも、そのこと自体は、わるいわけではありません。けれども、両親がそのときどきに、役割を交代することの意味が、子どもに十分伝わるかというと、幼い子どもの場合には、それは伝わらないと思いますね。授乳だけでなくその他のことについても、子どもたちに対して、機械的に分担して育児をしていたら、これは心配なことになると思いますね。

不健康な家族は夫婦の役割がはっきりしていない

アメリカのテキサス州のヒューストンに、ティンバーローン精神医学研究財団という、有名な精神衛生の研究所があります。そこで一九七〇年代の後半だと思うのですけれど、三年間じつに入念な家族調査をおこないました。彼らは「健康な家族と不健康な家族」という言い方をしていましたが、健康な家族と不健康な家族、子どもの養育に成功した家族と失敗した家族の特徴、さらに、健康な家庭にはどういう要素があり、不健康な家庭には、どういう要素があるかを調べました。

まず、調査対象の家族を選別するために、健康と不健康をどう定義するかということで、彼らのなかで、ずいぶん議論がありましたが、最終的には健康、不健康の定義はできませんでした。そこで、どうしたかといいますと、かなり多くの家族について検討して、研究員が全員一致で「何さんという家族は健康だ」ということが承認されないかぎり、その家庭を健康と認定しないということが決まりました。

それから同じように、全員が一致して「何さんの家族は不健康だ」と承認された家庭だけを不健康と認定しました。非常に多くの家庭では、研究員の意見が分かれたそうです。そういう場合には、健康とも不健康とも認定しないで、調査の対象にしませんでした。そういう意味では、選別のしかたは非常に簡単なものでした。

そして、どういう家族を不健康な家族とするかというと、たとえば、家族のなかに窃盗犯がいるとか、麻薬常習者がいるとか、殺人犯がいるとか、重い精神障害の人がいるとか、だれがみても、はっきりと「何さんの家族は精神的に不健康なんだ」と、研究員の全員が一致した場合にしか、不健康な家族と呼ばれないわけです。

ある人からみれば健康だ、だけど、ある人からは健康とはいえないというふうに、意見が分かれた家族の場合には、やはり調査の対象にはしませんでした。しかも、そういうふうにどちらかに認定したあとに、自分たちの調査に協力してもらえる家族だけを、さらに調査をしていったのです。そういう意味では、非常にラジカルな研究です。そうしましたら、いろいろな特徴がわかってきました。

不健康な家族に共通していることは、お父さんとお母さんの役割が、はっきりと分かれていなかったということです。そして、お父さんとお母さんの役割が、明らかに区別されている家族のほうが健康だったそうです。どうして、そういう特徴があらわれたかについては、一切なにもいっておりません。調査研究の結果、こういう事実がでましたということだけをいっているんですね。

それに、この調査は北米大陸のアメリカとカナダの、白人の家族だけを対象にしました。しかも、中流の家庭だけを調査の対象にしましたから、他の国の、他の人種の、他の階層の家族だったら、どうなるのかは「一切わかりません」と、非常にはっきりいっているんですね。たまたま自分たちはこういう定義で、こういう家族にこういう調査をしたら、こういう結果がありましたということだけを、淡々と報告した研究です。余分な予測も解釈もしていませんから、私はよけい真実感が大きいと思いましたね。

家族のリーダーシップが明確でない場合

それから、家族を選別するにあたって、もう一つのことがありました。それは調査の対象になっているのは、子どもがみんな、思春期以上になった家庭ばかりということです。そして、それらの家庭でなにか物事を決めるときに、どうやって決まっていくのかということも、調査しました。

健康な家族では、だれがイニシアチブを取るのかというと、ほとんど例外なく、お父さんが一番、お母さんが二番というふうに、その序列がはっきりしています。そして、そのことに両

親は合意し合っています。親と子どもの世界に価値観とか趣味とか、境界線がはっきりしていますから、家族の間でも意見がくいちがうことがしばしばあります。

そういう場合には、父親が決めるのです。父親が「こんなことはお父さんはどうでもいいよ」といった場合には、母親がほとんど決めています。だけど、家族同士の発言は自由なんですよ。なにか物事を決めるときに意見がちがった場合には、裁定はこういう順序でということが、家族のなかでは、暗黙のうちに合意しているのです。

不健康な家族の場合は、家族のメンバー全体が平等だという家庭が多いようでした。物事を決めるときに、だれかがイニシアチブを取るのではなくて、くじ引きで決めるとかいうような家庭です。そういう家庭では、イニシアチブの序列がきわめてあいまいで、そのときそのときで、父親が有利になったり、母親のほうが有利になったり、あるいは、子どもがイニシアチブを取ったりしています。家族それぞれで意見が分かれたときなどは、親と子が自分の意見を通すために、あっちに味方したり、こっちについたり、家族内での連合がころころ変わるというのです。まるで、弱小政党を引きこんだ不安定政権のようなもので、家族内でイニシアチブのうばい合いが起きるそうです。

それから、片方の親が子どもたちと連合して、もう片方の親との間に境界線をつくって、自分の主張を通そうとしたり、イニシアチブを大きくしようとする場合もあります。しばしば、父親や母親がそういう支配のしかたをすると、子どもたちはうまく育たないといっています。

なかでも、母親が男の子を自分の世界に取りこんで、夫に対応しようとする場合は、これは子どもの育児にとって最悪になるというのです。母親に一番のイニシアチブがあって、しかも、その手下に男の子がなってしまった場合に、そういう子の社会的不適応が、もっとも大きくなるともいっています。そして、それらの家族のじつに六六％に、重症な神経症患者がいたということもわかっております。

なぜそうなるかというのは、その調査報告ではなにもいっていません。調査の結果がこうだったということだけを報告しているのです。この研究が家族療法の領域に与えた影響は、はかり知れなく大きなものでした。そして、その後も研究は継続されていますが、続報はまだでておりません。

私はこの調査報告書を読んで、家庭というのは、だれかがはっきりしたリーダーシップを発揮する必要があること、そして、両親がどのような役割を、どのようにするのかということが、じつは、とても大事なことだとあらためて思いました。

調査報告書には書かれていませんが、将来、家庭のイニシアチブは母親が一番で、父親が二番という、健康な家族もでてくるかもしれない、その場合でも、夫婦がそのことに合意していなければいけないことだと、ある研究員がいっていました。

家庭に必要な二つの役割

みなさんが自分の家庭になにを期待されるか、あるいは、どういうことをイメージして、家庭をつくりあげていくのかということは、いろいろあると思います。私は、家庭にはとても大事な要素が、二つあると思っているのです。

家庭に必要な一つの条件とは、ありのままの自分を、安心してさらけだせる場であるということだと思っています。ですから、家庭はやすらぎの場であり、くつろぎの場であり、いこいの場であるということです。あるいは、外では許されないことでも、家庭だからいろいろなことが許されるという、許容される、受容される場でもあると思っています。私たちが、家庭というものに対して求めるものには、そういう母性的機能があると思います。これが一つです。

もう一つは、人はなんのために生きるのか、どういう価値観を持って生きるのか、どういう理想を持つべきかなどを、考えていくことも家庭の役割だと思います。わが家はどのような主義主張、信条、思想、宗教を持っているのか、どんな生き方をするのか、こういうことは許されるけれど、こういうことは許さない、隣はどうだかわからないけれど、わが家ではこうだということを、きっちり示すべき場所も家庭であると思うのです。

ただみんなが寄り集まって、くつろいでいるというだけではなく、なにかを獲得するためには一定の努力が必要だ、ルール違反をしたら罰せられるかもしれない、ということをしっかり教えることも、家庭のもう一つの役割だと思います。そういう役割を果たすのが、父性的機能だと思います。

家庭にはやすらぎや、くつろぎといった母性的なものと同時に、どういう価値観をもって生きるとか、社会的ルールを教えるといった父性的なものが、そろって必要なものだと思います。では、父性的機能は父親だけがやるべきことなのか、母性的機能は母親だけがやるべきことなのかということがあります。それは別の問題なんですね。家庭には、母性的機能と父性的機能の、この二つがバランスよく働いている必要があるということをいっているのです。

実際に母子家庭や父子家庭では、お母さん一人で、あるいは、お父さん一人で母性的機能と父性的機能を使い分けながら、家庭のなかで二つの機能をバランスよく発揮していると思います。ですから、母子家庭であろうと、父子家庭であろうと、家族全体で子どもを健全に育てている家庭はいっぱいありますよ。矛盾するような言い方ですが、私はそういう二つの機能が、

混然一体となって、しかも確実にあるのが家庭だと思っています。

問題は、両親がそろっていても、その二つの機能がないという家庭もあるんです。あるんですというより、私のところへ子どもの相談においでになる方は、残念ながら家庭内での二つの機能がバランスよくありません、そういう傾向があります。

場合によっては、お母さんが父性的なものを発揮して、お父さんが母性的なものを発揮していらっしゃる家庭もしばしばあります。そういう家庭であっても、子どもに対して母性的なものと父性的なものが、バランスよく与えられていればいいのです。けれども、父親が母性的であるといっても、十分には発揮できないのではないでしょうか。あるいは、お父さんは母性的なものを発揮するどころか、たとえ短時間でも子どもと接する機会があっても、その少ない時間も仕事を口実にして逃げているのが、現実ではないでしょうか。

そういう家庭の場合、子どもの多くは病んでいます。残念ながら、私の臨床の経験では、そういうことがいえるのです。すべての家庭で、そうなるかどうかということはわかりません。これは印象にしかすぎませんから、そういうことだと、断定的にいうつもりはまったくありません。けれども、子どもというのはお母さんに、ある種の母性的機能を求めていることが多いというのは、私は本当のことだろうと思います。

おそらく、保育園で保育者の役割を、男の人ばかりがやっている保育園と、女の人ばかりが保育をしていらっしゃる保育園が仮にあったとしたら、男の人ばかりが保育をする保育園のほうが、子どもたちが健全には育ちにくいのではないでしょうか。実際には、やってみなければわかりませんが、一般論的にいって、そんな気がします。

まず、家庭にやすらぎの場をつくってください

たとえば、ごくふつうの幼稚園や保育園の子どもたちに、お父さんとお母さんとどっちが好きと聞けば、両親に気をつかって「両方好き」という子もいますけれど、本音をいえば、お母さんだと思いますね。私も父親ですから、これは残念なことですが、ほとんどの子どもは「お母さんが好き」といいますよ。

私なりに、子どもを傷つけないように、心配させないようにしながら、「お母さんのどんなところが好きなの」とか、いろいろなことを聞いてみました。すると「お母さんはひげがない」という子がいます。それから「やわらかい」という子もいました。それは本当の体のやわらかさと、おそらく、雰囲気のやわらかさと両方があるのだろうと思います。

それから、お母さんは「いいにおい」という子がいます。いいにおいというのは、別に化粧のにおいだけをいっているのではないと思います。いいにおいなんでしょうね、赤ちゃんのときからのおっぱいのにおいとか、女性のホルモンとか、いろいろなもののちがいから感じる、においなんでしょうね。

お父さんは「くさい」という子がいます。これも本当なんでしょう。これは、たばことか、体臭だけじゃなく、なんとなくそう感じる率直な気持ちだと思います。お母さんだって汗をかかないはずはないのですから。だけど、これはやっぱり生理学的にいろいろあるのでしょうね。西洋人の体臭と東洋人、日本人の体臭はちがいますし、それから、女性の体臭と男性の体臭もちがうのです。けれども、子どもにとっては、そういうものをひっくるめて、やっぱりお母さんのにおいというのは独特なのでしょうね。

そのお母さんが、お父さんと平等な役割を機械的なやり方で決めて、子どもを育児すること

で、子どもが健全に育つかどうかということは、だれもわからないし、健全に育ちにくいと断定するつもりもまったくありません。だけど、そういうことによる子どもへの影響を、私は心配をしております。いずれにしろ、今後、もっといろいろな結果が、でてくるだろうと思っています。

私は、子どもを生んだのなら、一方的に親の思いを伝えるだけではなくて、お父さんとお母さんはどういう役割をしてほしいのかということを、もっともっと子どもに聞いてあげて、育児や教育をすべきだろうと思うのです。けれども、まず子どもたちに対して、家庭をやすらぎの場、くつろぎの場にだけはしてやってほしいと思います。

私は何年も前に、高石ともやさんというフォークソングのシンガーの方と、警視庁で非行少年少女たちの相談に、何十年もあたってこられた江幡玲子さんという、今は、思春期問題研究所の所長をしていらっしゃる方とが、二人でつくった小さな本をいただきました。そのなかで高石ともやさんが書いていらっしゃるのです。「家庭っていいな、待ってくれる人がいるから」と、それは本当に、家族というものをうまくいいあらわしている、いい表現の言葉だと思いました。

ときには、自分も待つ側にまわることもあるわけですが、家庭のやすらぎとか、くつろぎは、「ただいま」「おかえりなさい」、「いってきます」「いってらっしゃい」という声が、どれぐらい気持ちよく、快く響き合えるか、そういうことなのかなと思っております。幸せってこういうことだろうなと思うのです。

このごろは帰宅恐怖症というのがあります。あるいは、「亭主元気で留守がいい」というのがありますね。これは不幸な典型です、両方が不幸ですよ。家にはだれも待っていないのですし、外にいるほうがいいといっているのですから。こういう言葉がでてくる背景というのは、いかに不幸な人が多くなったかということだと思います。

家族を持っている、家族を持つ幸せというのは、たとえば、だれかが待っていてくれることを、いつも感じられる幸せだと思うのです。みなさんは、今日だれかが、家で待っていてくれますか、私は待っていてくれるんですよ。家で、もう帰ってくる時間だとか、今か今かとか、待っていてくれる人がいるというのは、大変幸せなことです。それから、今度は自分が留守番にまわることもあります。家族が外出したときに、家族の帰ってくるのを待っている自分というのも、また、幸せだと思いますね。

育児について選択できる時代

家庭と育児の両立についてをテーマにした記事を読んでいますと、「三歳児神話」という言葉がよくつかわれています。本来、この言葉は比喩的《ひゆてき》、象徴的な意味のものだと思いますが、「三歳までにすべてが決まってしまう」という印象を与えているのでしょう。ですから、子どもが三歳までは、母親が育児をするべきだという受け取り方をする人や、子どもが三歳になるまでは家庭にしばりつけられてしまい、女性の社会への進出をはばむものだと考えている人もいます。これからの育児について、私の考えていることをお話しします。

保育の時間がどんどん長くなり、早朝、夕方の延長保育あるいは夜間保育も、将来かならずでてくると思います。現在でも、すこしずつですが、おこなわれているみたいです。そういう長時間の保育が、子どもたちに対してどういう影響をおよぼすのか心配です。

（保母）

育児について、いろいろな選択を考える

私は、育児についても一律じゃなくて、ある程度は選択できればいいと思っているのです。たとえば、仕事を持っているお母さんで、自分の手で三歳、四歳、何歳まででも、ゆっくり育ててみたいという人には、そのことが可能な職場の配慮が必要ですし、そのことについて、企業も社会も考えなくてはいけないと思っています。それから、自分は仕事のほうが生きがいで、できれば育児の多くの部分は、他の人にお願いしたいというお母さんのためには、長時間保育も選択できるようになっていくべきかもしれませんね。生んじゃったんだから自分で育児をすべきだと、押しつけるのもいけないと思います。

そういうお母さんのためには、よく訓練された保育者が、長時間保育をちゃんとするという方法も、一方では考えていく必要もありますね。また、仕事をしていなくても、育児のエキスパートがいたら、その人に頼みたいというお母さんもいると思います。そういう人もまた、子どもを預ける育児を選択してもいいと思っています。

今の時代を考えると、そういう育児に対する選択も否定できないことですし、それでもいいだろうと私は思います。それはどういう選択であれ、子どものためなんです。かならずしもお母さんのためということを、一番に考えているのではなくて、そういう選択は子どもの立場からも必要なことなんです。夫婦で合意し合っていれば、育児についてもいろいろな選択があってもいいと思います。

私は児童や青少年にかんするいろいろな審議会で、尊敬している若い学者の方とご一緒する機会があります。その先生は世代もちがいますし、センスも若いということもあるんでしょうけれど、家庭での仕事は奥さんと平等に、半分わけしていらっしゃるそうです。委員会でその

ことをよくおっしゃっています。子どもの保育園の送り迎えも半々、料理も洗濯も掃除も買い物も、ほぼ半分ずつ分担しているとおっしゃっていました。

また、「女性だから母性を持たなければいけない、男性だから父性があって当然だというような意味での、母性とか父性とかという言葉は、ある種の差別用語です。一見、実態がはっきりしないような母性、父性という言葉は、もう現代社会では不適切用語なんです」ともおっしゃっていました。私は世代がちがうだけじゃなくて、生き方もまったくちがいますから、家内のやっていることは、私はほとんどしないし、私のやっていることは家内もほとんどしないわけです。ですから、その先生と委員会のなかで、そのことについてよく議論をいたしました。

現代の社会においては、一律にみんなが同じように生きるんじゃなくて、それぞれが個性的に生きるということは、大前提なんですから、いろいろな選択があっても、それは自由なんです。夫婦がそれぞれの役割をちゃんと合意し合って生きていれば、家庭での役割の分担についても、いろいろな選択があってもいいと思います。男はこうしなくちゃ、女はこうしなくちゃならない、ということではなくてもいいと思うのです。ですから、家庭での役割分担がいいとか、わるいとかいう前に、夫婦がおたがいの個性を大切にしながら生きていけば、家庭は健全に機能できるだろうと思っています。

親の都合より、子どもの望んでいることを考えてください

育児について、夫婦でおたがいが合意し合っていれば、いろいろな選択があってもいいと思うと私はいいました。けれど一方で、私には、現代の家族たちが、若い親たちが、今よりも、子どもをもっと上手に育てられる時代は、こないだろうという思いもあるのです。ですから、

どのような家庭に子どもが生まれたとしても、それぞれの子どもに、大きなしわよせがいかないようにする最善の方法を、考えなくてはいけないと思っているのです。

そして、これからは、子どもを育てるという職業を選んだ人が手わけして、育児をするという、そんな時代になっていくように思います。これも時代の変化ですから、いいとか、わるいとかという以前に、やはり肯定しなくてはいけないことなんでしょうね。

いつの時代でも年を取った者からみれば、「今の若者は」というふうに、みえるかもしれません。けれども、こういう時代の流れになってきたら、個人も社会も企業も、みんなが努力して変えるべきものは、変えないといけないのでしょうね。たとえば、会社は従業員が育児を中心に考え、お母さんが健全に働けるような、そういう職場を与えなくてはいけないと思います。社会も真剣に考えて努力しなくてはいけないんですよ。そして、育児に対していろいろな選択ができるように、税金をどうつかうべきかを考えていくことだと思います。

この前、デンマークへいきましたら、消費税は二五%ですからね。そのかわり、育児についても福祉についても、いろいろなことがちゃんと整備されています。私は日本でも、そういう選択ができるために必要な税金なら、もっと払ってもいいと思っているのです。

夫婦が一対になって、親として育児に必要なことをカバーし合うということを、親性《おやせい》とか、ペアレンティングというそうですが、現代はそういう方向に動いていると思います。欧米では、すでにそうなっているそうです。日本でも、そういう時代になったということなんでしょうね。けれど私は、夫婦のペアレンティングという対応で、子育てのすべてをカバーできるかというと、これはなかなかむずかしいこともあると思うのです。

私には、母親と父親が家庭での役割を、平等に共有し合うという生き方のなかに、子どもの育児を埋没させてしまっていいのかという思いもあります。そういうことは、あくまでおとなたちの生き方、とりわけ、女性の生き方を尊重しているということでは、いいことなのかもしれません。だけど、そういう時代になって、子どもたちや家族や家庭がうまくいっているかというと、これは別な話なんですね。むしろ子どもたちに、子どもたちだけでなく家庭にも、むずかしい問題があらわれてきたと思いませんか。

子どものほうからすれば、おとなの都合ではなくというと、いいすぎかもしれませんが、子どもの都合を最大に考えてくれる親に、育てられたいと思っているのではないでしょうか。子どもというのは、いわゆる母性的なものを求めていることは事実なんです。たとえば、胎児期の研究報告のなかにもあるように、お母さんの心臓の鼓動を聞いて育つとか、お母さんが妊娠中に歌っていた歌で育児をされるとか、子守をされることに大きな喜びを感じるということは、やはり現実としてあると思うのです。それに、子どもが育っていくうえで、お母さんの乳房というものはとても意義の大きなものだろうと思います。

ですから、長時間保育や児童手当の増額や、その他の育児支援の充実を考えることによって、女性のなかに母性的なものを、どのように育てていくかということより、基本的に大切なことは、子どもを受容できる人に、どう育てていくのかを考えることではないかと思います。そして、その結果が母性とか、理想的な親性《おやせい》につながっていくのではないでしょうか。

そのためには、お母さんが安心して、自分の気持ちをうちあけられる夫婦関係とか、友人関係とか、保育者との関係とかを、すこしでもよくつくろうという対応のほうが、いわゆる、私たちが期待するような、お母さんの親性《おやせい》とか母性という感情を誘発するという意味では、価値が高いことだと思います。

長時間保育について考えること

横浜市に低年齢児の健康を守るための対策を考える委員会がありまして、私も委員の一人に選ばれて、さまざまな分野の委員の方と、いろいろな議論をさせていただいてきました。委員の多くの方は、保育時間を長くして、お母さんが十分に働けるようにしないと、お母さんは安心していい育児ができないとか、公園やその他の公共スペースをもっとつくらないといけないとか、あるいは、ベビーシッターなどの制度も、充実させなければいけないなど、おおむねそのような意味のことをおっしゃっていました。

ある意味では、そういう意見は正しいと思います。たとえば、長時間保育を可能にすれば、お母さんは安心して仕事に専念でき、ゆとりを持って育児もできるし、子どもをもっと生むかもしれません。そして、現在問題になっている少子化にも、歯止めがかけられるかもしれませんね。また、育児に対して不安を持ったり、いらいらして、どうしようもないというお母さんもふえているわけですから、そういうお母さんに、無理やり家庭で育児をさせたとしても、子どもにとっては、かえって弊害が大きくなるような場合もあるだろうと思います。

現実に、親による児童虐待などもふえているのは事実なんですね。ですから、委員会で多くの委員の方がおっしゃっている、行政のサービスの充実によって、子どもを守る、家庭を守ることを考えようということは、そのこと自体は間違ってはいないと思います。

けれども、私はこういうことを心配しているのです。人間の一つの本性かもしれませんが、子どもをもっと生んでもらうために、社会が育児の環境をととのえていくことは、本来、自分たちが家庭でしなくてはいけないことについても、努力をしなくなってしまうのではないかということです。あるいは「あれもしてほしい、これもやってほしい」と、要求ばかりして、子

どもを育てるときに、我慢をすることができなくなってしまうのではないかということです。役所などが行政サービスを充実するのが、いけないといっているのではないんですよ。でも現実には、現代人は育児のことだけでなく、その他のことに対しても、我慢をすることができなくなっているとは思いませんか。

育児の環境をととのえていくということは、必要なことだと思います。一方で、親や家族が子どもたちに対して、なにをしてあげられるのか、なにをしてあげるべきなのかということも同時に考えていかないと、環境をととのえるだけでは、子どもの将来を守ることにもつながらないと思うのです。

私はそんな意見を委員会でも話してきました。私のような意見はちょっと異端なんでしょうか、委員の方たちは異質の発言をする人だと思ったようですね。私が心配や疑問をいろいろいったとしても、現実には、社会はそういう方向にどんどん進んでいくと思います。ですから、二四時間の保育がいいとか、わるいとかいっても、しかたのないことかもしれませんね。

いずれ長時間保育が一般的になったとしても、なんとなく二四時間、子どもの面倒をみている、なんとなくかわいがったり、しつけをしているということだけでは、子どもの成長にとって、わるい面のほうが大きくでてくると思いますね。大切なことは二四時間という長時間に、どのような保育をするかということだと思うのです。ですから、長時間保育がいいか、それともわるいかということは、保育のしかたによって決まってくることだろうと思います。

私は、子どもたちに母性的なもの、父性的なものをどういうやり方で、どういう手順で与えていくのがいいかを、保育者のみなさんがしっかり考えて、いい役割をしていけば、その分だけ、長時間保育のわるい面も、きっと小さくなるものだと思っています。

長時間保育について考える場合、たとえば、乳児院あるいは養護施設を思いうかべてみると、わかりやすいかもしれません。乳児院の子どもたちは二四時間保育ですね。そして、乳児院からそのまま養護施設に移ってくる子どもたちは、親でない人に二四時間育てられるという生活を、ずっとしてきています。

そういう子どもたちと接してこられた、神奈川県の養護施設の主任指導員をしている方が、こんなことを話していました。この話は前にもお話をしたと思いますが、とても重要なことと思いますので、またお話をします。養護施設のなかでむずかしい問題を起こす子どもたちに、「子どもたち一人ひとりに、甘えと、えこひいきを実感させてあげることができなかったら、むずかしい問題はなかなか直らない」とおっしゃっているのです。

子どもたちにそういう経験がなければ、本当の意味で、子どもたちが規則を守って、自律への道を歩んでいくことは困難だとおっしゃっているわけです。子どもたち一人ひとりに「えこひいき」をしてあげ、ありのままの子どもを、受け入れてあげることの大切さを強調されているんだと思います。

私も東京都と神奈川県の五つの養護施設で、嘱託医や相談員をしてきました。そこでの経験でいいますと、乳児院から養護施設というように、そういうところでずっと育ってきた人たちは、しばしば社会的適応が困難なパーソナリティをつくるということがあるようです。いろいろな研究報告をみましても、日本だけでなく世界の国々でも、社会性が育たないままに、おとなになってしまう人が多いようです。

乳児院や養護施設で育った人が、すべてそうなるといっているわけではなく、本当の親でない人が、子どもを長い期間育てていくことのむずかしさをいっているのです。私たちが考えなくてはいけないことは、どういう点に、どういう配慮をすれば、問題を軽くすることができるかということなんです。

家庭の雰囲気に近づけることが大切だと、私たちは簡単にいいますが、ではどうすれば、家庭の雰囲気に近づけることができるのでしょうか。たとえば、誕生日のお祝いをするとか、小グループで遊園地にいくということも、それはそれで価値があります。けれども、それよりはるかに大事なことは、子ども一人ひとりに対する「えこひいき」だと思うのです。あるいは、無条件の愛情といいましょうか、それに近いことを本当の親でない人が、どれぐらい子どもたちにしてあげられるか、ということではないでしょうか。

養護施設で働く人とか、保育園で働く人たちは、子どもが好きでその職業を選んだと思いますので、たとえ長時間子どもと向かい合うことになっても、そんなにいらいらすることもないと思っています。そうするための訓練とか勉強のしかた、努力のしかたは、これからの研究課題でもありますが、たぶん、いろいろな方法が考えられていくだろうと希望を持っています。

長時間保育については、私は社会からの要請で、そういう方向になっていくだろうと思っています。このことは、親のためというより、子どもたちのために必要なことなんだと、理解していただきたいと思っています。そして、その長い時間を子どもと、どう接するのがいいかということを、私たちがしっかりと考えていくことが大切なことだと思っています。

たとえ、社会的な要請によって長時間保育が多くなり、十分に教育を受けたすばらしい保育者に、預かってもらうシステムができたとしても、子どもたちは眠いのを我慢しながら、いつ迎えにくるかなと両親を待っているんです。そのことを、親はけっして忘れてはいけないことだと思います。

第三章

育児と社会

傷つきやすい子どもたち

他人との関係をつくれないという現代の若者を取り上げた、「傷つくのがこわい」という見出しの記事が、何回か新聞にでていました。彼らは友人であっても、敬語をつかってぶつかり合いを避け、相手の心にはふみこもうとしません。他の人とのつきあいを深めようとしないのは、自分が傷つくことをおそれているのだと思います。そして、現代の社会では、このようなことは若者だけではないのでしょう。

子どもの心のケアということで、みんなが一番気にしていることなのですが、私たちは、子どもたちを育てながら、知らず知らずに子どもの心を傷つけているんじゃないかなと思うことがあります。私の場合でも、自分の子どもを育て、今は園児を育てながら、いつも反省しているのはそのことなんですが、子どもの心の育ちについて、佐々木先生にお話をお伺いしたいと思っております。

（幼稚園園長）

現代の子どもと昔の子ども

私たちは知らず知らずのうちに、子どもたちを傷つけているかもしれないとおっしゃった、園長先生の気持ちのなかには、とても深い意味がありますね。傷つけているかもしれないといった意味には、「以前ならこんなことで、子どもは傷つかなかったのに」という気持ちもあるのではないでしょうか。それは園長先生が、一〇年、二〇年、三〇年と幼稚園で子どもたちと接する間に、傷ついている子どもたちが、だんだん多くなったように感じられたからだと思います。そして「どうしてだろうか」と、とまどっていらっしゃるのでしょうね。

私は園長先生のこういうお話をお聞きしますと、たしかに、今の子どもたちは傷ついていますから、その通りだと思います。一方で、私たちの子どものころのほうが、もっと傷つけられていたのではないかと思うこともあります。

昔の幼稚園や学校の先生より、今の先生のほうが無神経かというと、私はそんなことはないと思いますね。昔の先生のほうがはるかに無神経であったし、感情のおもむくままに、子どもをしかりとばしていたのではないでしょうか。そのころの親やおとなもまた、子どもに対しては、もっと鈍感で無頓着《むとんちゃく》だったと思います。

今のほうがずっと、子どもの心を大切にしていますし、当時は、子どもの心を育てるなんて言葉もなかったと思うのです。けれども先生方が、子どもたちを傷つけてしまっているとか、子どもの心を大切にしなくてはいけないと思うのは、それほど傷つきそうな心や感情を持っている子どもたちが、多くなってきたからでしょうね。

私の子どものころは、家ではしじゅう頭をぶたれるし、学校へいけば「廊下に立っていなさい」などといわれ、教室の外にだされるということはよくありました。同じ言葉や行為であっても、おそらく現代の子どもなら、回復が困難なほど傷ついてしまうようなことが、毎日のようにありました。けれども、その当時の子どもたちは傷つかなかったというべきか、すぐその傷をいやすことができた、こういってもいいと思うのです。

その当時は、小さなルール違反とか、学校でのいたずらなんてことは、子どもたちみんながしじゅうやっていました。私もそういうことをした記憶がずいぶんあります。一〇分だか一五分だか忘れましたが、そのわずかな休み時間でも、私たちは夢中になってめんこをしたり、馬跳びをしたりなんかをして、チャイムが鳴ったのも気がつかないで、遊びに熱中していました。ですから、あわてて教室に走っていっても、つぎの授業時間には間に合わないんですね。そして、先生がもうきてしまったときなどは、すぐしかられてしまいます。「遅れてきた者は後ろに立ってなさい」といわれるわけです。

それを何回かくり返すと罰も大きくなって、ひものついた小さな黒板を首にかけられ、学校のなかでもっとも人が通る廊下に立たされてしまいます。その黒板には「この子はこれこれをしました」とか、罪状が書かれているのです。私が立たされているときなんか、弟がにやにやしながら、私の前を通っていったのを覚えています。

ですから、ずっとあとになって、中国の文化大革命のときのニュースをみたときは、大変なつかしく「ああ中国では、おとなが同じようなことをやられているんだ」と思ったりしました。そんなことはしょっちゅうありました。けれども、首から黒板がはずされると、もう何事もなかったように、けろっと忘れてしまったものです。

かつての子どもたちには、ある種のたくましさというか、鈍感さというか、傷つきにくさというか、そういうものがありました。親やおとなや先生に、みんながしかられていましたから、きっと平気だったのでしょうね。みんなで赤信号の横断歩道を渡っているようなものです。今日、自分がしかられていても、明日は他の仲間もそうなるだろうという気持ちを持っていましたから、しかられることで傷ついてしまう子どもなんていなかったと思います。しかし、現代の子どもが、私たちのころのようにされたら、おそらく、翌日から学校へいけなくなってしまうでしょうね。

どうして学校へいけなくなってしまうのかといいますと、ひと言でいえば、今の子どもたちにとって、友達が本当の仲間ではないからでしょうね。かつては、みんなで赤信号の横断歩道を渡っていたようなところがありますから、みんなが仲間だったのです。そして仲間はみんな、本当の友達だったのです。

いろいろな個性や素質や能力を持った仲間が、個人的な差を認めながら、みんながそれぞれの役割を分担し合って、フットベースだとか、三角ベースだとか、野球だとかやっていたのです。「何君は投げるのがうまいからピッチャーをやれ」とか、「何君はキャッチャーがいい」とか、「僕はあまり上手じゃないから、あまり球がこないあっちを守る」とか、仲間同士がおたがいを理解しながら、おもいきり遊んでいたのです。

ですから、私たちのころの子どもたちは、親やおとなに怒られても、その心の傷をいやす方法を知っていましたし、仲間と一緒にいることによっていやされていたのです。私も首にかけられた黒板がはずされた瞬間に、もう仲間と遊んでいましたし、家に帰っても「今日、先生に頭を殴られちゃった」というようなことは、親にはいいませんでした。親にいえば、親からももう一つ殴られましたからね。そのころは、「おまえがわるいことをしたから、先生が殴ったにちがいない」という親がほとんどだったと思います。

ところが、現代の子どもたちに、私たちが受けたような教育をしていけば、今の親たちは「なぜ子どもがぶたれたのか」とか、「うちの子はぶたれるほどのわるいことを本当にしたのか」などという気持ちを、まず持ってしまうでしょう。そして「そんなことでぶつような先生がいたら、教育委員会にいっておかなくてはいけない」という親のほうが多いでしょうね。

このように、ちょっとしたことに対しても、知らず知らずのうちに、今の子どもたちは傷つきやすくなりましたし、親も傷つきやすくなったのでしょう。ようするに、子どもも親も、一人ひとりが孤独になり、ばらばらになって孤立してしまったために、傷つきやすくなったということです。どっちがいいとか、わるいとか、あるいは昔の鈍感さが文化として劣っていたとか、現代の過敏さが文化としてすぐれているなどと、申し上げているのではありません。けれども、今の時代はそうなっているということを、みなさんにわかっていただきたいと思います。

おとなも傷つきやすくなった

私は医科大学を卒業したあと、ある大学病院の精神科講師になり、精神病の患者さんを診察していました。そして、そこで学生の臨床実習を担当することになりました。どういう臨床実習をするのかといいますと、まず、患者さんと家族の了解をもらって、私が患者さんの診察をしているところを、学生たちがまわりに座って勉強するというものです。これは患者さんにとっては、かなりストレスでつらい体験だと思います。

多くの学生たちにまわりを囲まれ、緊張した状態で診察を受けるのですから、患者さんにとってはひどいストレスになります。私たちだって、おおぜいの人に取り囲まれたら、緊張してストレスを感じますよね。患者さんの負担が大きいような場合には、学生たちにワンサイド・

スクリーン（一方からはみえて、反対側からはみえない）のむこう側から、診察の様子をみてもらうなどの配慮をします。けれども、診察の様子が直接にみえるところにいるのと、そうでないのとはちがいますから、患者さんのなかで了解してくださった方だけに、協力してもらって実習をしました。

そういうポリクリニックという、外来臨床の実習を始めるにあたって、学生たちに最初のオリエンテーションで伝えなければいけないことを、先輩の教授たちから何度も教えられました。それは、まず患者さんの協力に感謝しなくてはいけないこと、そして、患者さんに対してくれぐれも不作法のないように、傷つけるようなことがないようにということです。それらのことを学生たちにしっかりと伝えたあと、診察を始めるのです。

私が患者さんにいろいろと問診をして、時間が経過してまいりますと、なかには居眠りを始める学生もいるのです。そういうとき、昔の教授だったら、その学生に有無をいわさず「でていけ」とか、その場でぶん殴ってから「患者さんに土下座をしてあやまれ」といったと思います。かつての教授だったら、「そうしなければならないほど、患者さんを傷つけるようなことをしたんだ」と、みんなの前でその学生を厳しく怒ったことでしょう。

そして、当時の学生たちは、まず「本当に失礼なことをした」「とんだことをした」とあやまったと思いますね。学生にしてみれば、前の晩に勉強をしすぎた、飲みすぎた、友達と会っていて遅くなったなどの事情のため、つい居眠りをしてしまったのかもしれません。いろいろな理由があるにしても、そのころの学生は、わけをちゃんと説明してから、患者さんにおわびをし、教授にもあやまったと思います。そして、「今後はこういうことのないように」という教授からの注意で、そのことはすんでいました。

ところが、すこし極端な言い方かもしれませんが、今の学生にそんなことをしたら、学生の心の傷は患者さんの傷どころじゃありません。学生の傷のほうが生涯残ってしまうことだってあるかもしれませんね。あるいは、怒られた学生は、自分がなにをしたかということを反省する前に、その教授をずっとうらみ続けるでしょうね。別に居眠りのことだけではありませんが、学生のあらゆる不作法や、やってはいけないことにかんしては、教える立場の者は当然注意するし、しなければいけないことだと思うのです。

だけど現代の学生に対しては、その場で注意したあとで、自分の部屋に呼んで「こういうことがいけないんだ」ということを、わかるまでさとして教える必要がありますね。今の学生に対しては、みんなの前でしかりとばすようなことは、できないということです。傷つきやすくなったということは、子どもばかりではないのです。大学生であっても、しかも医学部の学生であり、現代の社会では偏差値の高いエリートといわれている人たちでも、ちょっとしたことで傷ついてしまうのです。

若者たちは自分も信じられなくなっている

不作法なふるまいをする若者たちが、よく街にたむろしていることがありますね。現代のおとなたちが、そういう若者をみないふりをしているのは無責任ではないか、こういう言い方をする人がいます。

私は単純に、おとなたちがみないふりをしているとは思いませんね。どういうことかといいますと、若者を注意をすることによって、彼らの不作法なふるまいがなくなると思えれば、だれもが注意するでしょう。しかし、たいていの人には、かえって事態がわるくなると予測できますから、それ以上、事態をわるくしないためにも、だまって通りすぎるのではないでしょうか。若者たちを注意したことによって起きた、不幸な事件をいっぱい知っているわけです。

彼らの不作法をその場で注意することは、いってみれば、人を信じられなくなっているだけでなく、自分自身も信じられない状態にある若者たちを、さらに傷つけてしまうことになるわけです。結果としては、その若者たちの傷をさらに大きくしてしまう事件を、起こさせてしまうことになってしまいます。

新聞などでいろいろな事件が報道されています。たとえば、前にもお話ししましたが、深夜の駅でタクシー待ちの順番に割りこんだ若者を注意した人が、殴り倒されて殺されてしまったという事件がありました。また、駅前での暴走行為をたしなめた人が、やはり鉄パイプなどでめった打ちにされ、その人が亡くなってしまうという事件もありました。

若者たちは、人に対して、あるいは社会に対しても、敵意や攻撃的な感情しか持ってないし、不信感のかたまりみたいになっているのです。さらに、自分を育てた人たち、親も教育者もまわりの人も、すべてに対して否定する気持ちでいっぱいなんです。

まわりの人を否定しているということは、自分自身も否定していることになるわけですから、破れかぶれな行動をすることになってしまいます。そして、自分の将来にも希望なんて持ってないんですから、ある意味では、今、自分の人生が終わってもいい、という気持ちになっているのでしょうね。

ある心理学者が、危険な運転をする暴走族の若者を、投影法という方法でテストをしたことがありました。その若者たちは事故によって命を落とすことがあっても、「まあいいや」という気持ちが、テストの結果に顕著にあらわれていたそうです。だから無謀な運転ができるわけです。けがをしたら大変だとか、命を落とすのはいやだという気持ちを持っていれば、だれもあんな無謀な運転はしないですよ。

どうなってもいいという気持ちが、ひそんでいるということは、それは自己否定なんです。自己否定をしている人は、他の人のことなんて、もっと否定しているのです。ですから、そういう場面に出合ったとき、だれも注意しないことを無責任だなんて、私は思わないのです。たとえ注意しても、若者たちは聞き入れませんし、かえって若者たちに、もっと大きな事件を起こさせることになり、そのことによってさらに傷を大きくすることのほうが心配なんです。

若者たちの不作法を注意することは必要なことだと思いますが、それよりも、今、一番大切なことは、人も信じられない、自分も信じられないという若者たちと、どう接していくかということを考えなければいけないのです。もう、やり直しなんてできないんだとあきらめないで、すこしでもいい方向にいくには、どういうことが必要なのかを、考えていく必要があると思うのです。

人を信じる気持ちを取りもどす努力を

現代の人たちは、自分が不注意をした、自分があやまちをしたから注意され、怒られたということを、素直に受け入れることができなくなってきました。それどころか、注意され、怒られたことによって傷ついてしまいます。さらに、相手を逆《さか》うらみするということまであります。私たちが子どもたちに対して、昔と同じような対応をしていたら、知らず知らずのうちに、子どもたちを傷つけているかもしれません。そして、今の子どもたちはその傷をいやす方法を持っていないのです。

子どもたちは、子どもばかりではありませんが、どうしてこんなに傷つきやすく、また、その傷をいやせなくなってしまったのでしょうか。その理由を解明するのは、大変むずかしいことだと思います。かつての社会、あるいはかつての文化が、現在どう変化してしまったのかなど、あらゆることを比較しながら、考えていくしかないだろうと思っています。

そういうことを考えるとともに大切なことは、今、子どものなかに人を信じる力を、どうやって育てていくかということだと思います。ところが現代の社会では、人を信じる力が、おとなも子どもも非常に弱いように感じますね。私は各地の講演会や研修会で「人を信じる力というのは、同時に自分を信じることができる力とまったく同じなんです」と、多くの方々にお話をしてきました。

このことをアメリカの精神分析学者エリクソンは、ベーシック・トラスト、基本的信頼という言い方でいっていますが、これは私たちが子どもを育てるときの原点ではないでしょうか。ここに、私たちが育児を考えるときのキーワードがあると思うのです。

人を信じる力が弱いということは、自分を信じる力も弱いということなのです。人を信じることができないけれど、自分には自信があるという人は、私は世の中にはいないと思いますね。人を信じることができるということは、「何さんを信じるけれど、何さんは信じない」と、個人のことをいっているわけではなく、人間が自分のまわりにいる人たちを、どれぐらい信じることができるかという意味なのです。

そしてじつは、人を信じる気持ちの弱さや、自分の傷つきやすさというものは、子ども以上におとなも持っているものなんです。それはおとなたちが、人間関係のわずらわしさから解放されて、自由な生き方を求めた結果、親類の人や近所の人などとの交わりも、できなくなってしまったからです。私たちおとなが、自由で気楽な生き方を選択して、地域社会をなくすような生き方をしてきたその結果が、こういうことになってしまったという自覚を、今、私たちは持つ必要があると思うのです。

基本的には、人を信じる力がしっかり身についていれば、自分のいたらないことやあやまちを、注意されたり、怒られたりしたからといって、深く傷ついてしまう、自信を失う、自分自身を信頼しなくなるということはないと思いますね。そして、相手を逆《さか》うらみするなんていうことも、少なくてすむか、ほとんどないものなんです。人を信じる力と、自分を信じる力は、同じ意味であるということが、私たちが子どもを育てるうえで、あるいは、子どもの成長にとって重要なところだと思います。

今、私たちおとながやらなければならないことは、子どもたちに人を信じる力を与えてあげることです。それには、子どもたちを多くの人との関係のなかで育てることですし、おとな自身が人の善意を信じて、地域社会の人と交わりながら生きることです。ゆっくりでもいいですから、私たちがそういう気持ちを持って努力を続けていくことが、大切ではないかと思っています。

いじめと家庭と学校

小さいときはよく他の子にちょっかいをだして、ふざけていたという経験を持っている人は多いと思います。けれども、大きくなってくると、肩をこづいたり、腕をたたいたりする子は、今までと同じでふざけたつもりでいても、されたほうの子はいじめられたと感じることもあると思います。このようなことについて、すこしお話をします。

子どもが小さいときの「いじめっ子、いじめられっ子」と、小学生の高学年や中学生になってからの「いじめ」は、不登校のことやいじめによる自殺などを考えますと、対応のしかたもちがうのではないかと思うのですが、どうお考えでしょうか。

(小学校教諭)

いじめる子といじめられる子の関係について

いじめている子どもと、いじめられている子どもについて考えてみますと、そこには共通点があると思うのです。どういうことかといいますと、ある意味では、どちら側の子どもにも、人を信じる力と、人から信じられているという実感がとぼしいように思います。

信頼関係の豊かな子どもたちは、いじめる子の側、いじめられる子の側とは無関係な位置にいます。ですから、いじめ、いじめられの関係は、人間の本当の信頼関係がないところで生じるわけですね。結局のところは、自分は他の人を信じられる、それ以前に、どれぐらい自分は、他の人から信じられているかという安心感がない者同士が、いじめ、いじめられの関係になると思うのです。

人を信じられる子どもは、いろいろな子どもと友達になれますから、いじめる子どもとは友達にならなくてもいいのです。いい友達関係をしっかり持っている子どもに、いじめにくる子はあまりいません。いい友達がたくさんいて孤立してない子どもは、横のつながりもありますから、いじめっ子がそう手はだせないのです。ちょっかいをだそうとしても、その子はすっと、友達のほうに寄っていってしまいます。ですから、いい友達を多く持っている子どもを、仲間から引っ張りだしてきて、いじめることはできないものです。

いじめる子どもたちに会って聞いてみると、いじめる理由として「勉強ができるやつだからむかつく」とか、いちおういいますが、勉強ができるということだけでは、いじめないものです。そして、いじめようともしないみたいですね。

反対に、いい友達が得られないで悩んでいる、あるいは、まったく孤立していそうな子をみつけて、そういう子どもをいじめることが多いわけです。いじめっ子は、直観的にこの子は孤立していると感じるのでしょうね。たとえば、ライオンとかオオカミが他の動物をおそうときというのは、捕まえやすいからという単純なものじゃないと思うのです。群れとしっかり一緒にいる動物はなかなかおそえませんから、群れのなかで孤立して、脱落しそうな動物をみつけておそうわけですね。

私は、何人ものいじめられている子どもにも会ってきました。そこでわかったことは、孤独、孤立ほどつらいものはないということです。エーリッヒ・フロムという人が「あらゆる人間のむかうところは孤立を避けるためだ」ということをいっていますが、人間には孤立をしたくない、人と交わりたい、人に称賛されたいという感情があるのです。そして、人間は孤立を深めることに対しては、最大の抵抗をしようとします。

それに、人間はどんな友達であっても、友達がなかったら希望がでてこないと思うのです。だから、たとえいじめる友達であっても、わるい友達であっても、友達を失うことによる孤立よりは、彼らと一緒にいようとします。私たちがそういうことをきちんとわからないと、子どものいじめの問題は、本当にわかってあげられないと思います。

よくいじめにあって、家からお金を盗んでこいといわれたり、使い走りをさせられたり、仲間内で非常にみじめな役割を与えられたり、途方にくれるほど大きな要求をされたりして、ついに我慢できなくなって、自殺をする子どもが何人もいます。

そういうとき、まわりの人は「どうしてこんなひどいことになるまで、親にも先生にもいわなかったのだろう」といいますね。たしかに、先生や親に乗り出してもらって、いじめをやめてもらうことはできるかもしれません。けれども、そのかわりに友達を失ってしまうことにおそれを感じています。たとえどんな友達であっても、友達を失うというのは、子どもにとっては一番こわいことだと思うのです。ですから、いじめられていることをいえない、いわないでしょうね。

あるいは、親やおとなにいっても、いい解決をしてくれないだろうという、不信感もあるだ

ろうと思います。子どもは友達を失うことがとてもこわいから、今の状態にしがみつこうとしているということ、そこのところをわかってあげないとだめだと思いますね。自殺にまで追いこまれてしまうという、いじめといじめられの関係は、中学生以上の場合が多いと思いますが、小学校の低学年や幼稚園の子どもの場合でも、いじめ、いじめられの関係は、基本的には同じだと思いますね。

　これはたくさんの子どもに会ってきた実感ですが、あえていいますと、お母さんからいじめられている子は友達をいじめますね。それから、ちょっとしたきっかけでいじめられっ子にもなります。お母さんからという言い方をすると、お母さんだけと聞こえるかもしれませんが、そうではなく、父親もまわりのおとなもふくめて、象徴的にいっているわけです。

　お母さんからいじめられないで愛されている子どもは、いじめられる側にも、いじめる側にもなりません。いじめられもしないのに、いじめることはあまりないですからね。まったくないんじゃないでしょうか。また、親が子どもを愛していると思っていても、じつは、いじめているということもあるんです、いっぱいあるんですね。そこのところをきちっとわかってもらわないと困るんです。とくに小さい子どもの場合には、それは大きくなるまで引きずってしまいますから。

いじめに対する二つの新聞記事

　すこし前に、新聞にこんな記事がでていましたのでご紹介いたします。いじめについての記事ですが、読売新聞は大きくでていましたが、朝日新聞の記事のあつかいは小さかったですね。しかし、朝日は小さめですけれど一面で取り上げ、読売は大きかったですが、いわゆる三面記事であつかっていました。どういう内容の記事かといいますと、いじめにかんするわが国の調査をあつかったものです。

それは、国際いじめ問題研究会の日本の研究代表者で、森田洋司先生という大阪市立大学で、社会学をなさっている方がまとめたものです。森田先生は約一年の間、小学校五年生から中学三年生までの生徒と、その親と先生、合わせて一万六〇〇〇という広範囲な人たちからアンケートをとり、いじめについての調査結果をまとめ報告したものです。

新聞にはどのように書かれていたかといいますと、朝日には「いじめの三割、長期被害型、学年進むほど特定化、先生が動けば六割好転」、こういう見出しがでていました。年齢が小さいときは、子どもは不特定多数がいじめられている。いわゆる、いじめっ子はだれかれかまわず、ちょっかいをだしていじめている。そして、学年が進むにつれていじめの対象が特定化していき、クラスのなかで一人とか二人とか、決まった子どもがいじめられる傾向になる。そして、いじめられた経験を訴えている子どもの三割が、長期被害型になっている。このようなことが書かれていました。

もう一つ大切なことは、この記事では、先生が動けば六割は好転すると書いてあるわけです。先生がいじめに気がついて一生懸命対応すれば、そのいじめの問題が解決したかどうかは別として、六割は好転していくということが書かれています。ということは、基本的には、先生にもっとしっかりしてほしいと、朝日の記事ではいっているわけですね。

ところが読売をみますと、学校の問題にはほとんどふれていません。どういうことをいっているかといいますと、クラスのなかにいじめがあることは、生徒のほとんどが知っている。先生が知らない場合でも、生徒は知っているわけです。自分のクラスでいじめがあったときに、生徒は、どういう態度を取るかということを、おおまかに分類すると、こういう態度を取るそうです。

一つはまったく無関心、大半の子どもは知らんふりをしている。かかわりを持たないで、みないふりをしている生徒が、一番多いというのです。そのつぎに多いのが、一部の生徒ですが、いじめをなんとかなくそうとして、解決の方向に積極的に動こうとする子がいる。いじめている子に「そんなことをするんじゃない」という子もいるし、先生に訴えて「いじめをなんとかしてほしい」という子もいるし、いじめられている子をなぐさめようとする子どももいるのでしょう。こういう生徒も少ないけれど、かならずいるそうです。

それから、もう一つのグループがあって、一部の生徒はおもしろがってはやしたてて、もっといじめをエスカレートさせるようにして、見物して楽しんでいるようなタイプの子がいる。おおよそ、子どもたちはこの三つのタイプに分かれる、このような調査報告が記事になっていました。

新聞の見出しには、「いじめを止める子、親と仲良し。おもしろがる子、親にむかつく、四割」と書かれていました。もうこれでおわかりになるでしょう。アンケートの結果、積極的にいじめを止めようと努力する子どもは、親との関係がいい、その関係が非常に深いというわけです。いじめがおこなわれているときに、おもしろがって、はやしたてている子どもは、親との関係がわるい、しかも、自分で親にむかついてしょうがないと感じる子が、四〇％もいるということです。読売新聞の記事では、おもに親子関係に視点を当てて取り上げているわけですね。

これが同じ研究報告書を読んで記事にしたものかと思うほど、二つの新聞の報道はまったくちがっていました。まとめられた調査報告には、もっといろいろなことがあると思いますが、新聞にはこの両方の内容のことだけが、それぞれに記事になっているだけでした。

そして、二つの新聞のいじめに対する視点は、ひと言でいいますと、朝日新聞は「先生、しっかりしてほしい」「先生、あなた方がしっかりすれば、六割は好転するんですよ」ということだと思います。ところが、読売新聞は「親子関係と、いじめに対する子どもたちの態度の間には、非常に密接な関係がありました」ということを、いっているのだと思います。間接的にですが、「家庭はやっぱり大切なんです。いじめの問題を考えるとき、基本的に家庭がまず大切なんですよ」といっているんですね。

このことは新聞社の姿勢が、いろいろあるだろうと思いますので、どちらがいいとか、わるいとかではありません。それはそれでいいのですが、新聞というのはこういうものかなと思いましたね。ですから、決まった新聞を読んでいると、その新聞社の編集方針や論説なんかで、マインドコントロールされることもあるかもしれませんね。そうすると私たちは、いろいろな新聞を買って読まなくてはいけないのかもしれない。そのとき、私は他の新聞も読んでみたいという気がいたしました。

私はふだん、朝日新聞が好きでよく読んでいます。しかし、いじめについての朝日の記事には、先生が頑張ればなんとかなるという発想があると思います。けれども、いじめを予防したり、なくすのに、本質的なところで効果的なのは、各家庭で親子関係をもっと大切にして、生きていく必要があるという読売の記事のほうだと思いました。一紙しか読まない人も多いのですから、本当は、こういう研究や調査の結果は、新聞社が両方の内容をバランスよく報道するのがいいと思うのです。

基本的には、朝日新聞は社会的あるいは公的なところに、いじめに対する解決の役割を求めている態度ですし、読売新聞は私たち一人ひとりの問題として、考えようと呼びかけているんだと思いましたね。

このごろは、新聞やテレビの論調にしろ、他の報道にしろ、一般に個人の努力を奨励しないで、政治とか社会とか教育とかなんとかというふうに、人格のはっきりしないところへ、責任を押しつけたり、努力を求めるというふうになっています。ですから、個人の努力はどんどん安易なほうへ、安易なほうへといっているように、私には思えてしかたがありません。その結果は、つぎつぎと起こるさまざまな事件をみればわかると思います。

私は、今の社会がどうなっていて、そのことを一人ひとりが自分のこととして考え、社会をいい方向に持っていくように、もっと自覚して努力をしないといけないことを、多くの人に訴えていきたいと思っております。

親も教師も、そして友達も信頼できなくなった子どもたち

新聞などで報道されていますが、子どもがいじめによって、自殺まで追いこまれてしまうというケースがふえています。子どもが自殺まで追いこまれてしまうということは、自殺するしかないほど、希望のない、大変ひどい孤立した状態にあったということではないでしょうか。子どもにとっては、今の状態が苦しいというだけでなく、すこしでも状態がいい方向になるかもしれないという、希望や安心感すらまったく持てなかったことだと思います。

そういう状態のときに、もし少年や若者たちに、親や教師や友達のなかに、だれか一人でもいいから、どこかでしっかりしたつながりを持ってサポートしてくれる人がいれば、自殺は起

きなかったかもしれません。おとなになってからの自殺はちがうかもしれませんが、少年時代にはだれかとつながりを持っていれば、自殺は起きないと私は思っています。ですから、彼らには、本当に安心して頼れる、親も教師も友達もいなかったということではないでしょうか。

そういうときの責任を考える場合、親も教師も友達も最低は三分の一ずつの責任があるとしても、基本的には親子関係がどうだったかについて、私は考えますね。自分の家族であるとしたら、私だったら、学校教育がどうだったかなどという前に、まず自分がどうだったかということを考えます。

子どもが自殺まで追いこまれてしまったということを、日々の親子関係という人間関係の原点が、どういうものであるべきだったのかと、私は一生懸命に考えたいですね。子どもが死にたいと思うほどの苦悩をしていたのに、どうして親にうちあけてくれなかったのか、どうして気がついてやれなかったのかを考え、さまざまなことに思いめぐらすでしょうね。

けれども実際には、たとえ問題が起きなかったとしても、だいいち、子どもたちは安心して親に相談なんてしないでしょう。いろいろな要素があると思いますが、子どもたちには、親に失望されることに対するおそれがあります。親に失望されるということは、自分の自尊心がひどく傷つくことになるのです。さらに、親を傷つけることはとてもつらいことだということも、子どもたちにはわかっているのです。だから、親にいえないわけです。

また、子どもたちは親に相談したって、らちがあかないと思ってもいるし、それに親が解決してくれるとは思えないのでしょうね。小さいころから親にいろいろなことを相談して、解決してもらってきた経験があればいいのですが、そういう経験がなければ、子どもたちは相談してもだめだろうと思ってしまうのです。これらの感情がまじり合って、子どもが自殺までいたってしまうのではないでしょうか。

たしかに、子どもの気持ちを、親だけがあれこれ聞いてあげるということは、なかなかできないことだと思います。かつては、祖父母や親類の叔父さん叔母さんや、近所の人たちの手や心を借りながら、みんなで子どもたちを育てていたといってもいいでしょう。

けれども、現代の私たちおとなは、そういう他の人たちとの関係を持たなくなってしまいました。その結果、親は孤立し自己愛の強い生き方をし、自分たちの要望を子どもたちにたくさん伝えますが、相手の希望や願望を聞く態度を失っています。

ですから、今の子どもたちは、なにかがあったとき、教師とか他の人に話すことができないという前に、親とも相談できないのです。できればふだんから、親には安心して相談できるというような親子関係になっていればいいと思いますが、もしかしたら、ずっと話し合ったり、相談ができなかったのではないかと、私は思っています。

なにかあったときに、「さあ話してみなさい」といわれても、そう簡単に相談なんてできるものではないと思います。それには、日々のささいな、つまらないと思えるようなことも、話し合えるという雰囲気が、家庭のなかにあることが大切だと思うのです。

小さいときから話を聞いてもらうという経験が大切

子どもが幼稚園とか、小学校の低学年のときには、まず親に相談できるということが、一番いいことだと思います。それから、学校へ入ってしばらくすると、今度は友達が相談相手になっていくものです。

さらに友達との関係が親密になるにつれて、親にはほとんど相談しなくなります。こんなことは親に相談しなくても、友達に相談すれば解決できることだといえるような、安心して相談できる友達がいると、親には相談しませんね。本来、友達というのは、たとえ親や先生や他のおとなたちに相談できないことでも、おたがいによく話し合えるし、相談し合うことのできる大切な存在だったと思うのです。

けれども、今の子どもたちは小さいときから、親にしっかり自分の気持ちを、聞いてもらえたという経験が少ないものですから、子どもは大きくなってからも、親や先生ばかりか、友達にも相談しなくなってしまうのです。そういう子どもたちが多くなりました。そうして結局、子どもはだれにも相談できなくなっているわけです。

親の立場になってみると、小さいうちからいろいろな話を親身になって聞くのは、めんどくさいと思ってしまうかもしれません。そこで、学校の先生に任せるとかしてしまうわけですね。しかし、それは親として無責任なことだと思いませんか。学校でなにか問題があったとき、学校の責任を問う風潮がありますが、親が自分の子どもにも相談されないことを、教師がどうやって生徒の相談にのってあげられるのか、教師だって同じ人間ではないか、ということになってしまうと思うのです。

以前、毎日新聞社が「新教育の杜《もり》」というシリーズを新聞でやっていました。その何回目かの記事で、長野県の教育問題を取材した記者が、こういうことを書いていました。今の親のなかには、子どもの父親に対する口の聞き方がおかしいということを問題にして、「教師はなにを教育しているんだ」と、学校に苦情や抗議をしにくる人がいるといっています。もっとひどい場合は、「うちの子は家へ帰ってくるとゲームばかりしているけれど、学校ではどういう教育をしているんだ」といって、学校にどなりこんでくる親もいるというのです。

そのように親がすっかり教育力を失ってしまった実例を、たくさん連載記事のなかで書いていましたね。学校の教育に間違いや欠点があるというより、それ以前に、家庭の親に、親としての自覚や意識がなくなってしまったことの問題を、そのときの毎日新聞の記事は暗にいっていたのですね。

実際に、子どもがいじめられている場合に、よく昔からいわれていることは、「子どものけんかに親がでるな」ということですね。しかし、今では、親がでていくべきだという意見もあります。そのへんのことは、親の年代によってもちがうと思いますし、でてきてもらっては困るという子どももいたりします。けれども、今の子どもたちのいじめの問題に対しては、私は親も教師もでてあげなくてはだめだと思うのです。

そして、いじめる子どもに対しては、かんでふくめるように、いってあげないといけないと思います。そのときの、かんでふくめるようにいってあげるというプロセスのなかには、相手の言い分もよく聞いてあげるという態度がふくまれていることが、じつは大切なことなんです。親の感覚からすれば、子どもがどんなに見当はずれのことをいっているようにみえても、今、その子が感じているのは、そういうことなんですから、それをよく聞いてあげるというところから、始めていかないといけないと思うのです。

おとなと子どもの関係にかぎらず、人間関係というものは、自分を受け入れてもらっていないのに、相手だけのいうことを受け入れろといわれても、それは無理なことだと思います。いじめの問題にかんしては、子どもが何年生になっても、かんでふくめるように、いってあげることが必要です。親も教師もそういう態度で、時間をかけて子どもたちに接していただきたいと思います。

不登校について

不登校の子どもを持ったお母さんやその他の方からも、『子どもへのまなざし』について二回ほど、お電話で批判のご意見をいただきました。そのお電話は「本のなかで、不登校の問題を考えるとき、家庭の責任が大きい、とくに母親の幼児期の子どもの接し方に問題があったといっているが、それはおかしい」というものでした。そのことについて、もうすこしお話をしてみたいと思います。

一八歳になります末の子どもが高校一年生の時、不登校になり現在にいたっています。二年間ぐらいは人に会うのがこわくて、どこにもでかけることができませんでしたが、すこしずつ外にでかけられるようになり、今年は家の農業の仕事をだいぶ手伝ってくれました。それまでの間、どうしてやったらいいのかわからず、不登校にかんする本もたくさん読んだり、病院の先生に相談にいったこともあります。できるだけ早く復学できたり、外にでられるようになることばかり思っていましたが、『子どもへのまなざし』を読ませていただいて、娘の成長過程のな

かで親がどのように生きるべきであったか、どんな心で娘を育ててきたらよかったのか、ということが本当にわかったように思います。先生のお話をせめて一〇年前に聞くことができましたら、娘を苦しませせずにすんだかもしれません。

（二七歳と二六歳と一八歳の子の母親）

やすらぎの場の経験が不足している子どもたち

もちろん不登校の原因を考える場合にも、私は、いろいろな子どものケースがあると思いますし、「このことが不登校の原因だ」と、断定的にいえないと思います。不登校の原因は、一つとか二つとかに特定できるような問題じゃなくて、さまざまな要因があるし、なにより現代の私たちの文化が持っている、大きな問題であると思っています。

それは、現代人が他者を思いやる気持ちをなくして、自分だけを大切にするという生き方が、非常に強くなったということだと思います。こういう傾向が不登校の親に強いといっているわけではないのです。現代の日本人全体が、そうなっているということなのです。

人間にとって、他者を思いやることができないで、自分を大切にするという生き方なんて、はじめからいいことではないと、私は思います。にもかかわらず、私たちおとなは自分を大切にして生きよう、個性的に生きようとして、他者から孤立した生き方をしてでも、自分らしさとか、自主性とか主体性とかというものを、一生懸命追い求めているようにみえます。

そして子どもたちも、相手を大切にしながら自分も大切にするという生き方を、身につけることができないまま、学校や社会にでていくわけですね。ですから、子どもたちは友達を大切にしながら、自分が生きるし、生かされるという関係を学校のなかへ持ちこめないのです。人との関係でくつろぎや、やすらぎの経験ができなければ、ある特有の感受性を持った子どもたちは、くつろぎの場を見失うことになってしまいます。そこで子どもたちは、まず自分が大切にされる場所を、一生懸命探そうとしているのです。

不登校でない子どももそうかもしれませんが、不登校の子どもというのは、基本的には、くつろぎや、やすらぎの場を求めているのだと思います。やすらぎの場が本当にどこかにしっかりあれば、彼らはそんなに苦悩を感じないものです。学校という場に、教室という場にやすらぎが感じられなければ、学校にはいけないのです。これにも教師との人間関係もあるでしょうけれど、友達との人間関係が非常に大きいのではないかと私は思っています。

今の子どもたちは、どの子もいじめやその他さまざまなことがあって、友達との人間関係をつくるのが、かつての子どもよりは下手になったと思いますすね。たとえば、クラスのなかで人間関係がこじれたとき、仲直りのしかたを知らないのです。あるいは、友達とちょっとした言い合いをした場合、もうそれだけで「教室にいきたくない」と、保健室にいく子どもも多くなったと思います。

また、幼児期から家族や親類の人や、近所の人たちとの人間関係の経験が、極端に減っている子どもたちも多くなっています。とくに、相手から無条件に近い状態で、受け入れられるという経験が不足しています。かつては、たとえ親から無条件で受け入れられ、愛されるということが少なくても、親以外の親類や地域のおとなたちから、そのような経験ができていたと思います。ですから、子どもたちは家庭や学校でくつろげなくても、地域社会のなかにくつろげる場を自然に持っていました。

ところが、近年の日本では、おとなたちが地域社会に住んでいながら、そこでの人間関係をわずらわしがって、逃避的な生き方をしていますから、子どもたちに地域社会のなかに、やすらぎのスペースも提供することもできないでいます。

おとなたちが地域社会の構成員でなくなっているのに、子どもたちだけに地域社会での親密な人間関係を、体験させてやろうと思っても不可能か、とても困難なことですね。まわりの人からおもいきり大切にされるという、くつろぎの場をどこにも持たなかったら、本当にだめですよね。

これも近年、小学校や幼稚園、保育園でよく観察されることですが、子どもが教師や保育者との一対一の関係を求めるということが、目立ってふえているように思います。そういう子どもたちのほとんどは、さまざまな友達との楽しい時間を共有できなくなっています。そういう人間関係が下手な子どもたちが、一つの場所に集まっているのが、今の学校の教室ではないでしょうか。

そして、そのなかでも、とくに友達との関係にストレスを感じてしまうタイプの子どもは、教室のなかにいることがとても窮屈になってしまいます。ようするに、教室のなかにくつろぎの場がみつけられないのです。くつろぎの場がそこにみつけられないと、たとえば、保健室にいくということになり、教室にいられなくなってしまいます。

不登校の意味を考えさせられたある学校での経験

私は、ある全寮制の高等学校からカウンセリングを頼まれまして、今、年に数回その高校へいっています。どういう高校かといいますと、小学校、中学校時代に、長期の不登校を経験してきた生徒たちが集まった学校です。

私ともう一人、杉山登志郎先生という、児童青年期精神医学が専門の非常にすぐれた医師と二人で、その学校を応援しているのです。杉山先生のほうは毎月いらっしゃれるので、生徒と直接に会ってカウンセリングをしています。私のほうは何か月に一回ぐらいしかいけないので、生徒のカウンセリングをすることはめったになく、その学校の先生とか寮母さんに会って、いろいろとお話を聞いております。

その学校の先生方のお話を聞いていて感じたことは、先生方の生徒に対する姿勢は、絶対受容的なものだということです。先生たちが絶対受容的な心を持って、生徒と接していますので、生徒のほうも徐々に自信を取りもどしてきています。そして、まわりの寮母さんや先生との、心からの対話も可能になってきています。

けれども、生徒同士のコミュニケーションが、なかなかうまくいかない生徒も少なくありません。友達との人間関係がうまくいかないということで、そういう生徒はやっぱり、自分のクラスにはいけないのです。寮からはでられますが、学校へはこられない生徒もたくさんいるんですね。

初年度なんかは、半分ぐらいの生徒が、寮の目の前にある学校へなかなかこられないのです。寮にそのまま居残る生徒も多いし、それから、おおぜいの生徒が保健室までしかこられないのです。自分のクラスのなかに、いじめがあるというわけではないのですが、それでも、クラスにはなかなかいけないのですね。この高校の生徒たちをみていると、不登校の子どもや青少年たちのなかには、友達との関係がうまくいかなくて、苦しんでいる場合も少なくないということがよくわかります。

極端な生徒の場合には、母親にはぐれちゃ大変だと「ママ、ママ」といって、洋服の端をつ

かんで離せない幼い子どものように、寮母さんの洋服の端をつかんで離さないということもあるのです。知能の発達は正常で、体の成長もよく健康なんですけれど、そういう生徒がいるんですね。

また、なかなか学校へいけないで、昼も夜も寮からでられないという生徒もいるのです。あるとき、寮母さんが疲れて、うっかり壁に背をもたせてうとうとしていると、あっという間に生徒が入ってきて、寮母さんの投げ出した足の上に、頭をのっけて寝ているということもあるんですよ。彼らはまるで、一歳か二歳の子どものように退行してしまうのですね。

そういう生徒たちの様子をみていると、私は、彼らは「母なるもの」を求めているのだろうと思いました。「母なるもの」というのは、ありのままの子どもを受け入れることができるということです。子どもにとっては、ありのままの自分を承認してくれるところが、自分の居場所であり、くつろぎ、やすらげる場所なんでしょうね。

ところが、幼児期にそういう母性的なものを、十分に感じることができないまま大きくなった子どもたちは、幼児期のやり直しをするかのような行動をするのです。彼らの、母性的な人のそばでやすらぎたい、受け入れてもらいたいという気持ちは、それが満たされないかぎり、もう何歳になったからとか、高校生になったからとか、どうだとかこうだとかいうものではないのですね。

子どもたちに「母なるもの」が与えられることが、どんなに大切なことかということを、その高校の生徒や保護者の人たち、そして教職員の人たちに会い続けてくるなかで、私はいろいろと教えられてきました。

くつろぎの場をどこにみつけるか

彼らに不足しているものは「母なるもの」なんですね。子どもたちは小さいころから、「母なるもの」を必要なだけ与えられてこないと、自分に安心できなくなってしまうものです。ですから、大きくなってからの友達や他の人との関係は、もっと安心できないものに思えてしまうのです。その結果、学校の教室もくつろぎや、やすらぎの場ではなくなってしまうのです。たしかに、学校の教室なんて、とくに授業中の時間なんて、だれにとってもそんなに楽しい場ではなかったかもしれません。

だけど、私たちが社会人になっていくためには、たとえ苦痛の場であっても、まったくいかないでいいかというと、そうはいかないわけですね。学校へいかなければならないということを前提に、ものをいっているわけではありませんが、子どもが成長していく過程では、一方では集団のなかで育っていくことも必要なことだと思うのです。

まず、彼らに必要なことは、どこかに絶対的なくつろぎの場を確保することではないでしょうか。彼らに自分の居場所やくつろぎの場がみつかれば、自分にとって全体がくつろげない場所であっても、わりあい平気でいけるようになるのは、たしかなことだと私は思います。

たとえば、仲のいい友達と楽しい遊びに熱中できる機会とか、家庭がおもいきりくつろぎの場になっているとか、あるいは、保健室なのかフリースペースなのか、いろいろな場があると思うのですが、そういう場が彼らにあれば、子どもたちは、くつろげない場所にもいきやすくなるのです。家族の人や親の会や協力者たちが、彼らにやすらぎや、くつろぎを与える場として、フリースペースやフリースクールを提供しようと努力しているのも、そういう意味からなのだと思います。

そういう場で、自分を信じることができるような力や、自分を信じて受け入れてくれる人との出会いが与えられれば、その場所がくつろぎや、やすらぎになり、子どもたちは社会的にも成熟をしていくものなんです。家庭や地域の遊びの場が決定的なくつろぎの場になるような経験が、小さいときからずっとできていれば、たとえ学校のクラスがくつろげない場であったとしても、そこで順応していられるための、基礎力にはなっていると私は思います。

やがて社会人になっていったときの職場やその他の場は、かならずしも、くつろげる人間関係の場ではないですし、場合によっては、ストレスの場であるかもしれません。しかし、この子たちがどこかで、大きなくつろぎの場を経験しておくことによって、そういう場でも平気になっていくものです。

不登校というのは、ある別の見方をすれば、子どもは傷ついて疲れているんですね。心理的疲労なわけです。だから心理的な疲労がいやされ、くつろげる場があればいいわけです。本当は日々いやされ、くつろいでいればもっといいわけです。だけど、まとめていやされなくちゃならないほど、疲れてしまうのでしょうね。日々いやされていれば、疲労は蓄積しないわけですから、日々いやされ、くつろげる場がなかったということでしょう。

おとなだってゴルフをしたり、お酒を飲んだり、競馬にいったり、好きな本を読んだり、映画にいったりと、心理的な疲れをいやしながら、ストレスをうまくやわらげて日々生きているのでしょうね。

くつろぎの場を、どこに求めるかということも問題ですね。私はそういう場を、学童になったら地域の仲間のグループのなかに、ごく自然にみつけるのがいいと思っているのです。だけど実際にはそれがないでしょう。また、学校がくつろぎの場になるかといいましたら、くつろぎの場にできるといっている人もいるかもしれませんが、私はできないと思いますね。放課後のクラブにしてもなんにしても、そんなことだけでは、たまった心理的な疲れが、いやされる場にはならないと思います。

親は学校に頼みたいだろうし、学校は家庭に頼みたいと思うのです。ですから、協力し合うことが大切ですが、どちらかですぐに始めようとしたら、だれでもすぐにやれるのは、やはり家庭だと思いますね。それから、学校の友達とすこしもくつろいだ関係が持てないで、保健室にいこうとしている子どもたちに、学校でくつろいでこいなんてことは、過酷なことだと思いますから、やはり家庭がいいのです。

また、子どもたちの集まれる場としての、しかも、安心して仲間と出会えるフリースペースをつくってもいいと思うのです。けれど生まれながらずっと、くつろぎの場が家庭にあるということが、私は一番自然なことだと思いますね。

本当は、家庭を中心にした地域社会が大切だと思います。けれども、今のおとなには、地域社会を構成する意思はないわけですから、まず家庭から始まって、そして友達との関係ができるようになって、それから教師との関係もできるようになってというように、そういう過程で信じ合える人間を育てるということが、基本的なことだと思います。

家族みんながくつろげるのが、家庭ではないでしょうか

それでは、家庭でくつろぎの場を提供できるのかといいましたら、家庭にもくつろぎの場をつくりだせないでいるのが現状ではないでしょうか。本来、子どもたちが身近で一番くつろげる場は家庭だと思うのですが、近年、その家庭がくつろぎの場でなくなっているようにみえま

す。ですから、私たちは急場しのぎのようにして、子どもたちのくつろげる場を保健室とか、フリースペースとか、臨床の部屋につくったりしていますけれど、本当は、そういう場を家庭に持つのが一番自然でいいと思うのです。

どうして、家庭がくつろぎの場でなくなってしまったのかということも、考えていく必要があると思います。それは基本的には、私たちおとなが、相手を思いやりながら生きるよりは、自分を大切に生きるという姿勢を、強く持つようになったからだと思います。

私は自分を大切にして生きよう、主体的に個性的に生きようということが、いけないといっているわけではないのです。けれども、私たちはいつのまにか、自分を大切にというより、むしろ、自分だけを大切にという生き方をするようになってしまいました。自分だけを大切にする生き方で、自分が本当にくつろげるかというと、ごく一部の人を除いては、そういう人はほとんどいないと思います。

そしてまた、現代の社会は、子どもを持ったために、自分の人生が台なしにされるなんてかなわないという考えや風潮を、おとなたちの気持ちのなかに育てようとしているように思えるのです。多くの場合、育児の中心を母親がになっているわけですから、あえていいますが、私はそういう生き方は、一部の人にはいいかもしれませんが、大多数のお母さんにとっては、自分自身の生き方を実現するためにも、マイナスの生き方だと思っているのです。

たぶん、そういう自分だけを大切にするという生き方では、自分を生かすこともできないと思いますね。他の人を大切にできない人が、自分を大切にできたことはないと思っています。本当に自分を大切に生きるということは、他の人を大切にすることによって、自分も大切にされながら生きるということなんです。人間というのはそういう存在であると、あらためて自覚

や認識し合うことが必要なことだと思います。

たとえば、私は自分を大切にしながら、父親であり、夫であり、職業人としてのそれぞれの生き方をしています。そして家内には、妻である部分と母親である部分と、社会人である部分とがあるわけです。そうした場合に、私は家庭に帰ったら、夫である役割と父親である役割がありますす。私の妻もそうなんですね。私たちはそういう役割を、しっかりと実践できるように意識をしていなければいけないのです。

家庭ではそれぞれが自分を大切にしながら、夫は妻を大切にしている。妻は夫を大切にしている。父親は子どもを大切にしている。母親は子どもを大切にしている。こういう関係が、人間が居心地よく生きていくためには必要なんです。相手を生かすように努力をしながら、相手の幸福を考えながら、自分が幸福に生きているという生き方にならなくてはいけないのです。

ところが、私たちは相手の立場や幸福を考えながら生きることが、だんだん下手になったというか、そういう感情が希薄になったというか、そのときそのときの自分の思いのままでいようと、そういう生き方が強くなってきました。

私たちはともすると、他者と関係を持たないで生きようという傾向も、強くしてきたように思います。そういう生き方は、おとなたち一人ひとりにとっては、居心地のいいことかもしれません。だけど、子どもが育っていく場合には、それは子どもにとって、居心地がいいことにはならないでしょうね。おとながすこし身勝手なやり方で、気軽に生きようとしている環境では、家庭の内外を問わず、子どもにとっては、それはけっして居心地がいいものではないと思うのです。

私たちおとなが、そういう一見、気楽な生き方を何年も続けてきてしまった結果が、離婚の多さ、シングルマザーなどという現象ではないでしょうか。家庭内の問題としてあらわれている、不登校、家庭内暴力、児童虐待、若者の引きこもりなども、現在のそういう生き方を助長する文化が、持っている問題なのではないでしょうか。そのことがいいとかわるいとか、いっているわけではないのですが、そういう文化の風潮は、気楽な生き方であるようですが、じつは、おとなにも子どもにも、大きな不安をもたらしているように思います。

本来、家族というのは自分を大切に生きながら、じつは夫は妻を大切にし、妻は夫を大切にしている。父親は子どもを大切にし、母親も子どもを大切にしているものだと思うのです。そして、そうすることへの気持ちや準備ができた人が、結婚をして家庭を持って、子どもを生んで、家族を持つものだったと思うのです。

ですから、あまり他者との関係をつくらないで、自分だけを大切にしたほうが、居心地がいいという人もいるかもしれません。けれども、そういう人は家族の構成員としては、結局は、居心地がよくないと思うのです。それが大げさにいうと家庭崩壊ですね。あるいは、間借人同士の同居家族、ホテル住まいの家族、そういうものが現代の家族には多くなってきたと思っています。

苦悩する青年と家族

私は今、苦悩している少年や、若者たちにこういうことをいいたいと思っています。それは、自立的に生きるということは、自分だけでなにかができることではなく、人と協力してなにかができるようになることが、大切なことだということです。

人と協力してなにかができるようになったら、教室は楽しくなるし、放課後、仲間との時間も楽しくなります。人と協力してなにかができなかったら、教室にいくこともできません。寮にこもったり、自宅に引きこもってしまいます。あるいは、せいぜい保健室までしかいけないということになってしまいます。

まず、仲間と協力して、なにかができるようにならなくてはいけないのです。自立ということは、自分一人でなにかができるようになることでは、けっしてないのです。人に頼りながら同時に、人からも頼られながら、社会に価値を生み出すような、なにかができるようになることだと思います。周囲の人との相互依存的な関係のなかで、感動を分かち合いながら、なにかができるようになることは、人間として自律や自立した生き方だと私は思っています。

入学したころは、幼児期のような情緒反応を示していた、さきほどの全寮制の高校の生徒たちも、三年間でそれぞれが、自律や自立の過程を歩みながら卒業していきます。けれども今、私のところには何人もの人から相談があるのです。「卒業したら、その後、また家からでられなくなりました。どうしたらいいんでしょうか」と。三日ほど前にあった電話の相談では、「家からやっとでていけるようになったけれど、酒場にしかでていけない」というものでした。

私にはその理由はよくわかります。酒場ならほろ酔いかげんでいられます。その人にとっては、お酒が鎮静剤なんですね。そして、こちらがお金を払ってお酒を飲むわけですから、酒場のママさんは無条件に受け入れてくれるわけです。それがなんともいえないくつろぎだと思うのです。しかも、「それも深夜にしかでていけない」というのです。それも非常によくわかります。深夜にしかいけないのは、いろいろな人に出会うのがこわいんですよ。それでも、家で閉じこもっているよりは、外にでかけるほうが、はるかに進歩ですから、親やまわりの人は、そのことをわかってあげていただきたいと思います。

だけど、「酒場への支払いは、日々月々、大きな金額になる」といって、そのことでも家族の人たちは苦しんでいます。そういうときには、子どもに対して、こういう理由で一か月にいくらぐらいの小遣いしか、あげられないということを、いらだったり怒ったりしないで、ゆったりと話してほしいと思います。

お父さんとお母さんが真剣になって、できれば、洗いざらいの話をしてくださり、苦しみを本当に共有し合って、乗り越えていこうという姿勢が必要なんです。「わが家の家計はこうなっている、おまえにつかえるのはこれだけだと思う。それを一か月で、あるいは、一週間で配分すればこうなる」ということを、ゆっくり言い聞かせてあげてほしいということです。

こういう話を本気で話し合うときに、それまでの生活史のなかでの相互信頼の感情が、どれだけ育ってきているかが、明らかになると思うのです。子どものなかに、自分を受け入れてもらってこなかったという感情が大きすぎて、対話になりにくいときは、まず、おとなのほうが、そのことを本当に、謙虚に反省しなければならないでしょう。理屈ぽい説明をしても、多くの場合、あまり役に立ちませんね。

彼らは理屈ではわかっても、感情的にはすぐにわからないのです。理屈と感情がうんとかけ離れているんですから。情緒的な理解、納得といった気持ちが、理屈に追いつかないんです。知能は正常ですから理屈ではわかります。そして、彼らは簡単にいいますよ、「借金すればいい」と。それはそうかもしれません。でも、返せなくなるのが現実です。すると、彼らは「返せるか返せないか、わからないだろう」といいます。本当にわけのわからないことをいうと、親には思えるでしょうね。

でも、彼らの気持ちは、それだけせっぱ詰まっているのです。人との関係で表面的な関係ではあっても、やっといやされるところがみつかった。これでまた、そこにも行き場を失って、家のなかに引きこもらざるをえない状態になったら、どうしようかという、自分で身の不安や危険を感じているわけです。だから、なんとか酒場なら酒場にすがろうとするのです。

そのような多様な問題を、どう調和するかということで、そういう若者への教育的、治療的なカウンセリング、家族をサポートする方法はとてもむずかしいのです。だけど、それは幼いときからずっと、継続してつながっている問題で、三年間、全寮制の高校の先生と寮母さんと保健室の先生など、いろいろな人が努力をなさっても、三年やそこらでは、まわりの人のことも自分のことも、十分に信じられるようになるほどには、やすらげない人もいっぱいいるのです。できるだけ家族と協力し合って、もとになるところを、きっちり育てていかなければならないのです。それがあとになればなるほど、かじ取りをする人が、後手後手にしてしまえばしまうほど、その人たちの困難が大きくなってしまうのです。

私たちは個人を大切にするという風潮のなかで、自分を大切にすることばかりに気をうばわれすぎて、他者を大切にするという生き方の視点を失ってきました。その結果、他の人を大切にすることができなくなったばかりか、自分のことさえ大切にすることができなくなってしまい、みんながおかしくなって、児童期や青年期の精神科クリニックは超満員ですよ。自分だけを大切にする生き方を、みんなが始めたんですから。

現代はこんなに豊かで自由なのに、なぜこんなに、みんなの心が病んでいるのでしょうか。なぜこんなに、子どもがむずかしくなったのでしょうか。それは、みんなが自分のことしか大切にしなくなったからなのです。だれかを大切にして生きなかったら、私たちは結果として、自分も大切にできないんだということです。

先生たちは生徒を、親は子どもを、夫婦で夫は妻を、妻は夫を、やがて子どもが年老いた親を、というふうになっていかなくては、本当はいけないと思うのです。ですから、家庭ではおもいきり、その子の話すことを、心のさけびを聞いてあげる、受け入れてあげることしかないのですね。本当は夫婦二人でそれを実行することは、面倒なことであり、困難なのかもしれません。でも、ある意味では、まず私たちおとなが、子どもたちのわがままをおもいきり聞いてあげることが、重要なことであり、そのことが子どもを育てることの、再スタートになるのかもしれませんね。

家庭内暴力について

夫婦間、親子間、兄弟間など家庭のなかで暴力がふえています。最近では、女性が夫や親しい男性などから受ける暴力も、新聞などで目立つようになってきました。そういう現状についてお話してみたいと思います。

子どもは、はじめ一番身近な母親に対して、それから父親へも暴力をふるってしまうということがふえていると、新聞や雑誌の報道でも伝えられています。子どもたちが親に暴力をふるうということは、いったい、どういうことなんでしょうか、教えてください。

（中学校教諭）

家庭内の暴力がふえている

子どもたちは、小さいときから親やまわりの人に、自分の願いや要求をたくさん聞き入れられることによって、はじめてまわりの人や社会の要求や期待に、こたえられるようになるのです。世の中には自分の願いが聞き入れられることなしに、まわりの人の要望を聞き入れることができるなんていう人は、なかなかいるものではありません。

そして、人間には規則をちゃんと守れる人と、守れない人がいますが、守れる子ども、おとなといってもいいですが、その人たちは自分の願いを小さいときからずっと、たくさん聞き入れられている人だと思います。そういう意味では、みなさんが幼い子どもの人生の最初に、どれぐらい子どもの願いを、聞き入れてあげることができるかということを、まず考えていただきたいと思っています。

残念ながら、現代の家庭にはそういう奥行きがなくなりました。幼い子どもの要求をゆっくり聞き入れながら、育児していくという精神的ゆとりというのでしょうか、精神的奥行きというのでしょうか、家庭が崩壊しているなんて大げさにいわなくても、そういうものが小さくなってきましたね。その結果、今いったような原因ばかりではないと思いますが、日本の歴史のなかで、現代ほど、家庭のなかで家族間の暴力行為の多い時代というのは、おそらくないのではないでしょうか。

近所で殺人事件が起きれば別ですけれど、みなさんは新聞とかテレビの報道によってしか、知ることができないわけですから、夫婦間、親子間、兄弟間の家庭のなかの暴力行為が、殺人にいたった例しか知らないと思います。家庭内の暴力によって、ほとんどの人が死にいたるわけではなく、ごくまれなケースだけが死にいたるのです。そのまれなケースが現代社会のなかで、どれだけ多いかということですね。ですから、家庭内暴力といっても、けがの段階のものを考えると、実際には何十倍、何百倍あると思うのです。おそらく、みなさんは、そういう事実をご存じないと思います。

ところが、私たち精神医学の臨床医のところには、家庭内の暴力でけがをした人たちがいらっしゃいます。けがといっても、殺人事件にいたらなかったという意味で、けっして軽いものではありません。家庭内暴力が殺人事件にいたった場合には、事件を起こした人は警察にいきますから、私たちのところにはきません。私たちのところの相談や診療、治療にいらっしゃるのは、家庭内での暴力行為が継続している人たちです。どれぐらいかというと、みなさんが想像できないぐらい多いんですよ。かつては、夫婦の間で、兄弟の間で、親子の間で殺してしまうほどの暴力になるなんていうことは、ほとんど考えられなかったと思うのです。

子どもが親に対して、暴力をふるうという家庭内暴力が、社会問題としてあらわれてきたのは、昭和四〇年代半ばをすぎたころだったと思います。その後、昭和五五年（一九八〇年）には、神奈川県で子どもが両親を、金属バットで殺してしまうという事件がありました。そして、その原因や有効な解決策はみつからないまま、現在にいたっているのが、現状といってもいいと思います。

私は、不幸な事件の裁判の証人にでたりすることがありますが、そこで思うことは、子どもたちは小さいときから、親に心から受け入れてもらってこなかったという人たちが、じつに多いということです。親からありのままの自分を認めてもらうという機会が、少なかった人たちのように思われます。

本当は、小さいときから親が子どもの話を、いっぱい聞いてあげればいいのですね。けれども、知らず知らずのうちに、親のいうことを子どもに押しつけているのです。子どもたちは、親の指示とか命令とかを、山のように聞かされてきていると思います。あるいは、口でいわなくても、親の期待や希望が子どもには、いやというほど伝わっていると思いますね。だから子どもたちは、ある時期までは一生懸命、親の期待にこたえようとします。小学生のころはいい子だったというのは、しばしば、そういう子たちです。ですから、親の期待や希望にこたえられないと、その子は自信をなくしてしまいます。そして、自分を信じられなくなるし、親も信じられないという気持ちになっていくのです。

こういう事件のとき、親は子どもがどうしようもなくなって、バットをふりまわし始めてから、子どもの話を聞いているんですね。それでは遅いのです。それにああいうふうな親子関係になってしまうと、もう、親子だけでは解決できないと思うのです。親子で話し合ったりして解決しようとしても、親子だけではだめなんです。そういう場合には、親以外の人で、子どもが信頼を寄せることができる人がいればいいですね。

もし、そういう人がいて、子どもの気持ちをすこしずつでも、聞き入れてあげられれば、親をだんだん信頼するようになってくるわけです。けれども、実際には子どもたちは一番身近な存在である親を、信頼することができないわけですから、子どもにとって親以外に信頼できる人も、だれもいないということですね。

本来、子どもは乳幼児期から少年期に、親に対する安心感を十分に持つことによって、他の人に対する安心感を持っていくものなんです。かつては、近所の人とか親類の人とか友人とか、そのときどきで、その場しのぎのようであっても、親以外にも、近くに信頼できる人がいたのです。なにかいたずらや、わるいことなどすると、親だけでなく、近所の人も注意したし、子どもの話もよく聞いてくれたものです。そこがだめになってしまったのです。

ですから現代は、第三者の治療機関の医者というか、サイコロジストやカウンセラーやケースワーカーのような人たちと、そういうところで、話し合っていくしかないのでしょうね。けれども、家庭内で暴力行為が続いている人たちは、最初にそういう人たちのところには、相談

にいけないのです。私たち臨床医とかカウンセラーとか、そういう仕事にたずさわる人たちは、相談にきてもらえば、なんとかなるという思いがありますし、いい方向になるケースが多いと思っています。本当は、本人自身が相談や診療にいけて、そこで相談の相手とつながったら一番いいんですね。そして、相談される側がそこでやることは、まず、相手を信じてあげることなんです。それが相手と信頼関係でつながるためのスタートだと思います。

多くの人と多くの場で信じ合える関係を

引きこもりと同じような、心理メカニズムを持っているタイプの不登校の子どもたちだって、彼らの気持ちをわかってあげられなかったら、多くの子どもたちが同じように、かなり激しい家庭内暴力を引き起こしてしまうでしょうね。そうだからといって、私は、単純に引きこもりや不登校の子どもの家庭がわるいとか、その親がいけないというふうに、いっているつもりはないのです。同じ親が何人もの子どもを育てる場合でも、子どもたちみんなが引きこもりになったり、不登校になるわけではないのですから。同じような環境に育ったとしても、ある感性を持った子どもにあらわれることなのです。

たとえば、子どもにもいろいろな個性や体質があります。同じ光化学スモッグ、あるいは大気汚染のなかにいても、ぜんそくになる子とならない子がいるのです。その他いろいろな環境の変化のなかにいても、アレルギー性鼻炎、杉花粉症などになる人と、ならない人がいるのです。同じ環境に育っても、ある現象が強くでる人と、でない人がいるんですね。

家庭で暴力をふるうという子どもたちが、どうしてふえてきたのでしょうか。それは現代という社会が、そういう子どもたちをつくりだしていると思うのです。社会全体の現象なんです。

けれど一方で、社会全体の問題は、同時に、その構成員である私たち一人ひとりの、個人的な問題でもあるのです。ですから、私たち一人ひとりが、子どもを育てるということは、どういうことなのかと、真剣に考えなくてはいけないことだと思います。そのことは同時に、私たちおとなが、どのような生き方をしなければならないかということでもあります。

現代社会では、私たちはゆったりと信じ合い、安心し合って、豊かな人間関係を営むことができにくくなりました。親やおとなたちが、豊かな人間関係のなかで生きることができるということは、親自身が近所の人や親類の人とか、友人を持っていて、自分の要望や気持ちをゆっくり聞いてもらったり、受け入れられているからなんです。そういう機会を持っている人は、子どもたちの要求も、ゆっくり聞き入れることができるのです。家庭で育児の上手なお父さん、お母さんというのは、子どものいうことを、ゆっくり聞き入れてあげることができるお父さん、お母さんのことですね。

昔の親だって、みんなが上手な育児をしていたかというと、私はかならずしもそうではないと思います。けれども、今の親ほど、そんなにダイレクトに、親の要求や期待なんかを、子どもたちにむけなかったと思います。それは、親自身が生きていくために、もっとさしせまった、日々の関心事があったからではないでしょうか。一方、子どものほうも、たとえ親から身勝手な要求や期待をされたとしても、それはたいしたことではなかったと思います。そのころの子どもたちには、多くの友達や仲間がいました。自分のいいたいことは、たがいに友達や仲間と言い合ったりしていたのです。

子どもたちは一日の大半を友達と一緒に、男の子は、もうボールがみえないというまで野球をやっていましたし、女の子だって縄跳びをしたり、石けりをしたりして、真っ暗になるまで外で遊んでいたのです。そして、家に帰れば、ご飯を食べてお風呂に入ったら、すぐ寝ちゃうんですから、朝晩のちょっとした時間に、親に小言をいわれたって平気だったのです。

今は、子どもたちが友達や仲間と、おもいきり遊ぶということが少なくなっています。子どもは家庭のなかだけで、育っているようなところがありますね。そうしますと、親の要求や期待は、知らず知らずのうちに、子どもたちに重くのしかかってしまいます。そして、子どもたちには友達や仲間がいないのですから、自分の気持ちのやすらげる場を持てないことになってしまいます。ですから、私たちおとなは、子どもたちに場所と仲間を与えて、毎日遊ぶ習慣を取りもどさせなかったらだめですよ。そうすればたぶん、親が多少うるさいことをいっても、子どもたちは大丈夫だと思いますね。

「子どもが友達とおもいきり遊んでいるなら、暗くなって帰ってきてもいいんだ」「学校で仲間とわいわい遊んでいるなら、放課後に塾なんかいかなくてもいい、ピアノも習わなくてもいい」という気持ちを、親が持てれば、期待や要望ばかりいって口うるさい親でも、子どもたちは平気なんだと思いますね。

子どもが友達や仲間とともに健全に育っていくには、現代は家庭だけでなく、保育園や幼稚園で働く、保母さんや先生方みなさんの力も必要なのです。園の子どもたちとの本当のコミュニケーションをするには、まず、みなさんが園の同僚や近所の人、そして、子どもたちの親とも、豊かな共感性を持って、コミュニケーションの場を持つ必要があります。それとなくご自分もふくめて、たがいに、仲間や近所のお母さんをごらんになるといいですよ。「ああ、何さんって上手に保育や育児をしている」という、お母さんや保母さんがいらっしゃったら、それは、まわりの人とのコミュニケーションが、かならずいい人たちですから。

私たち医者仲間のことを申し上げれば、患者さんのいうことを、よく聞きながら診療する医者と、指示や命令ばかりしながら、診療する医者がいると思いますね。医局のなかで一匹狼みたいな、はぐれガラスのような医者もいるのです。そういう医者はかならずといっていいほど、患者に対しての指示、命令が多いですね。「そんなこと聞いてないです、よけいなことはいわなくていいです」「こっちが聞いたことだけに答えてください」などといったりしますよ。

たしかに、医者に聞かれもしないことを、患者がいっても、たいてい、診療の足しにならないことが多いと思います。けれども、患者さんにしてみれば、いいたいことがいっぱいあるわけですし、いわなくちゃ安心できないことなんですね。それをゆっくり聞いてあげられる医者というのは、自分の気持ちもゆっくり聞いてもらえる家族とか友人とか、職場の同僚を持っている人なんです。

おとなといえども、自分がゆっくりコミュニケーションをする機会を持っていなければ、子どもとゆっくりコミュニケーションをすることもできないのです。かつてのように貧しくて、いそがしくて大変な時代でも、そのころのお母さんが、子どものいうことをゆっくり聞き入れることができたのは、井戸端会議がさかんだったからです。というのは、お母さんたちが自分の愚痴や自慢話を、井戸端会議でゆっくりできたからです。

今の社会に大切なことは、お母さんだけでなく、私たちおとなが自分の愚痴や自慢話を、自然に安心して他の人とできるということです。自分の誇りにしていること、すこし自慢してみたいこと、あるいは、非常につらくて愚痴ってみたいこと、そういうことを安心して聞いてもらえる家族とか友達とか、職場の仲間とかを、みなさんお持ちですか。こういうことがまず、家庭でも保育園や幼稚園でも職場でも、きちんと自然に日常生活のなかになければ、いい育児はできないと思うのです。ですから、家族は隣近所、親類、職場の人たちといいコミュニケーションを、いい知人、友人、同僚を持っていらっしゃれば、持っていらっしゃるほど、育児はうまくなります。

家族内での暴力行為というのは、家族のそれぞれが孤独で、孤立した気持ちを持ってしまい、他の人との人間関係もできにくいなかで生活をしている同士で、一番起きやすいと思うのです。それも、子どもにとっては、小さいときから自分の望んだことが、十分に受け入れられないいま、育ってきたということがあると思います。

こんなお話のなかから、どのようなことを参考にしていただけるでしょうか。私の申し上げたことをメモして覚えて、その通りやってくださいなんてことを、申し上げているのではないんですよ。「ああ、そうか。あそこはひょっとしたらそうかもしれない」と、思うようなことが、今日お話し申し上げたことのなかで一つでもあれば、そのことだけでも、ちょっと実行していただくということで、私は十分だと思います。

社会的不適応と事件について

さまざまな原因で、社会のなかで適応して生活できない人たちがふえています。こういう人たちと、臨床の場でお会いしてきた経験を、お話したいと思います。

現在、少年たちが起こす事件の記事が、新聞、テレビなどマスコミで取り上げられています。けれども、子どもたちの社会的な不適応の状態をあらわす背景については、あまり書かれておりませんので、わからないことが多いのです。こういうことについて、どう理解したらいいのでしょうか。

（六歳の子の父親・中学校教諭）

社会に適応できない子どもたち

このごろ、学習障害*（ＬＤ）といわれる子どもたちの親の会から、招かれることが多くなりました。昨日は、倉敷市の教育委員会の依頼で学校教育現場の先生たちに、高機能自閉症といわれるような子どもたちのことについて、いろいろなお話をしてきました。そして、今度は岡山市で、そういう子どもを持っている親の会の集いで、お話をすることになっています。最近は、横浜でも東京でも各地のそういう会に招かれますと、かならずでる質問があります。

どういう質問かといいます前に、ちょっとこういう例をお話をしておこうと思います。何年か前に、東京の足立区で女子高校生が、四人の若者たちに誘拐され監禁されたうえで、凄惨《せいさん》なリンチを受けて殺され、コンクリート詰めされ死体を遺棄された、こういう事件がありました。この事件については何冊も本がでています。

あの主犯のA少年の精神鑑定をされたのが、犯罪精神医学の領域でも高名な福島章先生という人です。福島先生は私の親しい友人ですが、精神鑑定をなさって、主犯のA少年を微細脳障害*（MBD）という問題を持っている子だと診断しました。

微細脳障害というのは、当時の医学用語で、微細な脳障害があるということです。しかし今日では、本当に脳障害があるのか、機能が不全なのかはっきりしないので、微細脳障害という言葉はつかわれなくなっております。

現在は、そういう子どもたちの示す行動特徴、たとえば、非常に気が散りやすい、落ち着きがない、集中力がない、さらに感情、衝動のコントロールができない、また運動面では不器用であるというようなことに注目し、注意欠陥障害*（ADD）といいます。そして、注意欠陥障害のうえに、多動性が加わると注意欠陥多動性障害*（ADHD）といったりします。そういう子どもたちの大半は、かつては微細脳障害と診断されたわけです。そして、また、そういうタイプの子どもたちの多くが、学習障害であり、学校に入ると学習上の困難をいろいろな程度に示すのです。

もう一つ、三年前に、神戸市の須磨区で小学生が殺されて、酒鬼薔薇聖斗《さかきばらせいと》と名のる少年が、加害者だということがわかりました。事件を起こしたとき、彼は中学生でしたが、小学校の高学年のときに、神戸の中央児童相談所で注意欠陥障害と診断されたということが、新聞で何度も取り上げられました。ですから、学習障害の親の会の人は、「自分たちの子も、ああいう事件を起こす子どもになりやすいのか」と、このことで心をひどく痛めております。学習障害の親の会に招かれますと、そういう質問はかならずでます。質問のなかで、それが一度もでないことは、ないといっていいほどです。

私は昭和四〇年代の後半から、東京女子医大病院の小児科で二〇年あまり、学習障害の子どもたちのクリニックをやっていました。女子医大病院の学習障害のクリニックのことをペンシルクラブと呼んでいましたが、私が勤務していた間に、何百人という子どもたちが、そのクラブにやってまいりました。そして、ほとんどすべての子どもたちが、大きな問題などまったくださないで、高等学校や大学へ入って、それから立派に就職をいたしました。

ですから、親の会などでは、こういう子どもだから、事件を起こしやすいということは、まず基本的にはありません。大丈夫ですということをよく話してきました。

＊学習障害（ＬＤ＝Learning Disability）
＊微細脳障害（ＭＢＤ＝Minimal Brain Dysfunction）
＊注意欠陥障害（ＡＤＤ＝Attention Deficit Disorder）
＊注意欠陥多動性障害（ＡＤＨＤ＝Attention Deficit Hyperactivity Disorder）

社会的不適応の子どもを正しく理解する

私が勤務していたころの女子医大病院の小児科で、子どもたちの学習障害がみつかるという場合には、学習障害ということを心配して診察にきた結果、みつかるというのではないのです。

ほとんどの場合は、体の故障で診察にみえるのです。心身症の状態で受診されるのです。心身症というのは、精神心理的なことが原因で、身体的に異常を示すことを心身症というのです。たとえば、熱が下がらない、奇妙な下痢と嘔吐《おうと》をくり返す、けいれんのような失神をするというような症状があります。そういう、いろいろなことを訴えてこられるのです。

それに対して、小児科の医師たちが精密な検査をするわけですね。症状に見合った病気をみつけようとしますけれど、どうしてもみつからないし、症状のあらわれ方が、きわめて不自然だというふうになりますと、私たち精神科の医師のところへまわってくるのです。そこで、そのように常識に合わない症状をだす子どもを診察して、いわゆる学習障害、あるいは、今日の診断基準でいえば、注意欠陥多動性障害の子どもをみつけるのです。

そこでは、その子どもに対して、どういう特別な手だてをしながら育てていかなくてはいけないか、というようなことを親と話し合っていきます。そういう子どもたちは、学習障害といわれますけれど、知的障害ではないわけです。知的障害でないということはすぐわかるわけです。ですから、家族にとっては、かえって問題そのものを、承認しにくいことがあるんですね。親としては、子どもの気持ちの持ち方ひとつで、しっかりしていくはずだと思って、厳しくしつけたりしてしまいます。そして、そのことによって、反対に子どもを追いこんでしまうということが多くありました。

この子どもたちも正しく理解されないと、やはりむずかしいことになるのです。大変不幸なことにもなるのです。今は大人になっていますけれど、二〇年ほどの間に、二人の不幸な少年の事例に出合ってまいりました。どのような不幸な事例かといいますと、その二人の家族の人だけは、どうしても学習障害という問題を、受け入れてくださらなかったのです。

この子を厳しくしっかりしつければ、この子はなんでもできる子になっていくはずだと、とくに、お父さんがおっしゃっていました。そして、お父さんは、お母さんが子どもを連れて病院やクリニックへ、いろいろな相談や治療を受けにいくことを厳しく禁止しました。二人の方に共通していることは、そういうことなのです。そして、やがてそのペンシルクラブにも、おいでにならなくなりました。

その後、一〇年以上もたってからでしょうか、同じ時期の何か月かの間に、その二人の少年の、それぞれのお宅から電話がありました。もう何年もの間、精神病院に入院して治療をしていましたが、あまり変化がなかったそうです。そこで、病院のほうから「別の病院に転院するか、福祉施設のようなところへ変わったらどうですか」とか、「退院してください」とか、たびたびいわれて途方にくれているというのです。

私は電話でお話を聞いても、いったい、だれのことだろうかと、最初は記憶がありませんでした。「十何年前に、これこれこういうことがあって、私は先生の助言や指示を拒否したことを、今では悔いています」「息子に土下座して、あやまりたいような気持ちでいる」というようなお話を聞いていると、だんだん思い出してきて、「ああ、そういうことだったんですね」と記憶がもどってきました。

子どもの持っている困難な問題に対して、そのときには、二人の親は理解を示すことができませんでした。「知能が正常なんだから厳しく教育をすれば、この子たちはちゃんとやっていけるはずだ」と、おっしゃっていました。子どもに落ち着きがない、食事のときでもきょろきょろしてしまう、立ったり座ったりする、ぺちゃぺちゃと音を立てて食べる、箸《はし》の持ち方が不器用であるとしても、親は厳しくしつければなんとかなると思っていたわけですね。きょろきょろするから、テレビを消してご飯を食べさせようとすると、子どもは泣いて怒り、大さわぎになることはよくあったそうです。けれども、「そのときは、そのようなことは厳しくしつければ、全部直るはずだ。食事の二、三〇分間、じっとして座っていられないはずがないと思っていました」と、こうおっしゃっていました。

臨床での私の経験

彼らのなかには、じっとしていられない子もいるのです。それを無理やり、じっとさせようとすると、結果としては、子どもの行動を徹底的に否定することになるわけです。親は子どもの行動を否定しているつもりでいるのですが、子どもの側からすると、自分そのものを否定されていることになるのですね。自分の全存在を否定されていることになるのです。ですから、子どもはどんどん自信を失っていきます。人に対する不信感が、どんどん強くなっていきます。やがて、父親に対して被害妄想がでてきたといっていました。父親だけではありません、母親に対してもそうなっていったのです。さらに、近所の人に対してもそうなってしまったのです。

妄想というのは、実際にありえないことを、信じていることを妄想といいます。その内容が近所の人が自分に悪意を持っている、命をつけねらっている、電波を送って自分の行動を監視したり、あれこれ操作しようとしているというように、どんどん被害妄想的になったといっていました。やがて、そういう周囲の人たちの、自分を非難するような声が聞こえてきたそうです。幻聴ですね、実際にはないものを感じるわけで、幻覚の一種です。

幻覚や妄想にはいろいろなものがあります。精神分裂症の人がよく訴える、被害的な内容の声が聞こえる幻聴や、アルコールや薬物の依存症の人が体験する、小動物がいないのにみえてしまうという、幻視がそれらの例です。また、妄想にもいろいろあって、内容が被害的ならば被害妄想といわれますが、たとえば、そう病の患者さんが持っているようなもので、実際の生活では借金をかかえていても、自分は億万長者だなんて、誇大に思っているような場合には、誇大妄想といいます。

そして、この学習障害の二人の場合は、被害的な内容の妄想と、幻聴を示したわけです。症状自体は分裂病です。そして、それが重症になりますと当然、精神科の入院治療の対象になるわけです。ところが、その二人の場合は、一般の分裂病の患者さんのように薬がきかない、なぜだろうかと、その病院でいわれるそうです。たぶん、症状は同じようでも成り立ちがちがうのでしょうね。

子どもの持っている個性や問題に理解を示さず、厳しくしつければ、子どもは自信を失います。周囲の人に対しても、ひどい劣等意識を持ったり、負い目を感じたり不安になったりします。そうすると、人はどんどん萎縮《いしゅく》してしまうわけです。こういう状態にしてしまうわけです。私のたまたま出会った、その二人は特別重症でありました。

ところが、それほど重症でないと、今度はアクティングアウトといって、行動が外にむかって、非社会的じゃなくて、反社会的になっていくということを、いろいろなところから教えられました。おそらく、コンクリート詰め死体遺棄のA少年とか、もしかしたら、神戸の酒鬼薔《さかきば》薇聖斗《らせいと》と名のる少年にも、その可能性があるように思います。いろいろな報道を見聞きしたり、識者の著作を読んでみると、彼らは周囲の無理解や誤解によって追いつめられて、人格をこわされてしまったように思えてなりません。私はそのようなことが、今後とも、つぎつぎに起こることを非常におそれています。

本当は、こういう事件を考える場合、微細脳障害とか学習障害とか注意欠陥障害とかいわれる子どもだから、そうなったのではないと思います。親やその他の家族、教育者や友達などまわりの人が、子どもの状態に理解を示さず、受け入れることができなかったために、子どもは自分が拒否された、承認されなかったと感じたのではないでしょうか。

そういうことが積み重なって、ああいう事件を引き起こすことになったのではないかと、私は思います。もともとこういうタイプの子だから、事件を起こしたのではないと思っています。だけど、こういうタイプの子はやや受け入れられにくいのです。あるいは、一般の子どもよりも誤解されやすいのです。適切な臨床者とか、こういう領域の専門家に出会わないと、この子たちはしつけができていない、わがままな子だとしか、思われないことがあるのです。

さきほどの二人の場合では、親でさえそう思ったのです。そして、親は私たちの説明をなかなか了解してくださらなかった。それは説明をうまくできなかった、説得できなかった、了解を得られなかったということでは、臨床者として、こちらにも不十分さもあったのだと思います。臨床者として、私は二〇年の間にこの二人の人に対しては、とても強い自責の念といいましょうか、悲しみがあります。

援助交際の少女の場合

私は臨床の場で、いろいろなむずかしい若者たちに会い続けています。どうしてこんな非行をするんだという若者たちに、しじゅう会っています。そこで思うことは、彼らに自尊の感情を育てなければいけないということです。自分を尊重するということは、他の人を尊重する力

でもあります。本来、他者を尊重しない自尊心なんて絶対ないんですから。ルール違反をする人は自尊心がないということでしょうし、その前に、他者を尊重する感情が育っていないということです。こんな手順を、できるだけ小さいころに、子どもの育ちのなかにしっかり与えてあげれば、育てやすいし、あとのことは非常にやさしくなっていくものです。

わかりいい例で申し上げれば、援助交際をする少女がいます。援助交際をする少女たちのなかで、親を好きだという人はおそらくいないでしょうね。ダイレクトに、あなたは両親を好きですかなんて質問はしませんけれど、いろいろな話をしていれば、自分の親に対してどれだけ、あえて申し上げれば、拒否や軽蔑《けいべつ》の感情を持っているのかがはっきりしてきます。そういう親が、子どもに対してなにを注意したって、聞き入れるはずがないのはよくわかります。

たとえ私たち臨床の医師が会って、初対面で説教とか、注意とか、教訓がましいことをいっても、彼女たちがそんなものを、聞くはずは絶対ありません。それどころか、もう二度とカウンセリングの場にはこないでしょうね。だけど、彼女らも児童相談所の人に連れられて、あるいは、親にうながされてやってきます。どこかに、なにかにすがりたいという気持ちが、きっとあるからでしょうね。

けれども、ひどく警戒しています。たとえとしては適当ではないかもしれませんが、野良猫を捕まえて、檻《おり》にいれて連れてきたという感じです。檻《おり》からだされても、ひどく警戒心を持っているという感情がありありとします。また、おそらく彼女らの目には、私たちが野生の豚かなにかのようにみえているのでしょう。あるいは、サーカスに飼われている虎やライオンかもしれませんね。

まず、みんなで簡単な話をしてから、彼女と一対一で、今日はあなたのために三〇分だけ、時間が用意できていますから、今日は四〇分ありますからと、おしゃべりをしていくわけです。話というのは、最初のうちは、相手が主役でいられる話題を選んで進めていくのです。たとえば、若者のファッションとか、若者が今、好む音楽であるとか、とにかく、相手がよく知っていて、私が不案内なテーマを選ぶわけです。

そうすると彼女たちは、自分がこの人に、教えてあげなくてはいけないという立場ですから、慣れてくると生き生きと語ってくれます。私のほうでは、わからないことがいっぱいでてきて、いちいち注釈を求めなくてはいけないわけです。そして、つぎに彼女がきたときには、私はもう忘れているという状態です。彼女に「先生、覚えがわるいね」なんていわれたりしています。「そうなんだよ、もう年を取っちゃうと」なんて、いいながら聞いているわけですね。

来る日も来る日も、彼女たちの話を聞いているのです。絶対に相手が求めるまでは、こちらからの意見はいわないのです。けれども、彼女のほうから、かならず意見を求めてくるときがあります。それが何週間、何か月、あるいは一年もかかることだってあるんですよ。

彼女がこなくなったら、それで終わりになってしまうからと、早くからこちらの意見をいったりすると、彼女たちは、もうこなくなってしまいますね。けれども、私たちには、彼女たちが通い続けてきてくれたら絶対大丈夫だという、ある種の自信がありますから、相手に意見を求められるまでは、こちらの意見をいわないで待っていられるのです。

はじめのうちは、私たちのまわりで診療を手伝ってくれる、看護婦さんたちが「先生、なんのためにあの子を呼んでいるの。どうして先生はなにもいわないの」と、いらいらしていることがあったりするぐらい、聞き役に徹するのです。相手の話を、来る日も来る日も聞いているのです。それに、本当に楽しく聞いてあげなくてはいけないのです。これも修行のいることでですね。若者の文化に好奇心を持って、本当におもしろく思いながら聞くようにするのです。たしかに、その気になって聞けば、結構おもしろいものですよ。

そうしますと、かならずあるときから意を決したかのように、「先生、私のことどう思う、私のやっていることはどう思う」と聞いてくるのです。「先生、私がなにをしているか知っているんでしょう」と。「知っていますよ、だからきてもらっているんです」。「でも、そのことをいわないじゃん」とかいってくるわけです。「あなたが話そうとしないから聞かないのです」。「ああ、そうだったんだ」というようなことを、話し合っているうちに「じゃ、先生どう思う」といったぐあいに、かならず、本気でこちらの意見を求めてくるのです。私たちはそのときを待っているのです。

そのときには、遠慮会釈なくいってあげなくてはいけない。これもまた大切なことです。こんなことをいったら、傷つくかもしれないと思ったりして、いいかげんな、あいまいな、手ぬるいことをいうと、かえってそれはだめなんです。

この人はこんなに自分を受け入れてくれた、自分のことを、大切に思っていてくれるにちがいない。そうでなければ一〇回も二〇回も、そのたびに三〇分、四〇分の時間を取って、なにもいやな顔をしないで、本当に楽しそうに自分の話を聞いてくれるわけがない。こんな気持ちが彼女らの心のなかに、育ってくるように思います。そうなるまで待っています。親にはなかなかできないかもしれませんが、私たちにはできるのです。

すると彼女らは、あるとき、かならずいうのです。先生、私のことどう思う。私のやっていること知っているでしょう、そういうことについて、先生どう思うと問いかけてくるのです。こちらの気持ちを求めてくるのだと思います。そのときには、こちらが思っていることを、その通りはっきりいってあげる。だから彼女たちは、欲得なしに、本当に自分のことを思っていてくれる人を、求めているにちがいないと思います。

ところが、安心してそれを求める気持ちになれないうちに、あるいは、この人なら信じられる、もっというと、この人にならいわれてもいい、あるいは、しかられてみたいというぐらいの気持ちが育ってくる前に、あれこれいうからだめになるのだと思います。

母性的なものからのやり直しの大切さ

そのようにして、いつまでも待っていて、相手の話を聞いている態度のなかに、家内が「あなたのなかには、母性的なものもたくさんあるように思う」、というようなものを感じるんだと思います。たしかに臨床の場面で、私はしばしば母性的にふるまいますが、それは母性的なものを失った家庭で育ってきた子どもや、若者に会う必要がある場合にです。私も自宅に帰れば、子どもたちには母親がいますから、私は父親でいればよかったし、夫であればよかったのです。ですから、私は単純に自分が母性的だとは思っていません。

けれども、母性的なものの与えられ方が欠落した状態で、いろいろ苦しんで不適応を起こし、相談にやってくる子どもたちや、青年たちが多いものですから、臨床的な診療場面とか、治療場面とか、カウンセリングの場面などでは、とにかく、まず母性的なものからアプローチしていかざるをえないのです。私はそういう習性みたいなものが、たぶん、できてきたのだろうと思います。

どんなタイプの子どもの場合でも、基本的には、母性的なアプローチから始まるということなんです。そして、「ああ、この子には母性的なものは十分伝わったから、徐々に父性的なものを加えていこう」と考えればいいのです。そして、そこからやり直すようにしなければ、父性的な機能のところまでいかないのです。足し算ができない子に掛け算をしろといっても、それは無理なことですよ。もう何歳になったのだから、掛け算ができなくてはいけないなんていったって、それは無理だと思いますね。

基本的には、育児は子どもを十分に受け入れるところから始まるものです。まず、相手の話を聞いてあげることです。相手を受け入れてあげることです。相手が安心するまで、納得するまで、もういいというまで、待っていてあげることです。できるだけ条件なしに、相手を承認する、認める、愛する、親からいえばそういうことだと思うのです。

子どもたちが自律や自立をしていくための、すなわち、自分で自分の感情をしっかり抑制して、自律機能を発達させていくための、しつけや教育をするのは、子どもをありのままに受け入れてあげたあとからです。文化的な社会的な教育は、仮に父性的な働きと呼びたいのですが、母性的なもののうえにしか機能しないのです。

ですから、ある子どもに、いろいろな問題があるように思われたら、それは、ほとんどの場合には、母性的なものが足りないということなんです。母性的なものが十分与えられて、なおかつ社会的に不適応を起こしている人に、私は会ったことありません。お母さん一人の責任という意味で、いっているのではないんですよ。そんな単純なことを、いっているわけではありません。

おそらく、お母さんがどう育ってきたかということだってあるわけですし、お母さんとお父さんの組み合わせとか、さまざまなことがあるでしょうね。また、人間というのは、おとなになっても、いつも母性的なものを必要とし続けているのです。また現代では、お母さん自身が、今、必要としているものが、母性的なものであるということもあるのです。

だけど、今の日本の社会は、母性的なものをどんどん失わせる方向に、動いていると思います。私たちみんなが、そういう風潮に染まっていきますから、どんどんそうなっているのではないでしょうか。子どもにかぎらず、相手をありのままに受容し、承認していくような気持ちを失っていくことは、すこしもわるいことではないという風潮に支配されて、「母性神話」などといったりしているのではないでしょうか。

母親が四〇週も自分のおなかのなかにおいて、大切に育ててきた子どもをいとおしまないで、父親と同じような愛情しか持てないというのは、不思議なことではないでしょうか。今の若いお母さんたちが、自分と同じような質でもって、父親がこの子をかわいがれるはずはないと思って、育児は自分でやりたいと、どうして思わないのでしょうか。

母親に母親としてのプライドがなくなってしまったら、子どもは安心して育っていくことは、できなくなるのではないかと私は思っています。母親は母としての誇りを、父親は父としての自覚を持たなければ、子どもは心理的に路頭に迷うと思います。ですから、みなさんが現代の子どもたちをみる場合には、母なるものを大事にしてほしいと思います。

カナダでの医療チームのことについて

少年たちが起こす事件の新聞や雑誌の記事を読んでいますと、それぞれの専門分野の人たちが、いろいろな意見をいっています。日本では、さまざま専門分野の人たちが連携を取りながら、どう対応していくのかということが、医療の分野にかぎらずできていないように思えます。チームで物事に対応する姿勢などについて、カナダやアメリカで勉強してきたときの経験を、お話してみたいと思います。

最近、医療ミスの記事がとても目立つように思います。そして、日本の医療機関では、患者に対してどう対応しているのでしょうか。また、アメリカのテレビドラマの『ER緊急救命室』などをみていますと、救急患者に対してチームで対応していることがとても新鮮でした。他の国ではどういう実態なのでしょうか。

（二二歳の子の父親）

医療現場でのチームワークの重要性

カナダやアメリカの医療機関には、グループ・プロセスとかプロセス・グループと呼んでいるシステムがありまして、そこでは、いろいろな職種の人がまったく対等な関係で、一緒に訓練を受けるのです。受ける人は若い研修医とか、看護婦になりたての人とか、サイコロジストになって三年以内というような人たちが、さまざまな職種から一人ずつ集まって、毎週一回そういうセッションを持つのです。

そのセッションには、大学病院の精神科の教授とか、あるいは、看護婦長、主任看護婦とか、ソーシャルワーカーのヘッドやサブヘッドの人、そして、作業療法士とか理学療法士とかサイコロジストが指導にくるのです。四週間ごとの先生役には、あらゆる職種の人がきます。たとえば、看護婦が医者を訓練するんですよ。日本では医者以外の職種の人が先生になって、医者を指導にくるなんてことはないでしょうね。

私たち留学生も、訓練途中の若い人たちと一緒に訓練を受けるのです。私は子どもの精神科ですから、一人の子どもとその家族のことを考えるわけですね。そこでは、みんなでかならずディスカッションをして、「あなたの領域からこの子をみると、どういう診断になりますか」「どういう評価をしますか」「それと同時に、あなたの領域からこの子とこの家族に、なにをしてあげられますか」ということを、まず質問されるわけです。

訓練を受けている人たちは、「自分からみると、こういう子どもに思います。この家族はこう思います」「こういうふうに診断するとか、こういうふうに評価する」と、自分の意見をいうのです。すると、今度は「そういう診断なら、あなたにはなにができますか」と聞かれます。そして、自分のところからは「こうしてあげられる」というようなことをいうのです。こういいうディスカッションを、参加者みんなで続けていくわけです。そうすると、職種によって、その人ができることが、微妙にちがっているのですね。あるいは、おおいにちがっていることが、わかってくるわけです。

たとえば、薬の処方は医者にしかできません。だけど、薬ではどうにもならない障害とか、病気もいっぱいあるわけです。そうすると診断のケースによっては、看護婦のほうの役割が大きいとか、サイコロジストのほうが役割が大きいとか、いろいろでてきます。それから、しばしば、特殊教育の先生が必要になったりすると、ソーシャルワーカーは大きな力を発揮できるけれど、医者にはほとんど力が発揮できないということもあるわけです。このように、一人の患者さんに対しても、あらゆる職種の人がそれぞれの専門からみると、いろいろな見方ができることになり、どういう内容のサービスを提供するのがいいのか、ということもちがってくるわけです。

それぞれの職種の人が、自分のところではなにができて、なにができないかを、まず知ることなんですね。同時に、この家族やこの子どもにとっては、どういうことが必要であり、そのなかで自分にできることとは、こんなちっぽけなことだということを知ることも大切なのです。グループ・プロセスでは、そのことを徹底して教えられます。ですから、そこで訓練をしっかりしますと、他の職種の人を尊敬するようになる、尊重するようになりますね。

この子とこの家族には、こんなにいろいろな人が、こんなサービスを提供できる。そのなかで、自分はこの部分のことができる。あるいは、この部分のことしかできないということを理解すると、他の職種の仕事が、いかに大切かということもわかってくるのです。

一般的には、医療機関のなかでは、医者はお山の大将でいることが多いですね。自分がオールマイティみたいな気でいると思うのです。だけどグループ・プロセスでは、あなたにできることは、これっぽっちのことじゃないか、他の職種の人にはこんなこともできるんですよ、あんなこともできるんですよ、というようなことを、それぞれの職種の人に教えていくのです。そして、このように他の職種の人を、本当に尊重できるように教育訓練すると、他の職種の人を尊重できるようになりますから、チームワークができてきます。それから、他の職種の人の力を借りなければ、どうにもならないということを学ぶのです。あれはとてもいい勉強になりました。

そういう教育訓練をする体制は、日本ではまだまだありません。さらに、外国人をこんなふうにして訓練してくれる、日本の大学病院もないでしょうね。私が留学した三〇年ほど前は、まだ一ドル三六五円の時代でした。そのころに、私は月に一〇〇〇ドルももらっていたのです。日本円で月に三五、六万もらっていたんですよ。そして訓練してくれているんですから、すごいことでしょう。けれども、医療行為をするには、むこうの医師国家試験に準ずる試験を受けなくてはいけないのです。それに通ると、留学生であっても医療行為ができるようになるし、病院などに勤めることができるのです。そして、受けてみましたら採用してくれたのです。大変でしたけれど、いい勉強でした。目からうろこがいっぱい落ちました。

日本での現状

日本の医療の場でも、部分的にはチームワークがすこしずつできてきています。たとえば、外科医と麻酔医はそんな関係にありますね。手術にあたって、外科医が「今度の患者さんにはこれぐらいの時間がかかるから、その時間を麻酔で管理してほしい」と、麻酔医に頼んだとし

ます。そして、麻酔医が診察すると「この患者さんには心臓やその他の病気があるから、長時間の麻酔には耐えられない」と、判断することがあります。

そうすると、「この時間内で外科手術が終えられなければだめだ」と、麻酔医も対等に外科医にいうわけです。けれど手術によっては、どうしても長い時間がかかるようなこともあるわけですから、「なんとかならないか」と、外科医も再度頼みます。麻酔医のほうでは「そういう技術のある医者を選べ」「そんなに未熟な外科医じゃ、この患者さんの手術はできないんだ」とか指示します。

手術を途中で中止することもあるのですが、そういうことは、麻酔医が決めることなんです。外科医が決めるんじゃないんです。そうして手術が終わったら、今度は看護婦に引きついでいきます。ですから、一人の患者さんの手術には、外科医と麻酔医と看護婦が、チームワークであたっているといえます。こういうケースでの訓練は、日本でもすでにできているのです。

ところが、その他の職種の人とは、そういう関係は全然できていないですね。たとえば、手術を終わったあと、病棟で何週間、何か月も生活する子どもに対して、病院での生活を、どれだけやすらぎのあるものにするかということは、本来、医者と看護婦ではどうにもならないことなのです。

そこでは、サイコロジストや教育者やプレイセラピストなど、いろいろな職種の人が必要になってくるのです。そういう必要については、今の医学教育を受けてきた医者では、なかなか気がつかないでしょうね。外科医は手術を終えれば、あとは、患者さんが治ればいいと思っているだけだと思うのです。ところが病気によっては、何か月も、ときには一年も、入院が必要なことだってあるのです。

手術のあとの入院生活を、どうすごさせるのがいいのかということは、本当は、外科医にはわからないことだと思いますね。けれども、患者の子どもに、どんな影響を与えるかということは、サイコロジストや精神科の医者にはわかることだと思うのです。

たとえば、難病で外科の手術が必要な子どもがいたとします。すると外科医は、もう自分が九割方、大事な役割をになっているぐらいのことを思っていますよ。ところが、手術後の入院生活のケアのことなどを、いろいろな職種の人に指摘されて、はじめて外科医は気づくことが多いですね。そして、患者さんに対して自分のやれることは、三割ぐらいだということもわかってくるわけです。

そういう過程をへて、医療の場でのチームワークが生まれてくるのではないでしょうか。本当は、日本でもそういう訓練体制が、早くできるといいと思っておりますね。

信頼される医療機関

カナダやアメリカでは、手術の後に患者の子どもが、長い期間を病棟ですごさなければならないとしたら、サイコロジストのスクールティーチャーや、プレイセラピストやミュージックセラピスト、日本でいえば保母さんみたいな人が集まって、自分の領域からは、こういうサービスが提供できる、こういう影響は少なくしてあげられるということを、ディスカッションをしてどんどんやっていくわけです。

そういう医療のシステムは、とくにバンクーバーは最高です。私が留学していたころ、もう三〇年ぐらい前のことですが、そんな前にすでに、そういうシステムが軌道に乗っていたんですからね。それに、そういうことをしっかり主張をする専門家がいるのです。カナダではブリティッシュ・コロンビア大学の内科の教授が、そのことの大切さを言い続けています。

以前に、日本で世界医師会会議というのがあったとき、カナダの医師会長もきて、カナダのブリティッシュ・コロンビア州では、こんなすごいことをやっているんだという講演をしました。自分のケベック州では、まだできないんだが、ブリティッシュ・コロンビア州ではこういうすぐれた医者がいる、それを世界医師会会議で報告しているわけです。そのことが『日経メディカル』という雑誌にちゃんとでていました。

けれども、こういうシステムはカナダやアメリカのなかで、ポピュラーなシステムになっているかというと、かならずしもそうではないのですが、だんだん、そういうやり方になってきましたね。そして、世界的にも影響を持つやり方にもなってきました。

医療の場で大切なことは、患者さんが必要としているものに、どれだけ多くこたえられるかということだと思います。カナダやアメリカの病院では、まず、患者さんのすべての時間をどう尊重するかを考えるのです。医者はいつもそういう姿勢で、患者さんと接していますから、市民が病院に寄せる信頼のしかた、あるいは、医者に対する尊敬の念がちがいますね。

日本へ帰りましたら、医者に対する尊敬の度合いのちがいを、あらためて感じました。日本の患者さんとか家族の人は、それほど医者を尊敬していませんよね。それはあたりまえのことです。日本の医療の場では、患者さんの時間を十分に尊重するという姿勢は、まだまだ不足していますから。

だいぶ前のことになりますが、私が留学したときのことを、すこしお話します。留学したときに、私はまず、アパートを借りにいったのです。家主さんに「この大学病院に児童精神科のレジデントできている医者です」といいましたら、二つ返事で「どうぞ」といわれました。その人は、日本で数年間生活したことがあり、片言ですが日本語もできるのです。だから、私の家内とは、片言の日本語でしゃべるのです。ところが、私に対しては、「医者にそんな失礼なことはできない」と、日本語では話しませんでした。そういう医者に対する態度には驚かされましたね。

すこしたちまして、病院でさまざまな患者さんの診察や、家族の人たちとも話をするようになりました。そのときに、「私は外国人で、英語だってこれぐらい不十分なんですよ。こういう医者を信頼できますか」と、私はたびたび患者さんに聞きました。すると「この病院を信じているから、あなたは信頼できる」といっていました。病院が信頼できないような医者を、雇うはずがないという、患者さんの病院への信頼はすごいものでした。ですから、私はとても働きやすかったですね。

日本人だったらどうでしょうね。日本語がたどたどしい外国人の医者が、自分の子どもの主治医になってごらんなさい。それは、とても心配で信頼できないと思いますし、きっと「主治医をかえてくれ」といいますよ。たとえば、インド人やエジプト人の医師がきて、日本語がちょっと不十分で、それで自分の子どもの主治医になんかなってごらんなさい、それは心配で文句をいうと思いますね。私はむこうでは一度も、そういう不愉快な思いをしたことはありませんでした。

当然、そういう市民から信頼されている病院で働いている、いろいろな職種の人たちも、頑張らなくてはと思うでしょうね。ですから、その人たちの仕事に対する情熱もちがうと感じました。看護婦さんがいて、セラピストがいて、ミュージックセラピストがいて、プレイセラピストたちが、患者の子どもたちの入院期間中の生活の指導をするのです。マンツーマンで遊んであげることもあるし、元気な子を何人か集めて、一緒に遊んであげることもあります。

それからこういうこともありました。私がレジデントのころは、自分が主治医になって外来診療する場合でも、午前中に二人ぐらいの患者さんを診ればいいのです。そして、患者さんを診察したあと、かならず指導教官とディスカッションをするのです。

あるとき、教授から「あなたは、どうして患者を病院に呼んだのか」と、いわれたことがありました。私はどういう意味かわかりませんでした。そして、「診察するために患者を呼んだのです」といいましたら、教授は「あなたは、なぜ往診しなかったのか」という意味のことをいいました。今日の午前中に、あなたが診察するのは、二人の患者さんだけなんですし、あなたは身ひとつでいけるのですから、当然、往診すべきだったというのですね。

たとえば、病院のレントゲンの機械をつかわなくてはいけないとか、脳波の検査をしなくてはいけなかったなどという理由がある場合はいいのです。そうでない場合は、患者さんのところへ往診にいくべきだというわけです。こういうことにも、私はびっくりしましたね。

こういう考え方は、日本の大学病院の発想にありませんね。「何時から何時までだったら、予約の時間がとれるから、その時間に病院にきてください」というぐあいでしょう。日本でも、患者さんが大金持ちで、法外な謝礼をもらうときだったら、大学病院の教授も往診にいくかもしれません。けれども、ごくふつうの患者さんの場合では、医者が往診にいくなんていうことは、めったにありませんよね。そういう意味でも、日本は立ち遅れているように思います。

日本でもそういうシステムができないものでしょうか

救急体制についても、日本とはずいぶんちがっていました。バンクーバーでは患者さんを、

救急車でたらいまわしなんかはしないのです。患者さんからの連絡が、どんなところから入ってきても、救急車はどの救急病院にいかなくてはならないということが、あらかじめ指定されているのです。ですから、ベッドがあいていますかとか、連絡する必要もないですし、右往左往して、受け入れてくれる病院を探す必要なんか、まったくないのです。

それぞれの病院は、病棟が満床で受け入れられないということが、起こらないうちに対策をするのです。たとえば、私の留学した大学病院の精神科でいえば、あいているベッドが三つ以内になったときは、市に申請しなくてはいけないのです。

私はブリティッシュ・コロンビア大学と、バンクーバー・ゼネラル・ホスピタルの両方で、救急の当番医をやったことがありますが、どちらの病院も、救急の患者さんを受け入れないということはありませんでしたね。また、救急の当番の医者は、呼ばれたらすぐにいかなくてはいけないのです。ファーストコール、セカンドコール、サードコールとありまして、ファーストコールの医者で間に合わなかったら、すぐセカンドコールの医者へというふうになっています。ファーストコールの人はいつ呼ばれても、一〇分以内、五分以内、三分以内ぐらいまでに、そこへいかなくてはいけないのです。セカンドコールの人は、三〇分以内にいけばいいとか、そういうことがしっかり決まっているのです。

私の場合は精神科ですので、救急外来にやってくる人というのは、ほとんど明日まで待っていられない人が、緊急でやってくるわけですね。そして、だいたい錯乱状態でわめいているわけですから、英語でなにをいっているのか、私にはわからないこともあるのです。けれど病院のほうでは、私が精神医学の知識は十分持っているし、治療の能力も十分あるということは知っているわけですね。

ですから、私が救急の当番医のときには、佐々木と一緒に勉強しろと、インターンをつけるわけです。あるいは、主任看護婦ぐらいのキャリアのある看護婦を一人つけて、佐々木をサポートしろというようなことをするのです。どういうサポートをするかというと、その患者さんがどういう内容のことをいっているのか、インターンや看護婦が、私に教えてくれるわけです。病院ではそういう方策を、いやがらないでやってくれるのです。ああいうところは、じつにすばらしいことですね。

そういうことも、私が帰ってきてからですが、朝日新聞で報道していました。「命尊しなんとか、バンクーバーの救急システム」なんて、大きくでていましたよ。

また、むこうの病院には面会時間もありませんでした。全時間が面会時間ということは、とくに、患者が子どもの場合には、とてもいいことだと思いましたね。家族は子どもに会いたいときは、どの時間にきてもいいのです。それに非常識な時間にくる人もいませんけれど、何時から何時までは面会で、何時になったら帰れとか、そんなことはないのです。

そして、病院には、家族が泊まれる施設があって、親は病院に泊まることができるのです。「ママはあそこで寝ているんだ」「この病院にいるんだ」とわかることが、子どもには大きな、なぐさめになるということですね。

それに、子ども病院なんて呼ばないで、ヘルスセンター・フォー・チルドレンというんですよ。ブリティッシュ・コロンビア大学附属のヘルスセンター・フォー・チルドレン、いい名前でしょう。そこは、子どもにとってはいやされる場なのです。私はあの言葉にあらわされた精神は、とてもすばらしいことだと思って帰ってきました。

私はノースカロライナという、いいところへも勉強にいっているんですよ。チームプレー、コミュニティワークが、とても機能しているという意味では、世界一ですね。そこでも、本当にいい勉強ができました。私は、いろいろなすばらしい留学の経験をして、日本へ帰ってきました。

その後、日本でもいろいろな職場で仕事をしてきました。職場ではもちろん、講演会などでも、「自分の職種の仕事は、他の人にはできないことをやっているのです」「だれかにその仕事を代わってやってごらんなさいといったとしても、なかなかできるものではないんですよ」と、そういう認識を持って仕事をしてくださいと、一生懸命に伝えてきました。ですから、長い間勤めてきた横浜市の小児療育センターや、リハビリテーションセンターなどの、さまざまな職種の人は生き生きと働いていたと、私は思っているのです。

一般的には、どうしたって国家試験を通った人だとか、試験だけじゃなくても、スピーチセラピストとか、何々とかいわれる名のついている職種の人のほうが、偉そうに思えてしまうものですね。ですから、受付の人などは、サイコロジストやスピーチセラピスト、理学療法士や作業療法士、あるいは、医者や看護婦のような専門家じゃないと思って、自分の仕事に対して卑屈になってしまいがちです。でもそんなことないんですよ。

治療を受けにくる人がそこに入ってきたときに、「よくいらっしゃいました」という、受付でのやさしい言葉ひとつで、不安でおどおどしてやってきた人が、安心するものだと思います。受付の人が、どういうやさしい声をかけるかによって、すぐれたサイコロジストだってかなわないほどのことを、医者が言葉を費やしてあれこれやることよりも、そのひと言のほうが、効果があることだってあるのです。そういう自分の仕事に対する、自信や誇りを持ってもらうように伝えてきました。

幼稚園だって同じことがいえるんですよ。たとえば、若い先生がバスの運転手さんを、自分より位が下だと思っていて、あいさつをしないなんてことがあったりしますね。けれども、運転手さんがいなかったら、子どもは園にこられないわけでしょう。自分たちの仕事も成り立たないんですよ。ですから、運転手さんにあいさつぐらい、ちゃんとしなさいといいたいですね。

今までお話をしてきたような、アメリカやカナダの訓練の方法はとてもいいですね。あなたの領域からの診断と評価をいってください、あなたの領域から提供できるサービスをいってください、というように同じ基準で、医者にも、その他の職種の人たちにも聞いていくのです。自分はこんなふうにみえる、あの人からはああみえる、自分にはこんなことができる、あるいは、こんなことしかできない、あの人にはあんなことができる、こういう訓練をみんながやるわけですから。

日本でもそういう訓練をへて、医療現場で活躍するという方法が、すこしは検討されていますが、まだまだだと思います。けれども、多くの人が医療だけでなく、なにか問題があったら、夫婦とか、親類、地域の人たちとチームワークを組んで、やっていけるという考えになってくれるといいですね。そうなることを期待しているのです。

第四章

障害を持つ子ども

知的障害の子どもについて

精神科医として、今まで多くの障害を持つ子どもたちや、そのご両親にお会いしてきました。障害についてのお手紙もたくさんいただきました。そのことについて一章を設けました。まず、知的障害の子どもについてお話をしたいと思います。

二八歳の知的障害の息子を育てています。『子どもへのまなざし』をその通りその通りと納得しながら読みました。

（二八歳の子の母親）

知的障害の養護学校の教師をしています。先生のご指摘のように、愛情不足で育ったと思われる子どもには、まず、そこからやり直さなければ、なにも始まらないと感じています。でも同僚のなかには、教師は親とちがうのだから、その子の年齢相応に毅然とした態度で接するべきだという方もいます。教師がだっこしてあげたり、抱きしめてあげても、やはり根本的な解決にはならないのでしょうか。

（三歳の子の母親）

秩父学園での知的障害の子の生活行動調査

障害のある子どもといいましても、私は精神科の医者ですので、肢体不自由の子どもとか、視聴覚障害の子どもとか、そういう子どものことには、あまり通じておりません。ですから、そちらのお話を申し上げることはできないのです。私の領域は精神機能とか、知的な機能とかの発達が遅れている子どもを対象にしています。これから、知的発達障害の子ども、あるいは、自閉症の子どももふくみますが、広い意味での、発達障害の子どもについてのお話をしようと思います。

私はカナダのバンクーバーで子どもの精神医学の勉強をしまして、帰ってきて最初に勤めたのが、重い知的障害の子どもの居住する施設で、秩父学園というところです。秩父学園というのは当時、国立で唯一の知的障害の子どもの施設で、私はそこに五年間勤めました。

その施設の子どもたちは、全国の中央児童相談所で、「この子には重い障害があり、家庭での養育が非常に困難」などと判断されて入ってきます。それに就学猶予、就学免除ということでなければ入れませんでした。ですから、ＩＱが三〇を超えると入れないのです。

私が秩父学園に勤めているときに、厚生省からこういうことを調べてくださいという、委託研究の依頼がありました。それは、知的障害の子どもたちを育てているときに、施設の人たちがどういうことに困難を感じているのか、困っているのか。そして、その困難さをどうしたら改善できるのかを考えるうえでの基礎資料にするために、子どもたちの問題行動とか、異常行動とか、不適応行動を調べてくださいというものでした。

不適応行動、異常行動とはこういうものですと、二五種類ぐらいの項目が書いてありました。たとえば、ささいなことで興奮する、人に暴力をふるう、そして、自分で自分を傷つけてしまう、あるいは、食べ物でないものを食べてしまう、器物を破損する、便をこねたりして遊んでしまうなどという行動です。子どもたちがどういう不適応行動、異常行動を持っているのか、そして、そういう行動を日常的にたくさん示す子どもは、どういうタイプの子どもに多いのか、調べるわけです。そのために、それぞれの施設で養育や療育上、職員がもっとも困難に思っている子どもを、五人ずつ報告してくださいという要請でした。

当時、秩父学園には一寮、二寮、三寮、四寮と四つの寮と、さらに、特別な治療を必要とする治療棟と合わせて五つ寮舎があり、一〇〇人あまりの子どもたちが、同じ環境に住んでいました。そこで私たちは、厚生省からの要請された五人だけでなく、一度、秩父学園で生活している子どもたち全員についても、適応の様子を調べてみることにしました。

私たちが養育や療育をするうえで、困難な子どもとは、どういう子なのだろうか。あるいは、どういうタイプの子どもが、不適応行動や異常行動をするのだろうか。それはなぜだろうか。そして、どういう方策を取ると、そういうことがなくなるのだろうかということを考えるために、すべての子どもについても調べることにしました。

子どもたち全員を調べる前に、まず、私たちが養育や療育をするうえで、どういう子どもが大変なのかということで、それぞれの寮から、一番大変だと思う子どもたちを報告してもらいました。Aちゃん、Bちゃん、C君、D君というぐあいに、一人ずつの子どもを、その子どもの保育者、指導員の先生、そして私が協力して、ていねいに調べていきました。

調べ終わってから、その子どもたちの障害のタイプが、どういう診断分類に入るかを考えるために、診断名別にとか、障害になった原因別にとかに分類しました。まず、おおまかにいいますと、先天性の障害の子どもよりも、後天性の障害の子どものほうが、不適応行動や異常行動が多いということがわかりました。先天性というのは生まれる前、後天性というのは生まれたあと、生まれてくる最中は出産期とか出生期といいますけれど、難産の末の、出産の最中の無酸素症とか、低酸素症というような障害の子は、後天性の障害のなかにいれました。

そうして調べていきますと、先天性の障害の子よりは、後天性の障害の子のほうが、はるかに不適応行動、異常行動の数や種類が多く、ささいなことで不適応を起こしてしまうとか、興奮をしやすいことなどがわかりました。後天性の障害というのは、今は少なくなりましたが、当時は結核性髄膜炎、それから、日本脳炎の後遺症などです。

さらにまた、こういう子どもたちが、おおぜいいるということがわかったのはガス中毒です。子どもを寝かしたあと、ガスストーブが消えていたのを、うっかりして気がつかなかったとか、弱く火をつけていたのが消えて、ガスだけがでていたというアクシデントによるものです。その事故によって一命は取り止めたものの、重症の脳障害になった子どもです。

それから、川に落ちて溺死《できし》しそうになった、もう助からないといわれたけれど、幸い一命を取り止めた、ところが、その後に重い脳障害が残って、てんかんを合併して知的発達が遅れることになった、こういう子もいるわけです。車にはねられた、そして頭部外傷を負ったという子もいました。あるいは、二階から落ちて、三階から落ちて重い脳障害になったという子もいます。こういう子どもたちは後天性の知的障害で、この子たちのほうが、はるかに先天性の障害を持っている子より、外部の刺激や情報への適切な反応ができなくて、不適応行動、異常行動を示すことが多かったのです。

ダウン症の子と自閉症の子のちがい

先天性とか後天性という要因の他に、今度は障害別に分類してみました。ダウン症の子どもとか、自閉症の子どもとか、あるいは髄膜炎の子どもとか、脳炎の子どもとか、出産時障害の子どもとか、フェニルケトン尿症の子どもとか…、子どもたちをそういうふうに分類していきますと、診断名も症候群もなにもわからない、けれども、生まれてみたら、なぜだか理由のわからないまま、重い障害を持っていたという子もおおぜいいるのです。そういうふうに障害名とか、診断名や症候群や原因がわかっている子と、わかってない子というふうに分けていきましたら、原因がよくわからないという子の数が、一番多いということもわかってきました。

当時、秩父学園は運動場が、大運動場と小運動場があるぐらい広いところで、敷地は三万坪もありました。そういうところで、子どもたちは、一見、自由にのびのびと生活したり遊んだり、作業をしたり訓練を受けたりいろいろしていました。このように同じ環境で生活している子どもたちのなかで、どういうタイプの子どもは適応がよくて、どういう子どもは不適応になるのかということを、障害名、診断名、原因がまったく不明というように分類していきますと、きれいに分かれることがわかりました。

不適応行動、異常行動が極端に少ないのは、ダウン症の子どもです。そして極端に不適応行動が多いのは、自閉症の子どもということがわかりました。どちらも先天性の障害で、一般には、先天性の障害は不適応行動、異常行動が少ないのですが、自閉症の子だけは例外で、異常行動、不適応行動の多い後天性の障害の子よりもさらに多いのです。

ですから、自閉症はあらゆる障害のなかで、もっとも問題行動、不適応行動、異常行動といわれるような行動群が、極端に多い子どもだということがわかりました。秩父学園には当時、

一〇〇人あまりの子どものうち、一〇人ぐらいしか自閉症の子どもはいませんでした。けれども、その子どもたちは一〇人とも例外なく、群をぬいて不適応行動が多かったのです。そして、やはり一〇人ぐらいいましたダウン症の子どもは、そのようなことが群をぬいて少ない、すなわち、適応がよいということもわかりました。

みなさんに、ダウン症の子どもの性質と自閉症の子どもの性質を、おおむね知っていただきますと、ダウン症の子と自閉症の子は両極端ですから、その他の子どもたちは、その中間に入っているということにもなります。それでは、どういうちがいがあるのかと申しますと、たとえば、ダウン症の子どもは非常に人なつこいのです。そして、人のなかに入ることが好きですし、先生のまわりをいつもうろうろして、愛されたいという気持ちをとても強く持っているし、そういう気持ちをあらわします。そして、他の子の真似が好きです。みんなのやるようなことを、自分もやろうとします。「何ちゃんの持っている、ああいう帽子やカバン、僕にも私にも欲しい」とか、こういうふうに、他の子と共通の部分を一生懸命持とうとします。そして、秩父学園でおこなわれる毎月の催し物や、行事がとても好きでした。

秩父学園という施設に暮らす子どもたちは、親と一緒に生活することができないわけですから、いろいろな行事をたくさんして、子どもたちにすこしでも、楽しい機会を与えたいという気持ちが保育者や指導員や職員にありました。ですから、毎月のようにいろいろな行事がありましたね。「ああ、こんなにいろいろな行事があるのか」と私も思いました。クリスマスもあれば、お釈迦《しゃか》様の花祭りもあるし、お月見もあるのです。一般の家庭ではお月見なんかしないでしょう。お団子をちゃんとつくってお月見もやるんですよ。そういう行事を心待ちにして一番楽しむのは、ダウン症の子どもたちです。

ところが、そういう行事的なことが大きらいなのが、自閉症の子どもなのです。ふだんやりつけないことをやるのが大きらいですから、行事も大きらいで、仲間に入るのをいやがり、運動会なんかがあると、一日中泣いたり怒ったりしていました。人なつこくなく、いつも一人離れて好きなことをしているのです。人の真似は全然しませんし、ちょうどダウン症の子と反対なのです。そして、ダウン症と自閉症の両極端の子どもの中間に、脳炎の子どもとか、出産時障害の子どもとか、いろいろなタイプの子どもが入ってくるということですね。

もうすこしくわしく、ダウン症の子どもと、自閉症の子どもとのちがいをみてみると、ひと言でいいますと、ダウン症の子どもはごくふつうの子どもで、知能の発達だけが遅れているのです。もちろん、なかには心臓の合併症とか、視聴覚の合併症とかを持っている子もいますが、感情や情緒的な面などは、一般の子どもとまったくといっていいほど同じですね。ダウン症の子どもでも、知的発達の遅れの重い子と軽い子がいますが、それぞれの発達レベルに合わせて、ふつうの子どもの何歳ぐらいだという育て方をすれば、だいたいはよろしいのです。

たとえば、ＩＱが五〇のダウン症の子がいたとします。その子が五歳だとしますと、一般の子どもの二歳半の子と思えばいいわけですね。二歳半の子どもと比べても、そう大きなちがいはありませんから、五歳のダウン症の子どもは、二歳半の子どもを育てるように育ててくだされば、あまり問題が起きないと思います。だから、保育園などに入るとき、二歳児のクラスにいかなくてはならないということではありませんよ。二歳児のクラスにいってもいいし、三歳児のクラスでもいいし、四歳児でも五歳児でも、それはかまわないのです。

ただ、五歳児のクラスに五歳のダウン症の子がいる場合には、保育者はこの子の発達指数が五〇だから、二歳半の発達レベルの子なんだというような、心づかいをする必要はあると思います。五歳児のなかに二歳半の子が入っているという気持ちで、保育をすることが大事なことです。このような気持ちは大切ですが、たいていの場合、どうやって保育をしたらいいのかわからないということは、まったくないと思いますね。ですから、ダウン症の子どもの保育、育児のしかたは、みなさんに特別にこうすればいいとか、こうしなければいけませんとか、申し上げることはほとんどありません。ダウン症の子どもとふつうの子どもとは、基本的には発達の筋道はよく似ています。ほとんど同じですが、ただ遅いだけなのです。ですから、その子どもの発達のレベルに合わせて、一般の子どもを育てるように育児をされればいいのです。

ところが、自閉症の子どもの場合は、一般の子の何歳の発達レベルである、というように考えることができませんから、特別な配慮が必要です。仮に五歳の自閉症の子どもの発達指数が六〇だったとします。だから三歳児と考えればいいなんて思ったら、それは間違いなんです。あるいは、発達指数が五〇だったから、五歳だけど二歳半と考えればいいんだと、一般の二歳半の子を保育するのと、同じようにしたらいいかというと、とんでもないことなのです。

自閉症の子どもはどんな年齢のときでも、全体的にみても、一般の子どものような様子を示すことはないのです。一般の子どもとは全然ちがった発達の筋道を歩んでいきます。ときどき、どんな障害を持つ子どもでも、発達の筋道は同じだなんていう人もいますけれど、そんなことはありません。自閉症の子どもと一般の子どもはまったくちがうのです。

ごくまれには、自閉症の子どものなかにも、ある程度人なつこく、模倣性があり、共感性を持って、行事などを楽しむというタイプの子どももいます。そういう子の場合は、その子の発達や特性に合わせて育児をしてあげればいいのです。保育園というのはゼロ歳から五歳、六歳までの子どもがいるところですから、基本的には、保育者のみなさんは、どんな年齢の子どもでも慣れていらっしゃるわけです。けれども、たいていの自閉症の子どもは、それぞれの発達のレベルに合わせて保育をするといいましても、特別な工夫や配慮が必要になりますね。

障害児保育の取り組みについて

私は月に一回ですが二〇年以上、狛江市の保育園の人たちと勉強会を続けてきました。最初は、障害のある子どもを一般の保育園で保育するには、どうすればいいのだろうかということで勉強会が始まりました。狛江市は小さな市ですから、公立保育園の数は全部で七つぐらいです。最初はたった一つの園で、障害児保育を始めたのですが、それから何年かするうちに二つの園になり、何年か前には、全部の園でやるようになりました。

そして、保母さんたちは、自閉症児にかぎらず、どのような障害を持っている子どもでも、保育園で保育できるようになりました。保母さんたちが子ども一人ひとりの特性や、発達のプロフィールを確認することで、それは見事に保育をされてきました。

このごろ横浜市でも、障害児保育のシステムがとてもよくできてまいりました。そのシステムというのは、新横浜に総合リハビリテーションセンターがあって、各地域に地域療育センターがあり、乳幼児健診からいっかんして、障害を持った子どもたちをケアしていくものです。たとえば、障害の重い子は地域療育センターに長く通園するし、比較的軽い子は保育園にいくというようなシステムもできてきました。そういうシステムのなかで、発達障害の子どもをチェックするのに適切な時期は、一歳半健診のときです。そして、子どもたちのさまざまな発達障害は、一歳半の健診で問題がみつかることが多いですね。

たとえば、自閉症の場合も、一歳半健診のときに専門家が診ると、「この子はたぶん自閉症

ではないか」と、思えることがかなりあるんですね。私も保健所で乳幼児健診をしておりますと、自閉症ないし、自閉性障害のある子どもと出会います。言葉の発達が遅い、お母さんに共感的な、人なつこい感情をあまりみせない、勝手に飛び出していって、親が追いかけていかないと迷子になってしまう。あるいは、子どもに呼びかけてもふり返らない、視線を合わせようともしないというような、自閉症、自閉性障害の子どもたちは、いまは五〇〇人に一人ないし、二人の割合でみつかっています。五〇〇人に一・五人前後は、かならずみつかり、多いときには二人ぐらいはいるのです。

そして、その子が自閉症ではないかと思われた場合には、その後、お母さんと話し合いをしながら、いろいろな療育プログラムを組んでいくことになります。こういう子どもを一歳半健診のあと、療育相談や療育プログラムをしながらフォローアップしていきますと、そのなかのある子どもたちは、二歳半から三歳ぐらいの間にかけて、わりあい、急に言葉の発達などがよくなって、いわゆる自閉行動が改善されていくケースが、三〇％ぐらいはあるのです。三人に一人ぐらいは、ある時期から急に発達が上向いてくるのです。

三歳ぐらいになったころに、はじめてその子を専門家が診るとしたら、とてもこの子が自閉症、自閉性障害だったとは思えない状態になる子もいるのです。けれども、急に発達が上向いたのは、特別な療育のプログラムを組んだためか、療育グループにいれて育てたためか、その理由はわかりません。

では、そういう子どもが、そのまま一般の子のようになるかというと、これはなかなかそうはいかないのですね。*注意欠陥多動性障害（ＡＤＨＤ）や、*学習障害（ＬＤ）といわれるような、他の診断分類の基準に入るタイプの子どものようになっていくことが多いのです。一人の子どもがそういう経過をたどることがありますから、自閉症と、注意欠陥多動性障害や学習障害といわれるような子どもとは、どうも連続性があるということが考えられると思います。

＊学習障害（LD＝Learning Disability）
＊注意欠陥多動性障害（ADHD＝Attention Deficit Hyperactivity Disorder）

障害を持つ子どもの連続性

ごくふつうの意味での、知的障害の子どものことを考える場合でも、健常な知能の子どもと知的障害の子どもの、二種類の子どもたちがいるというのではないのです。連続性という側面から考えていきますと、最重度の知的障害の子ども、重度の知的障害の子ども、中度の知的障害の子ども、軽度の知的障害の子ども、ボーダーラインの子ども、正常知能の子ども、知能が優秀な子ども、あるいは極端に知能の発達がいい子どもと、こういうふうに連続性があることが、おわかりいただけると思うのです。

便宜上、測定された発達指数がいくつ以下を知的障害、精神遅滞という、そういう定義はあります。たとえば、知能テストの知能というのは、一〇〇が平均値になるようになっており、平均値から一標準偏差値（知能の一標準偏差値は一五です）の範囲、つまり、知能指数が八五から一一五までを理論的には、正常といっています。

そして、八五から七〇までをボーダーライン、七〇以下の人は軽度の知的障害、五五以下の人を中度といい、さらに三〇以下の人を重度の知的障害と呼んでいます。一〇〇より上の場合でも、一一五から一三〇までをボーダーライン、それを超える人を異常と呼んでもいいと思います。たぶん、七〇以下の人も一三〇以上の人も、異常という意味では異常かもしれませんね。

このように、知能の発達を考えた場合も、連続性があることは事実なわけです。ちょうど視力の場合なんかもそうですね。視力がどれぐらいになったら、眼鏡をかけるかというようなことは、決まっていないわけです。ちょっとわるくなるだけで、眼鏡をかける人もいるし、相当わるいのに眼鏡をかけないで頑張っている人もいます。どこからが眼鏡をかけるような近視かというと、なかなかむずかしい問題だと思いますね。

同じように、高血圧、正常血圧、低血圧といった場合にも、どこからが高血圧かということはむずかしい問題だと思うのです。便宜上、学会では最高血圧が一五〇、最低血圧が九〇、どちらかがそれ以上になった人を、高血圧というふうに定義することになっています。

肝機能の場合でも、ある検査値がいくつ以下が正常、いくつ以上が異常というふうに線を引くのと同じように、肝機能障害のある人とない人と、二つにわかれるのではなくて、ボーダーラインの人もいるわけです。

近年、一歳半のころから、どうもこの子はふつうとは思えない、いったい、この子はなんだろうと思うような状態を示す子どもがふえてきましたね。どこかよそよそしい、言葉の芽というのがうまく育っていない、どうもピントがもうひとつ合いにくい、落ち着きがない、衝動性が強いなどという状態を示す子どもがいます。はっきりした知的障害とも思えない、けれども、まったく健常とも、とても思えないし、自閉症というほどではないと思える子どももいるのです。そして、そういうタイプの子どもにも、それぞれまた個性がありますし、重い、軽いもあるのです。

このようなことを申し上げるのは、最初から自閉症と注意欠陥多動性障害や学習障害、あるいは、その中間型のいろいろなタイプの、子どもたちがいるということなのです。ですから、自閉症の親戚《しんせき》は、注意欠陥多動性障害や学習障害であろうとか、注意欠陥多動性障害や学習障害の重いケースが、自閉症であろうとか、こういうふうに考えることもできるわけです。自閉症と注意欠陥多動性障害や学習障害との関連というのは、なかなかむずかしいもので、簡単に結論がだせる問題ではないようです。けれども、私はそれらは連続性の部分を持った一群か、重複し合うなど、近い関係のものだと思っています。

一九九四年にオランダのアムステルダムでおこなわれた、自閉症にかんするシンポジウムに、私も招待され参加いたしました。そこで、自閉症と学習障害、あるいは注意欠陥多動性障害といわれるタイプの子どもたちの間には、境界線がなくて連続性があるという印象を持っていると話をしましたら、かなりの人がそれに共感を示してくれたように思います。多くの人がそのように思い始めているようでした。

私は注意欠陥多動性障害や学習障害の重症が、自閉症だというように、単純に一列にならぶかどうかは別にしましても、あるいは、診断基準はそれぞれ別々にありますけれど、それら二つないし三つの診断基準にぴったり合う人と、中間ぐらいの人と、どっちともいえない人などが、連続性としてならぶと思います。

一般的な知能の発達障害という面でいいますと、健常の子どもと知的障害を持つ子どもの間には連続性があるし、自閉症の子どもと注意欠陥多動性障害や学習障害といわれる子どもの間にも連続性があります。そして、その間にはずっと無限に、いろいろなタイプの知的障害の子どもがいると思いますね。知能の発達障害を考える場合には、どこからがどうというときに、微妙なむずかしい問題があります。ですから、私たちの正常、異常の問題は、すべて連続性のなかで問われる問題なんですね。

注意欠陥多動性障害や学習障害について

注意欠陥多動性障害や学習障害という言葉を、よく耳にすることがありますが、この子たちをどう理解したらいいのかわからない。あるいは、保育や教育現場で、この子たちにどう接したらいいのか、どういうふうに教えていったらいいのかなどのご質問があります。

園の子どもたちをみていると、いろいろと問題行動を起こす子がいます。どうして、そういうことをしてしまうのかよくわかりません。また、自閉症の子と学習障害や注意欠陥多動性障害の子どもの関連や、ちがいについても教えてください。

（保母）

学習障害と呼ばれる子と、注意欠陥多動性障害とよばれる子をみていますと、同じような行動を示しますが、どのようにちがうのでしょうか。

（小学校教諭）

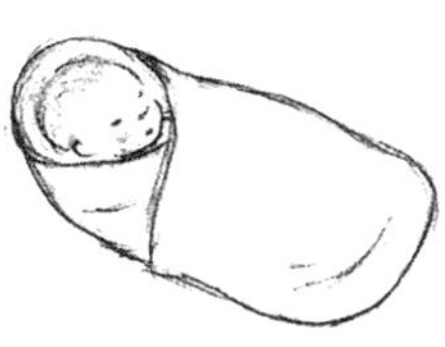

多くなってきた注意欠陥多動性障害や学習障害の子どもたち

知的障害はないにもかかわらず、種々の学習がうまくいかないという子どもたちのことは、教育用語では学習障害*（ＬＤ）と呼ばれています。そして、学習障害の子どもではないかと、最初に気がつくときの、一般的な兆候について、東京学芸大学の上野一彦先生は「落ち着きがない、みんなと遊べない、集団場面での指示の理解がわるい、仲間との集団行動が苦手でよくトラブルを起こす、相手の立場や気持ちがよくわからない、注意が散りやすい、落ち着きがなくよく動く、不器用で運動がきらい、先生の話を集中してきけない」というようなことを、あげていらっしゃいます。

そして、そういう子どもたちが学校へいくようになりますと、授業についていけないということになってきます。どういうふうに、学習に困難を持ってしまうのかといいますと、「読むのが苦手、書くことも苦手、自分で考えをまとめて話すことも苦手、算数の九九を覚えるのが遅い、計算が苦手。こういうことがでてきて基礎学力につまずきがみられる、あるいは、学習しようという態度が形成されない」など、学習障害の兆候が目立ってくるとおっしゃっています。ですから、学習障害という問題や概念は、本格的に学習が始まる、学校へいくようになってからあらわれてくるわけですね。

また、知的障害を持っている子どもたちも、学習はうまくいきませんけれど、そういう子の場合、一般には学習障害とはいいませんね。ですから、学習面での発達が遅いという、学習障害の問題があるなしにかかわらず、注意の集中力がわるく、衝動性が大きい場合、医学診断分類の用語として注意欠陥障害*（ＡＤＤ）といいます。さらに、それらに落ち着きのない多動性が加わると、注意欠陥多動性障害*（ＡＤＨＤ）と呼ばれています。

また、別の診断分類のカテゴリーをつくる専門家の集団がつくったものですが、こういうものがあります。「学業や仕事に不注意が多い、課題や遊びが持続しない、話しかけられていることをよく聞いていない、指示にしたがわない、課題を順序立てられない、精神的な努力をともなうことをやることをきらう、物をよくなくす、刺激にすぐ気をうばわれる、毎日かならずやる課題をしばしば忘れる、手足をたえず、そわそわもじもじさせている、座席を立ち上がったりすることが多い、走りまわることが多い、高いところへよく登りたがる、静かに遊べない、じっとしていない、エンジンにたえずつき動かされて動いているようだ、しゃべりすぎる、質問が終わる前に答えている、順番を待てない、他人を妨害したりじゃまをする」、こんな兆候が多ければ、注意欠陥多動性障害ではないかといっています。

ですから、注意欠陥多動性障害の子どもをみると、そのなかの半分ちかくは学習障害ですし、学習障害の子どもの多くが注意欠陥多動性の問題を持っています。そういう注意欠陥多動性障害の子どもたちが、とても目立つようになりました。

昨年(一九九九年)、NHKテレビの「クローズアップ現代」という番組で、注意欠陥多動性障害の子どもについて取り上げましたところ、とても大きな反響があったそうです。どうしてこんなに反響が大きいのかといいますと、そういう子どもがたくさんいるからですね。しかも、おおぜいの人が、どう対応したらいいのか困っているからなのです。

まず、注意欠陥多動性障害のもっとも目立つ特徴について考えてみたいと思います。その特徴は三つあります。一つめは、不注意というか、集中力がないということがあります。ですから、きちんと物事に対応できませんし、長続きしなく、あっちこっちに気が散ってしまうというところがあります。大切なことに注意がむかない、あるいは、無理にむけようとしても、別の情報や刺激があると、すぐそっちへ気がうばわれてしまいます。

ところが、こういう不注意の問題、注意が持続しないということがありながら、ときとして、あるところに注意が固定して、そこから離れなくなってしまうことがあります。どこかに注意が固着してしまうと、注意が別のほうに転換しなくなってしまいます。それは注意集中力があるというのではなく、固執、執着、こだわりということになります。そのような側面も持っているのです。これが一つの大きな特徴です。

二つめに、多動性ということがあります。じっとしていられなく、あっちこっち動きまわるのです。着席していられないし、すぐ席を立って歩きまわったりします。こういうのは移動性多動というのですが、とにかくよく動くのです。しばしば高いところへ登ったり、くるくるまわるという行動もよくします。また、座っているのですが、体の一部があれこれ動いている子がいます。首をまわしたり、体をよじったり、手足をぶらぶら動かしたり、あっちこっちいじったりしている子がいます。自分だけをいじっているならいいのですが、前の子や隣の子をいじったりします。こういう場合は非移動性多動といいます。子どもが大きくなってくると、そうなってくる子が多くなりますね。

三つめは衝動性、こう思ったらすぐそうしないでいられないということです。欲求や願望とでもいいましょうか、そういうものを先送りできない、我慢できない、抑制ができないのです。

人間はだれでも、なにかしようと思ったとき、一方で、それはしないほうがいいという感情が働くものなんです。「ご飯をおかわりしようかな」「いや、食べすぎになるから食べないほうがいい」とか、「お酒を飲もうかな」「健康のために飲まないほうがいい」とか、「この洋服買おう」「いや、それほど必要じゃないから、やめておこう」というふうに、人間にはどんな行動をしようとしても、その前に「いや、やめたほうがいいかもしれない」という、反対の気持ちが自然に働くものなんです。

いろいろな状況によってちがいはありますが、人間にはかならず、このような反対の感情、抑制する感情というのが働くものなんですね。ところが、「いや待てよ」という衝動をコントロールする感情がかぎりなく働かなくなって、買いたいとすぐ買ってしまう、飲みたいとすぐ飲んでしまうというような状態を、衝動性が大きいというわけです。

不注意というか、注意を持続できないということと、よく動くということと、衝動性が大きいということ、この三つの特徴が合わさりますと、注意欠陥多動性障害というのです。ところが、今のような問題は、私たちにも、時と場合によってはいろいろな程度にでてきます。ですから、注意欠陥多動性障害という意味で正常か、異常かというのは程度の問題なんですね。だれがみても、これは異常ではないかと思われるほど、それらがとても大きい場合には、注意欠陥多動性障害です。

このぐらいなら、だれにでもあるじゃないか、ちょっと欲求不満の強い子だったら、この年齢の子だったら、このぐらいはしかたがないかもしれない、いやそうとはいえないと迷う子もいます。その程度だったらボーダーラインの状態といえます。そして、そういう特徴があまりでない子もいるんですね。

ですから、人間にとって異常とか正常というのは全部連続性なんです。程度の問題だと思います。そういうふうに、全部程度の問題であり、個人差の問題だということを頭においていただいて、どうしようもない困難な病気だとお考えにならないで、程度の問題だと知っていただくことが、まず大切なことだと思います。

＊学習障害（LD＝Learning Disability）
＊注意欠陥障害（ADD＝Attention Deficit Disorder）
＊注意欠陥多動性障害（ADHD＝Attention Deficit Hyperactivity Disorder）

落ち着きがなく、こだわりがあるという特徴

注意欠陥多動性障害の子どもの特徴のなかに、不注意であり集中力がない、落ち着きがない、そして、こだわりがあるということがあります。落ち着きのなさとこだわりが、なぜ起きるかということですが、同時に広い範囲のことに注意がいかないし、いくつものことを、同時に考えるということができないからです。よくいわれることですが、シングル・フォーカスという特性があるからです。

人間は外からいろいろな情報や刺激が脳に入ってきたとき、広い範囲に意識や認識の対象をおいて、そのなかからこれが大切だということを、瞬間的に決めるのです。そして、ちょっと間違えたら微調整をするということを自然にやっているのです。こういうことを、脳の統合力とか、同時総合的な機能といいますが、その素材となるものには聴覚情報や視覚情報、それらの情報に意味づけする力、記憶やそれらを呼びもどす力、手足を動かす力、その他にもたくさんあります。こういう素材や機能を統合する力が強い子ども、弱い子ども、ある部分だけは、とても強い子どもといったように個人差があります。

私たちにはふつう、広くまんべんなく情報を受けて、そのなかから大切なものを短時間で感じ取って、その他の余分な情報は排除する機能が働いているのです。ところが生まれながらに、

そういう機能の弱い子もいるのです。そういう子は広範な情報を同時に受け取れないのです。そして、その情報の受け取り方が、もっとも狭いのが、自閉症の子です。広くできるのがふつうの子です。かなり狭い子が、注意欠陥多動性障害といわれる子どもたちです。ですから、自閉症とか注意欠陥多動性障害といわれる子どもたちは、たえず一点とか、狭い範囲のものしかみていないといえます。

そして統合力がないということは、総合的な視野を持っていないということで、その場面にあった、常識的な適応行動がとれないということになってしまいます。たとえば、幼稚園や保育園で子どもたちを教室に集めて、先生が紙芝居をみせているとか、お話をしているときなどに、先生の話がよくわかるはずなのに、ちょろちょろする子どもがいますね。

どうして、ちょろちょろ、きょろきょろと落ち着かないのだろうかというと、同時にいくつもの情報をまとめることがむずかしいからです。いくつものことに焦点を当てられないからなんです。どういうことかといいますと、子どもたちが先生の話を聞いているときに、遠くのほうで犬のほえる声が聞こえたとします。きっと、教室の子どもたちは「あっ、犬がほえてる」と思います。

そういうとき、落ち着きのない子というのは、「あっ、犬がほえてる」と思ったら、もう気持ちは、先生の話から犬のほうだけに、注意がいってしまうのです。それがシングル・フォーカスですね。一つのことにしか焦点が当たらないのです。犬のほえる声が聞こえると、全神経が犬のほうだけにいってしまうのです。そして、先生の話は聞こえなくなってしまいます。

すこしして、今度は遠くから救急車のサイレンの音が聞こえたとします。子どもは「あれっ、救急車だ」と思う。そうすると、もう先生の話は聞こえていないし、犬のほえる声も聞こえなくなり、救急車のサイレンの音だけが聞こえているのです。さらに、隣の子どもがくしゃみをするとか、かさかさとノートかなんかの音をさせると、またそっちへ注意がいってしまうのです。だから、いつも落ち着かないのです。

教室のなかには、たえずいろいろな情報や刺激があります。そのさまざまな情報が、そういうシングル・フォーカスの子どもに、同時にどっと入ってくるわけですね。しかも、今、大切な情報はなにかという優先順位がつけられないまま、その子のところに、たくさんの情報が同時に入ってくるのです。けれども、そういう子どもは、その瞬間瞬間には、そのうちの一つにしか焦点が当たらないのです。ですから、ちょろちょろ、きょろきょろとしているようにみえてしまうのです。

一般の子どもたちはどうなのかといいますと、「あっ、犬がほえてるな、あるいは救急車が走っているな」と思いながらも、先生が話すことから目や耳がそれたりしません。同時にいくつものことを処理したり、考えることができるからです。

シングル・フォーカスの子どもは、学校へいくようになっても、授業中に「今日、うちへ帰ったら、あのテレビがあるから楽しみだな」と思い始めると、もう、先生の話がまったく聞こえなくなってしまいます。一般の子どもたちも、授業中に先生の話から、他のところへ気持ちが移ってしまうということが、ないわけではありません。けれども、「早く授業が終わらないかな、おなかがすいたな、給食はなんだろうな」ということを思ったとしても、先生の話もずっと聞き続けていられるのです。マルチプルな焦点を持っているといいますが、同時にいくつものことに焦点が当てられるからです。

そういう同時総合機能の不器用さを持った子、あるいはシングル・フォーカスの子どもは、つぎつぎに気が移り変わって落ち着かなくみえます。一方で、あるところでぴたっとシングル・フォーカスが止まってしまうと、今度は、気持ちがなかなか別のところへいかなくて、固執とか執着とかこだわりとかになって困るということもあるのです。落ち着きのないといわれる子どもは、集中力がきわめてわるくみえるか、あるいは一つのことにこだわりが強くみえるか、そのどちらかにみえるものですね。

同時総合的な機能の豊かな子、集中力のいい子どもは、今、大事なものに、いつも焦点を当てることができますし、それほど大事でもないものは、聞こえたりみえたりしても、すっとやりすごすことができるのです。ですから、いくつものことを同時に処理できる、器用であるということになるわけですね。これは、どうも生れつきの体質が、かなり影響していることだと思います。

みなさんからみて、落ち着きがないと同時に、洋服を着たり脱いだり、箸《はし》をつかったり、遊戯をするときの全身の動きが不器用な子であれば、そういう体質、素質を持った子どもだと思います。子どもによっては、こういう体質もあるということも、知っておいていただきたいと思います。

衝動性が大きいという特徴

衝動性ということについて、もうすこし考えてみたいと思います。一般に、人間というのは「なにかしたいと思ったとき」に、かならず「だけどしないほうがいい」という感情が、心のなかにわくものなのです。ところが「なにかしたい」という感情が起きたとき、それに対するカウンター、反作用の「しないほうがいい」という感情が、起きにくくなった状態を、衝動の

コントロールがわるいといいます。極端な例かもしれませんが、たとえば、「あそこにすてきなハンドバッグがある」「買いたい」と思って、財布のなかをみると十分なお金がない。そういうとき、「じゃ、盗もう」と思ってしまう、これが衝動性です。衝動のコントロールがわるいと、万引きをしてしまうということがあります。

私たちの心のなかに、ある感情が起きたとき、同時に、それに反対の感情も起きて、その二つの相反《あいはん》する感情を自分の頭のなかで調整して、あとで後悔しないように考えていく力があればあるほど、衝動のコントロールがいいということです。だれかに腹が立ったとき、「殴ってやろう」と衝動が起きたとします。そのとき「殴ってはいけない」と、自分で自分に言い聞かせる、そして殴らないですんだというのは、衝動のコントロールがいいということです。こういうふうにいくつもの感情が起きて、それを上手にまとめ合わせて、そして望ましい方向に自分をむけていく、これが衝動のコントロールがいいということになるわけですね。

衝動のコントロールがいいとか、わるいということは、運動が器用だとか、不器用だとかと同じように、感情のコントロールが器用か不器用かということなのです。そういう意味で、現代人のなかに衝動のコントロールのわるさというのが、とても目立ってきましたね。これは、生まれながらの部分も大きいと思いますが、もう一つは、現代人が友達との遊びのなかで、感情をぶつけ合いながら、問題があったら解決していくという練習が、小さいときから不足していることにもあると思います。

たとえば、こういうことです。ある子どもが友達と遊んでいるときに、自分の思った通りに行動したら相手が怒ってしまった。あるいは、泣いてしまい、つぎからその子と遊ぶことができなくなってしまった。このような経験を通して、「自分の思った通りに行動したために、友達を失ってしまった」ということがわかり、つぎからは、そうしないでおこうと、我慢することも覚えていくわけです。こういうことをくり返しくり返し体験して、感情のコントロールを身につけていくのです。

ところが、現代の子どもたちは、兄弟が少なくなったり、近所の友達と遊ばなくなったり、親類の家に遊びにいって、いとこ同士で遊ぶことも少なくなったりして、いろいろなことを通して、感情をコントロールする経験が不足していると思います。

感情のコントロールのよさというのは、まず、そういう経験をくり返すことによってできてくるものなのです。けれども、もっと大切なことは、そういう経験をくり返すということ以前に、子どもたちが自分自身に、肯定的なイメージを持つことだと思います。自分を大切にできる、自分で自分のことを評価することができれば、人間は衝動のコントロールができるものなのです。一方、自分自身に肯定的なイメージを持てない子どもは衝動的になります。

衝動のコントロールがわるい人は、子どもにしろ、おとなにしろ、自分に対する肯定的なイメージを持てない人なんですね。あるいは、こういう言い方もできます。自分に誇りを持てない、自分で自分に肯定的な評価ができない、こういうときに人間は、衝動のコントロールを失いやすいのです。キレやすくなるのです。

子どもたちが自分を大切にできる、自分で自分のことを評価できるためには、その子のことを大切にしてくれる人を、いっぱい持っている必要があるのです。「僕のことを、私のことを大切にしてくれる人がいっぱいいる」という実感を、日常生活のなかで、子どもたちに与えてあげる、これがとても大切なことだと思うのです。人間は他の人から大事にされているという経験がないと、自分に誇りを持てないし、自分に対する肯定的なイメージを持てないのです。

子どもの場合には、とくにそうだと思いますね。

私たちは保育や教育、育児の領域で、衝動のコントロールのわるい子どもを、どう育てていくのかということも、考えていかなければなりません。そういうことを考える場合、わかりやすくいえば、大切なことは「僕のこと、私のことを好きだといってくれる人がいる」という実感を、子どもにどう与えるかということなんです。この子たちには、ストレートに好きだといってくれる人がいないんです。「こうしなくちゃだめだ」「あんたは、おばかさんだ」とか言われ続けて育っています。せいぜい、「こうなったら好きだ」というような、条件つきの愛情しか与えられてこなかったのではないでしょうか。

私たちはふだん、「こうなったらほめてあげる」「こうなれば好きだといってあげる」「こうすればあんたはいい子だ」、というような言い方をしていませんでしょうか。けれども、本当は、子どもたちはそうならなくても、「いい子だ」といってほしいのです。これが大切なんです。ところが、私たちはこれができたらいい子だといってあげる、ほめてあげる、好きになってあげる、こういっているわけです。

そうすると、その子はそうなってないのですから、子どもにとっては、あんたなんかきらいだといわれていることと、まったく同じなんですね。このことに私たちは、親や教師たちは気づかないことが多いと思います。そういうことが子どもたちに、どれだけ自信を失わせ、生きる希望や力を失わせるかということを、みなさんにわかっていただきたいと思うのです。

子どもたちというのは、親とかおとなとか、その子どもの養育にかかわっている人から、そのままでいいんだという承認をもらわなければ、生きる力はでてこないのです。ようするに、自分を大切にする力がでてこないわけです。自分を粗末にするもっとも典型的なことが自殺です。つぎに自分を粗末にする生き方は、人を傷つけることにつながっていきます。

人間というのは、自分が大切にされているという実感があるとき、生きる希望が与えられ、衝動のコントロールができるようになっていくものです。衝動のコントロールができるようになっていくということは、自分で自分に安心するということであり、自分を大切にすることができ、自分の存在に誇りが持てるようになるということなのです。

注意欠陥多動性障害や学習障害の子どもたちは、不幸なことに、その子がそのままでいることに、なかなか承認が得られないのです。知的障害の子どものほうが、ある種の承認が受けやすいですね。親やまわりの人も、知的障害の子どものそのままを承認しやすいものです。教育者や保育者もそれぞれに承認していくことができます。

ところが、注意欠陥多動性障害や学習障害の子どもたちは、知的障害があるわけではありませんから、親やまわりの人からは、現状を承認してもらえないことが多いのです。そして、親やまわりの人から「問題」のない子にしたいという、無理な力が加えられることになります。そうすると、子どもたちは衝動性を、ますます大きくしてしまうわけです。自分をコントロールできにくくなってしまうわけです。そして、自分を粗末にする生き方をしてしまうのです。

親やおとなが、子どもだって五分や一〇分ぐらいは、ちゃんと座っていられると思っても、この子たちは座っていられないのです。みんなが集まるまで待っていられると思っても、待っていられないのです。かっとなると、他の子をぶたないでいられないのです。あるいは、かみつかないでいられないということがあるのです。しかも、ふだんから理解されていなければいないほど、そういう衝動は大きくなっているわけです。

たしかに、この子たちは、まわりの人に迷惑をかけるし、相手の立場や気持ちがわからないし、仲間と集団の行動が苦手で、よくトラブルを起こします。そのままでいいはずはないと思います。けれども、私たちに必要なことは、そういうことを超えて、それでいいんだよというところから、出発してあげることだと思います。

体の動作が不器用という特徴

それから、全身の動作や指先の運動が不器用だというのも、注意欠陥多動性障害の子どもたちの特徴です。脳性麻痺《まひ》の子どもたちのような手足の麻痺《まひ》はありませんが、体が思い通りに動かないのです。自分の思い通りに動かないというのは、器用に手足を操作することができないということですね。基本的には、こういう子どもたちを、どういうふうに分類して、どう考えたらいいのかということは、ちょっとむずかしいかもしれませんが、ようするに、神経の働きのまとまりがわるい、こういうことです。だから、それがまとまる方向に保育してあげなければいけない、教育してあげなければいけないということだと思うのです。

神経系統の統合がわるい、神経の働きのまとまりがわるいということは、わかりやすい例で申し上げれば、運動系統をみるとよくわかります。子どもが大きくなってきますと、指先の動作が不器用にみえますし、全身運動が不器用にみえます。たとえば、いつまでたってもボタンがかけられない、箸《はし》の持ち方が下手である、ひもがなかなか結べない、洋服を着たり脱いだりするのが、とても不器用だというのが目立ってくるわけです。それは運動機能のまとまりがわるいということになります。

たとえば、右手をあげました、右手をおろしました。あるいは、左手をあげました、途中までおろしました、一番下までおろしましたというようなことが、自由にできるということは、それらの動きの一つずつを調整する脳からの神経系に、別々の経路があるということです。左手は休ませて右手だけあげました。小指だけ動かします、あとの指は動かしません、こういうことがそれぞれできるのは、一本一本の指を動かす中枢神経からの命令系統が、それぞれ別々にあるからです。別々になかったら、全部の指が一緒に動いてしまうわけです。さらに体の各部を同時に、しかも、いろいろな組み合わせで動かすこともできるのです。私たちが体のどの部分を、どの程度、動かすかということにかんしても、別々に運動神経の働きがあるということです。

そういうことでいいますと、記憶とか判断するとか推理するとか、音を聞くとか、なにかをみるとか、あるいは、発音するときに発声の筋肉を、どのように動かすかということにかんして、それはもう、たくさんの神経の働きがあるわけですね。そういうおびただしい数の中枢から末梢《まっしょう》にかけての神経が、どういうまとまりを持っているのか、どういう協調性や連絡を持って統合的に機能するのか、しないのかは、人によっていろいろでして、単純に運動系だけでも、個人差はさまざまです。そういうまとまりをするための働きが、とてもわるくなった子どもたちが、どうも多くなってきたように、現代社会は思えるわけです。

たとえば、そういう統合機能のわるい子どもが、どういうことならできるかといいますと、ブランコを単調にこぐとか、トランポリンをぴょんぴょん跳ぶだけだとかいうようなことですね。こういうことは、この子たちでも自閉症の子でも、なかには上手にできる子もいます。ところが、手と足を同時に操作しながら縄跳びをする、鉄棒で逆上がりをする、飛び箱を跳ぶとか、距離や方向を組み合わせてするボール投げなど、いくつもの感覚や運動などの動作を、いろいろな組み合わせでやるということになると、うまくできないのです。

ですから、トランポリンを跳ぶのが上手だからといって、その子に縄跳びを教えようとしても、これはなかなかできないのです。縄跳びは手の運動と足の運動とを、同時総合的に動かさないと跳べません。手だけぐるぐるまわすのはできますし、跳ぶだけなら跳べるのです。ところが手の運動と足の運動を、一定のリズムで組み合わせるということは、この子たちには、うんと時間がかかりますし、一般の子どもの何倍もかかるのではないでしょうか。

自閉症の子どもは、ときとして、何倍かけてもできないと思えるほどできないのです。おそらく、保育園時代にはどんなに指導されても、よほど特別な、例外の子ども以外はできないと思います。そのぐらいむずかしいことなんですね。ですから、いくつもの動作を組み合わせるのが下手なこの子たちは、ひもを結ぶ、はさみをつかう、ボールを投げる、そういうのはみんな苦手だと思いますね。

その他にもこの子たちにいろいろテストをしてみますと、いっぱい不器用さを持っていることがわかります。片目だけつぶるということも苦手です。右目は開けたまま、左目だけつぶるということはとっても下手です。両方つぶるか、両目を開けるか、どちらかしかできません。ですから、双眼鏡はいいんですけれど、望遠鏡がなかなかうまくつかえないんですね。この子たちは、遠い近いの感覚がとても弱いとか、自分の全身のボディイメージが、脳のなかに統合的にとらえられていないとか、空間などの立体的な知覚がわるいとよくいわれます。

みなさんは目をつぶっても、自分の手足の位置関係はみえるでしょう。目をつぶってしまうと、自分の指の先がどこにあるか、わからなくなってしまうなんていう人はいないですよね。簡単なテストとしては、指を一本だして目をつぶって、鼻の頭をさわってくださいというのがあります。目をつぶっていてみえないから、指先が鼻の頭にこないという人は、いらっしゃらないと思います。また、指と指とを目をつぶって目の前で合わせる、これだって指先がどこにあるかということが、目をつぶっていても、脳のなかでみえるからできるんですよ。

こういうテストもあります。あおむけに寝て目をつぶって、片ひざを立てます。もう一方の足を伸ばしておきます。目をつぶった状態で、もう一方の伸びている足を、立てた足と同じだけの角度にまげてくださいというものもあります。そういうとき、ボディイメージがしっかりできていないと、右のひざがどれくらいまがっているのかわかりません。だから、左のひざをどれくらいまげるのかということも、わからなくなってしまうことがあるのです。

けれども、ふつうこれらのことは、よほど特別な病気の人以外はできることだと思います。一本一本の指がどれぐらい伸びているか、手首の関節や指の関節がどれぐらいまがっているか、それを全部コンピュータみたいに、脳のなかで計算して描けるのです。専門的にいいますと、深部知覚というのですけれど、全身の各関節から刺激を送ってくるのです。その脳に集められた情報によって、自分の指先がどの空間にあるかわかりますから、目をつぶっていても、鼻の頭に指を持っていくことができるのです。左右の特定の指先と指先もちゃんと合わせることができるのです。ひざの関節のまがりぐあいを、実際に自分の目でみてみなくても、正確に知ることができるのです。赤ちゃんのときにはわかりませんが、年齢を重ねるうちに、脳のなかにそういう働きが、だんだんできるようになってくるんですね。

本来、人間は深部知覚から自分のボディイメージをつくるための情報が送られてきて、目を開けていなくても、自分の全身の位置関係が正確にイメージできるものなんです。それが訓練で統制されてくることによって、行動の次元となり、ごく簡単な日常的な動作からむずかしい動作まで、自然とできるものだと思うのです。

注意欠陥多動性障害の子どもは、そういう働きがわるいのです。ですから、この子たちのなかに運動神経のいい子は、めったにいないといってもいいですね。だから、この子たちはよく物につまずいたり、頭を柱にぶつけたり、よくけがをします。注意欠陥多動性障害の子どもは、自分の体を持てあましているわけです。自分の体がじゃまでしようがないのです。この子たちは、しばしば体操の時間とかスポーツの時間に、自分の体を捨てたくなるほど、自分の動作がうまくできないのです。いらいらして物をけとばして、足の小指のつめをはがしてしまうこともあります。

そういう障害を持たないみなさんや私たちには、深部知覚がわるい、ボディイメージが不鮮明である、あるいは、種々の感覚運動にかんする同時総合機能がわるい、いくつものことを同時におこなったり、考えたりすることができないということが、なかなか理解しにくいと思います。けれども、運転免許を持っていらっしゃる方は、思い出していただければわかると思うのですが、教習所で「ブレーキが遅い」「ウィンカーがでていない」「どうしてエンストばかりするのか」などと、教官からさんざんいわれたことがありませんか。

車の運転というのは、感覚や運動系の働きをつかって、同時にいくつものことをするわけです。ですから、初心者のときのようにできない人には、なかなかうまくできないのです。教習所の教官は、車の運転はうまいですから「どうしてこんなことができないんだ」と怒ったりします。だけど、怒れば上手になるというわけではありませんよね。むしろ、怒られたことによって混乱して、なにをやっていいのかわからなくなるという経験を、みなさんも、たくさんしたのではないでしょうか。下手な人は下手なんです。これはどうしようもないことなんですね。

ですから、この子たちに生活に必要なことを教えていくということは、初心者に車の運転を教えるという要領だと思いますね。本当に運動神経がわるい生徒が、免許を取りにきたときの、教官の気持ちになってくだされぱいいのです。他の人の何倍も車に乗らないと、だめだという人を預かったのだと思ってください。車の練習を他の人の一〇倍ぐらいやって、やっと免許を取るという状態がこの子たちなんです。そんなふうに、何回も手とり足とりしてあげて、体が覚えてしまうまで、くり返し教えてあげてくだされば、すこしずつですが、体の動きも変わってくるのではないでしょうか。

注意欠陥多動性障害の子ども

ＮＨＫテレビの「クローズアップ現代」という番組で、注意欠陥多動性障害について放映しましたら、問い合わせや大変な反響があったのでしょう、再放送をしていました。そうしましたら、ますます反響が大きくなって、今度は、「ＮＨＫスペシャル」という一時間番組につくり直して放送をしていました。このように何度も再放送されたということは、こういう子どもたちが、近年とてもふえているということでしょうね。そして、こういう子どもたちの保育や教育、育児その他でとまどっている、あるいは、困難を感じている人たちが、日本各地に多いからだろうと思います。

どういう経緯で、あのテレビ番組がつくられたのかはよく知りませんが、あの子どもは、私がある診療所で診ている子どもでした。そして、「ＮＨＫスペシャル」をつくるときに相談を受けました。テレビをごらんになった方もいらっしゃるかもしれませんが、「ＮＨＫスペシャル」にでたあの子に、私が最初に会ったとき、すぐにこの子は注意欠陥多動性障害だということがわかりました。

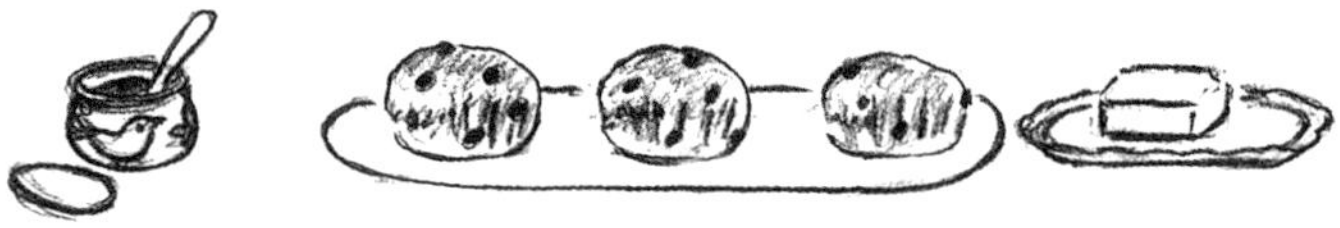

そして、私もたくさんの注意欠陥多動性障害の子どもたちを診てきましたけれど、あれだけ特性や症状がそろった子は、あまりいないと思うほどでした。はじめて私の診察室にやってきたとき、その子はいっときも、じっとしていられなかったのです。私の机の上にあがって、でんぐり返しをした子なんてはじめてでした。ソファでも床でもひっきりなしに、そういうことをやって動きまわっていました。じっとしていられないのです。じっとさせようとしたら、顔が苦痛でゆがんでしまうほどすごかったですね。

この子たちは、しばしばモーターで動かされている子どもだとか、バネ仕掛けで動かされている子どもだとか、いろいろな表現でいわれています。自分の意思で動いているのとはちがって、自分で自分の動きを止められないほど重症の子どももいます。そこまで、その子をひどくしてしまうのは、じつはまわりのおとななんです。なぜかといいますと、私たちや親はその子に「静かにしていなさい」といえば、できないはずがないと思っています。このように体を動かしてごらん、あのように動かしてみなさいということは、この子にはむずかしいかもしれないけれど、体を動かさないでいるのは、やさしいことだと思ってしまうのです。

けれども、人間にとって、じっとしているのはむずかしいことなんです。基本的には、じっとしていられないんですね。私たちだって、じっと立っているより、歩いているほうがずっと楽でしょう。一時間歩き続けることは、ちっともむずかしくありません。一時間ずっと立ったままでいるほうが、はるかに大変ですね。ですから、適度に動いているのはいいのですけれど、この子たちは過剰に動くのです。これに対して、私たちは「じっとしているという簡単なことが、どうしてできないのか」としかるわけです。でも、この子たちは、それがなかなかできないのです。そしてまた、親や教師はしかります。こういうことがますますエスカレートして、ひどい状態になってしまうわけです。

私はその子の様子を両親に説明したあと、「この子をしからないで育児ができたら、問題はそれだけ早く解決すると思います。あるいは改善すると思います」といいました。お父さんは「こんな子をしからないでいられますか」とおっしゃったのです。そして、その子をしじゅうしかっていたわけですね。「注意をすることはかまいませんが、しからないということをお父さんにも努力していただかなくちゃ」と、こういうことを私はいいました。その子をおだやかに注意することはいいのです。だけど、しからないことが必要なことなんですと、くり返しいいました。

お父さんは「それはできないかもしれない」といっていましたから、私が「お父さんがしからないでいられないのと、この子がこういう症状をださないでいられないことは同じことですよ。では、どちらが先に我慢すればいいんですか。お子さんのほうが先に我慢すれば、お父さんも我慢できるようになるというのですか」といいましたら、「厳しいことをおっしゃいますね」なんて、お父さんはいっていました。

さらに、私は「お父さんが先に我慢してくださったら、子どものほうも、あとからだんだん我慢できるようになる。こういうのがふつうの親子関係か、大人と子どもの関係じゃないですか」と、こういうふうに申し上げました。お父さんはものわかりのいい方でしたから、話をしているうちに、「わかりました」とおっしゃって、帰っていかれました。

そして、二週間後にお会いしました。「この二週間に三回しか怒りませんでした」と、胸を張っておいでになりました。とても率直ないいお父さんです。その子は怒られる回数が減っただけで、見違えるように変わっていました。お父さんは「しかって言い聞かせなかったら、直らないと思っていましたが、反対なんですね。先生のおっしゃることは、そういうことかとわかりました」と、そんなことをおっしゃっていました。

だからといって、私はただ怒らなければそれでいい、ということをいっているわけではないのです。だけど、子どもにとって怒られるということは、自分を否定的に、否定的に考えていくことになってしまうのです。しじゅうしかられている子どもは、自分にプライドが持てるようなな育てられ方をしてこなかった、自分にプライドを与えてくれるような、肯定的な評価をしてくれる人にめぐり会ってこなかった、こういうことでしょうね。そういう自分に対するプライドがない、自分を否定的に考えてしまう人は、ますます衝動性が大きくなり、さまざまな問題を起こしてしまうということになるのです。

注意欠陥多動性障害の子どもたちにかぎらず、子どもたちに接するときは、単純にいいますと、おだやかに注意し、くり返しいって聞かせる。だけど、基本的にはしからない、そういう発想だけだと思うのです。おだやかにいい聞かせるときには、理解しやすくということも大切なのです。たとえば、なにか注意するときに「それはしてはいけないよ」と、こう伝えるだけでいいのです。それを、しばしば「なぜそんなことをするんだ」というような感情的な言い方を、みなさんもしていませんか。

一般の子どもだったら、それは理由を聞かれているのではなく、「それはやめなさい」といわれていることだとわかるかもしれません。けれども、この子たちは理由を聞かれていると思ってしまうわけです。この子たちには、なぜ自分がそんなことをしているかなんて、そんなことはわかりません。私たちだって、知らず知らずにしている貧乏ゆすりを、なぜしてるんだと理由を聞かれても、説明なんかできないと思います。このように、ひとつの言葉であっても、どう伝わるかはむずかしいものなんですね。こういうことも、みなさんに知っていただきたいと思います。

そんなことをあれこれしているうちに、テレビにということになったのです。あの子に対する、お父さんやお母さんの忍耐力はもちろんですけれど、それとともに、担任の先生と、それを支えるまわりの先生方の忍耐力、それはとても見事なものでした。自分に対して、とても肯定的な対応をしてくれたということが、あの子の心のなかで大きな力になって、変わっていったのだろうと思います。

たしかに、その後もつぎつぎに課題があって大変なんだそうですが、あの子は今、ずいぶんいいですよ。そしてテレビで放送されたあと、あのときの子が、今はこうなりましたという、番組をつくったらどうでしょうかと、私はNHKの方にも申し上げました。それは、各地のこういう子どもたちを持っている人、あるいは、こういう子どもたちの周囲にいる人に、大きな励みになることなのですから、そういうのも公共放送の役割じゃないですかと、申し上げたことがあるのです。本当にあの子は変わったんですから。

あの子はおもしろい子どもでしてね。「テレビで先生は、佐々木先生って名前がでていたけど、僕はA少年だった」というのですね。気にいらないらしいのです。僕にもちゃんと名前があるといっているわけです。「じゃ、今度はA少年とB先生と書いてもらおう」と話したのですが、それもだめだというのですね。NHKの気づかいを彼はわからないようですが、とてもおもしろいことをいう少年だなと思いました。でも本当にいい子どもになりました。

自閉症の子どもについて

人とうまくかかわり合うことや、コミュニケーション機能の発達に遅れを示すなど、子どもの発達障害である自閉症を、最初に報告をしたのはアメリカの児童精神科医レオ・カナー教授です。それから、五〇年以上もたちますが、一般的には、なかなか理解されていないというのが、現在の状況のように思います。そこで、自閉症とはどういう発達障害なのか、また、この子たちにどう接していったらいいのかなど、できるだけわかりやすくお話ししたいと思います。

まもなく三歳になりますが、言葉が話せず、意味不明なことをひとりごとでしゃべっています。それから、人とのかかわりがほとんどなく、まわりに同じぐらいの子がいても一緒に遊ばず、児童相談所の方や心理発達の方に、自閉症の疑いがあるといわれました。自閉症のような症状もあり、最近はそうなのかなと思い始め毎日が不安です。以前にくらべると落ち着いてきた感じはあるのですが、やはり病院へいくべきでしょうか。

（三歳と一歳の子の母親）

自閉症の子ども

自閉症の子どもについては、いろいろな言い方がされています。たとえば、カリフォルニアのある自閉症児を持った両親が書いた本で、『さまよえる異邦人』というのがあります。また『ほかの星から来た子ども』というタイトルの父親が書いた本もあります。このように、自閉症の子は異星人ではないかと思えるぐらいに、一般の子どもともちがうのです。

自閉症の子どもの特徴の一つに、シングル・フォーカスということがあります。これは一つのことに焦点が当たると、他のことは、なにもみえなくなってしまうかのような状態になってしまうことです。そういう意味で、アメリカの自閉症児の父親が、「この子のいく道には狭いスポットライトが当たっているようにみえる」といっていました。焦点の当たった道から一歩はずれると、この子の世界は暗闇《くらやみ》だというのですね。自閉症の子にはそういうところがあるのです。

そして、このお父さんが学会で親の立場から、そのように報告しましたら、別の親から「あなたのお子さんは、まだ、いく道がみえているからいいけれど、うちの娘はスポットライトが、自分のまわりにだけしか当たっていない、ここしかないんだ」といったそうです。その子はもっと重症なわけですね。とてもわかりやすい表現だと思いました。

また、『自閉症連続体』（オーティズム・スペクトラム）という本を書いた、ローナ・ウィングという人は「自閉症の子は時間と空間のなかに、自分を位置づけられない」と、とてもうまい表現をしています。わかりにくいようでいて非常にわかりいい表現です。ローナ・ウィングという人は、世界有数の自閉症学者であると同時に、重症の自閉症の娘さんを持ったお母さんなのです。そして、その本のあとがきに「この人たちからは、私たちの世界に近づいてくることはできないんです。だから、私たちが相手に近づいていくしかない。そして無理のないやり方で、だんだんこちらの世界に誘導してあげる…」ということを書いています。その通りだと思います。

保育園や幼稚園のクラスに、自閉症の子どもが一人入っていると、その子はどこか別の星からまぎれこんできたと思えるほど、他の子どもたちと、ちがうことがいろいろとわかります。ですから、自閉症の子どもを統合保育していらっしゃるみなさんは、きっと、いろいろなむずかしさを感じていることと思います。この子たちは、ただ落ち着きがなく、異常行動ばかりしているようにみえるということではないのです。現実に不適応状態なのです。あるいは「見えない病気」と、本のなかで書かれた家族もいますが、自分の子どもの内面で起きていることが、みえない、わからないというわけですね。ですから、さまざまな言葉をつかって、お母さんやお父さんが、自分の子どものことを説明しようとされているのだと思います。

自閉症を最初に報告したのは、児童精神医学全般に大きな業績を残した、アメリカのレオ・カナーという人です。カナー教授の報告には自閉性の傾向が強く、知能の発達も遅れているという子が多くいました。現代になって自閉症の子どもたちが、ふえているといわれていますが、カナー教授が報告したときのような自閉症の人たちが、ふえているようには思えません。

どういう人がふえているのかといいますと、知能の発達は遅れていない、あるいは正常だ、たとえ遅れていてもきわめて軽い状態です。けれども、自閉症の特性が強いというのがはっきりしている、というような人がだんだんふえてきたように思います。こういう人のことを高機能自閉症と呼んでいます。なぜか英語圏の人は高知能自閉症という言い方をしなくて、高機能自閉症という言い方をします。そういう人たちが明らかにふえてきているのです。

そして、自閉症の人たちとの関連が密接不可分である、あるいは、とても深いつながりを持っているといわれる、注意欠陥多動性障害や学習障害と呼ばれる子どもたちもふえてきました。ですから、自閉症の子どもの特徴は、いろいろな意味で、注意欠陥多動性障害や学習障害の子どもとも重複しているし、これらの子どもたちは、もしかすると相互に重複し合ったり、連続性があるということをふまえたうえで、お読みいただきたいと思います。

サリーとアンの実験

そういう子どもたちの様子を、みなさんに理解していただくのに、「サリーとアンの実験」という有名な実験があります。ご存じの方もいらっしゃるかもしれませんが、みなさんにわかりやすいように、すこし脚色してお話をします。

サリーとアンという、ごくふつうの二人の女の子が、たしか、おはじきだったと思いますが、それで遊んでいます。じつは、二人の女の子は、研究者からこのように遊んでくださいと頼まれた通りに、遊ぶ演技をしているのです。そして、二人の遊ぶ様子をワンサイド・スクリーンを通して、こちら側から子どもたちがみているのです。

ワンサイド・スクリーンとは、よく治療室とか、プレイルームにありますが、片方からしかみえない、むこう側からは鏡とかメッシュになっていて、こちらはみえないけれど、こちら側から一方的にむこうがみえるというものです。

ワンサイド・スクリーンをへだてて、むこう側ではサリーとアンが遊んでいます。こちら側では自閉症の子どもで、簡単な言葉のやりとりができるぐらいに、能力の高い子どもたちが何人か集まって、サリーとアンの遊びをみています。そして自閉症の子だけではなくて、一般の

健常な子どもたち、それから、ダウン症の子どもたちにも協力してもらって、ワンサイド・スクリーンのこちら側から、みんなでサリーとアンの遊びをみてもらったのです。

遊びそのものは、おはじきで単純な遊びをしているだけです。しばらくして、遊んでいる途中でサリーが、「私、用事ができたから」といって、部屋からでていってしまいます。でていくときにサリーは「これは私のおはじきだからね」といいながら、自分のおはじきを全部、部屋にある箱のなかにいれていきます。

部屋に残されたアンは、そのあとしばらくは、一人でおはじき遊びをしていましたが、「つまらなくなっちゃった」なんて、ひとり言をいいながらやめてしまいます。遊びをやめたとき、アンは自分のおはじきを、そばにあったバスケットのなかにいれます。ところが、つぎの瞬間、なにを思ったのか、アンはサリーが箱のなかにしまっていったおはじきも、すべて自分のバスケットのなかにいれてしまいました。

ワンサイド・スクリーンのこちら側からみている子どもたちは、サリーが部屋をでていくときに、おはじきを箱のなかにいれていったのをみています。そして、そのあと部屋に残ったアンが、自分のバスケットのなかに自分のおはじきと、サリーのおはじきも両方いれてしまったということも、ちゃんとみているわけですね。

そこで研究者が、ワンサイド・スクリーンのこちら側でみていた、自閉症やダウン症やその他の子どもたちに質問します。「もうすぐサリーは用事が終わって、部屋に帰ってくると思いますが、サリーは自分のおはじきを取りに、一番最初にどこにいくと思いますか」と聞きます。その子たちの答えを想像するのは、むずかしいかもしれませんが、みなさん、どういう答えだと思います。

健常な子どもたちは一人残らず、「サリーは、自分がおいていった箱のなかをみにいく」と、こう答えました。ところが自閉症の子どもたちは、ごくわずかの例外を除いて、みんなが「アンのバスケットをみにいく」と、こう答えました。自分が部屋からでていったあとに、自分のおはじきも、アンがバスケットのなかにいれてしまったということが、サリーにわかれば、これは超能力ですよね。

だけど、自閉症の子どもは「アンのバスケットをみにいく」と答えました。部屋からでていってしまっていて、自分のおはじきが、アンのバスケットにいれられたことは、本当はサリーにはわからないはずですよね。でも、彼らはサリーが知っていると思ってしまうのです。どういうことかといいますと、自閉症の子どもは、これからお話をしますように、想像力を働かせたり、同時に二つのことを考えたりすることが困難なのです。

自閉症の子どもたちは、サリーが箱のなかにいれていったおはじきを、アンが自分のバスケットのなかにいれた情景を、ワンサイド・スクリーンのこちら側でみていました。ですから、サリーの箱のなかのおはじきが、アンのバスケットのなかに移動してしまったことはわかっているはずです。一方で、サリーが部屋をでていくとき、おはじきを箱のなかにいれたということも、自分の頭のなかに記憶としては残っているのです。

こういうとき、自閉症の子どもたちは、サリーのおはじきがアンのバスケットのなかに、移動してしまったということと、サリーはそのことを知らないはずだということを、同時に考えることができないのです。同時に二つのことを考えられませんし、たえず、一つのことにしか焦点が当たらないのです。

それから、自閉症の子どもは想像力を働かせることが、なかなかできないのです。イメージの世界を持たないのです。実際には、もう箱のなかにおはじきは入っていないけれど、サリーは部屋のなかにいなかったのだから、きっとサリーは、箱のなかにおはじきが入っていると思うはずだと、そのようにサリーの気持ちを想像することができないのですね。その結果、すこし前にみた、アンがサリーのおはじきもバスケットにいれた情景に焦点が当たり、研究者の質問に対しては、「アンのバスケットをみにいく」と答えたのです。

こういう現象はシングル・フォーカスと呼ばれています。注意欠陥多動性障害や学習障害の子どもも、いろいろな程度にそういう傾向を持っています。ダウン症の子どもや一般の子どもたちはどうかといいますと、実際には、おはじきはアンのバスケットに移動してしまっているけれど、サリーはまだ箱のなかにあると思っているはずだというように、二つのことを考えることができます。

自閉症の子どもたちは、想像力を働かせることが困難ですから、大きくなっても相手の立場になって、ものを考えるとか、相手の立場を理解するということはできません。大学を卒業することができるほど知能が高くなり、いろいろな本を読むことができ、論文を書くことができるようになっても、相手の気持ちを深く読み取るとか、共感するとかが、なかなかできないのです。ですから、結婚生活をするとか、共同生活をするということは非常に困難ですね。

対等の立場で、相手の気持ちを理解できないと、恋愛も成り立たないし、人間関係も成り立ちにくいですね。実際には、家族や周囲の人たちが自閉症の人に合わせて、人間関係を成り立たせていることが多いのですが、自閉症の人は、相手の立場を想像するということはなかなかできないと思います。相手の気持ちを理解することができないのです。

同時に二つのことを処理できない、同時に二つのことを考えることができないというのは、さまざまな困難をともないます。自分の気持ちと相手の気持ちを、同時に考える力がないので、会話は成立しにくいでしょうね。ですから、自閉症の人は言葉を持っているわりには、会話にはならないことが多いのです。一般の子どもは、言葉をすこししか持っていなくても、「おつむてんてんとか、いないいないばー」とか、気持ちのやりとりをすることができるわけです。

同時にいくつものことができない

また、自閉症の子どもはしばしば、落ち着きがないといわれますね。多動性と呼ばれていますが、とにかくよく動く、じっとしていられないということです。また、転動性という言い方もありますが、この子たちの関心はつぎつぎに移り変わっていきます。そういう状態が落ち着きがないようにみえるのでしょうね。この二つはとても合わさりやすく、この子たちのなかには、この両方を持っている子どももおおぜいいます。

ちょっとみると、多動性と転動性は似ているように思えますが、多動性を持っている子どものなかには、まわりのものに関心をむけないで、ただ、ちょろちょろしているだけという子もいますから、そういう場合には転動性とはいいません。ですから、多動性と転動性は同じものではないのですね。

そして、この子たちはつぎつぎと関心事が、移り変わる転動性を持っている一方で、しばしば、固執、執着、こだわりを示すことがあります。自閉症の子どもをよくごらんになっている方は、おわかりになると思いますが、一つのところに焦点がぴたりと当たると、今度は関心が他に移り変わらないのです。たとえば、水道の蛇口の水を出しっ放しにして遊ぶとか、トイレの水が流れるのを楽しむとか、こだわりを示すことが多いですね。

こだわりと転動性というのは、別のことにみえますけれど、じつは同じことなのです。焦点の当たるところが一つで停止しているか、つぎつぎに移り変わっているというちがいがあっても、いずれにしても、たえず一つのことにしか、焦点が当たらないということなのです。

それでは、一般の子どもはどうでしょうか。一般の子どもは同時にいくつものことに、関心をむけることができますから、落ち着いていられるのです。あるいは、いろいろなことを学ぶことができるのです。どういうことかといいますと、今、みなさんのなかに、私の話を聞きながら、メモを取っていらっしゃる人もいますね。

それには、まず、私の声が聞こえなければいけない、聞こえたら話されたことの意味を、理解しなければいけない、理解できた内容を適切な短い言葉でまとめなければいけない、そして、そのあとにノートに書くのです。私たちはメモを簡単に取っているようですが、実際には、このようにいろいろなことを、同時にやっているわけです。それはみることと聞くこと、あるいは書くことという、まったくちがう作業を同時にしていることなのです。

そして、話を聞きながらノートにメモを取るというのは、いつもすこし前に話されたことを、記憶をたどりながら書いているのです。そして書いているときには、私の話はもう先にいっているのです。聞き終わってから書いているし、書きながらつぎの話を聞いているのです。こんなことは想像もなさらないでしょうけれど、実際には、そういうことをやっているのです。

私たちは、話し終えたことを書きながら、耳は先に進んでいる話を聞くということを同時にしているのです。それから、正確な文字になっているかどうか、ノートに書いたものもみているわけです。別の言い方をしますと、すこし前に聞いた話を、今、記憶をたどりながら話を要約してノートに書く、同時に話も聞いている、ときには、この先どんな話になるのかと推理も

する、このように瞬時にとてもたくさんのことを、同時にしているということなのです。

ところが、自閉症の子どもは同時にいくつものことができないのです。書かれたものを写していくことはできます。けれども、授業中に先生の話を聞きながらノートに書くことは、よほど能力が高くならないと、まず、できないですね。自閉症の人は高校や大学に通っているほどの知能の高い人たちでも、たいていは、講義を聞きながら内容をノートに書くということは、なかなかできないといっています。

一般の子どもたちは先生の話を聞きながら、同時になにか別のことを考えることができます。「家に帰ったら、今日はこんなおもしろいテレビがあるんだ」「早く授業が終わらないかな」「おなかがすいたな」「休み時間になにしようか」などと考えながら、それでも先生の話は聞いているのです。あるいは、授業中に遠くのほうで「あっ、犬がほえている」「あれ、救急車の音だ、だれかけがしたのかな、病気になったのかな」なんて、ふっと思ったりします。だけど先生の話からは耳はそれないのです。同時にいくつもの情報などを処理できるからです。

自閉症の子どもはそうはいきません。たとえば、先生が一生懸命、紙芝居を子どもたちにみせているとします。そういうとき、この子たちも最初はおもしろそうだとみています。だけど隣の子がかさかさと音をだせば、ぱっとそちらに目がいってしまう、そうしたら、もう紙芝居のほうは完全にお留守です。遠くのほうで犬のほえている声が聞こえると、もう犬の鳴き声だけに気持ちがいってしまい、他のことは全部消えてしまいます。たえず一つのことにしか焦点が当たらないというのは、そういうことなのです。

みなさんが運動会にいったとき、先生や保母さんに手を引っ張ってもらったり、おしりを押されながら走っている子どもに、気がつくことはありませんか。そういう光景はしばしばみられると思います。自閉症の子どもは、自分の欲しいものがあると、すばやくそこへ走っていくのに、運動会のときにはちゃんと走らないことがあるのです。なぜかといいますと、徒競走のときは、本当は走ること一つにだけ集中すればいいのですが、他のものがちらちら目につけば、そっちのほうが気になってしまい、走ることに集中できなくなってしまうのですね。

ですから、この子たちは走っているときに、他のものがみえたり聞こえたりして、それに関心がいけば、もう走ることのほうには、気持ちがいかなくなるのです。一般の子どもも、まわりの人やいろいろなことが目に入ってきたり、聞こえてきたりします。だけど今は、早く走ろうとか、勝とうという気持ちに集中することができるのです。

イメージの世界を持てない

この子たちは想像の世界を持ちませんから、手を広げてトンボの遊戯をするとか、飛行機になったつもりになるとか、そういうことはとても苦手なのです。ゾウさんの歌を歌いながら、前かがみになって、手をぶらんぶらんさせ、ゾウさんの遊戯をすることは困難ですね。手をぶらぶらさせているのは、ゾウの長い鼻のつもりだとか、ふりをするとかなんてことはできないのです。そういう、ふりをするという概念は、ないといってもいいかもしれませんね。こういうところは、ダウン症の子どもとはまったくちがいます。

また、この子たちのなかには時間が経過すると、一つの場所の意味が変わるということが、わからない子がいるのです。学校へいくようになりますと、教室は勉強をするところだったり、休み時間には、遊ぶところだったりするわけです。一つの場所が学習の場所になったり、遊びの場所に変わったりするわけですが、そのことがわからない子がいるのです。

さっきまで走りまわったり、跳ねたりしてもよかったのに、なぜ同じ場所なのに、今は、机の前に座らなければいけないのかという意味がわからないのです。それから、何年何組というのがあるとか、どういう理由で、組が分けられているのかということが、本当にわからない子もいますし、おぼろげながらわかったような状態の子と、よくわかっている子と、いろいろな段階の子がいるのです。また、教室と廊下の境界線の意味もわからない子もいるのです。

一般の子どもたちは、ある年齢になれば、自分の組があって、あっちの教室は別の子の組で、こっちの組が自分の教室だというようなことは、明確に区別がついてきます。でも、それがわからない子もいるんですね。たとえば、自閉症のすこし重い子の場合には、とくに小さいとき、勝手に隣の家に入っていって、冷蔵庫を開けてしまうということをよくやったりします。自分の家と隣の家の区別がついていないのです。もっといいますと、自分が迷子になっていることもわからない、自閉症の子どもは迷子の意味がわからないのです。注意欠陥多動性障害の子どもたちにも、程度はさまざまですが、そういう傾向の子はいますね。

そういうことを、無理にわからせなければならないかどうか。それから、今は、むこうの部屋で遊びたいと思っているのに、無理やりこちらに呼んでこなければならないかどうかということは、その子の理解の認知度の程度をみながらなさるべきです。ですから、こちらへ誘導しようとしたときに、とても強く泣いたり、怒ったりすることがあれば、あまり強制的にしないほうがいいと思います。

それから、幼稚園や保育園の子どもたちのなかにもいるかもしれませんが、この子たちが一つのことを覚えるときは、一つの方法でしかできないのです。たとえば、山田花子さんという人を、園長先生と覚えたら、もう山田先生といってもわからないのです。あるいは、花子先生といってもわかりませんね。一人の先生にいろいろな呼び名があるということが、なかなかわかりません。この子たちにとっては、一人の人には、一つの呼び名しかつかないのです。

　こういう子どもたちが学校へいくようになると、よく学習障害といわれます。学習障害といっても、この子たちは知的障害があるわけではありませんから、すべての勉強ができないということではないのです。書き取りとか算数の九九の記憶は早いとか、歴史の年表をよく覚えているとか、地理で県庁所在地や世界の国の首都をよく覚えるとか、何年になにがあったかということなどは、非常によく知っていることがありますね。

　ところが、応用問題あるいは関係の概念というのは、一般によく理解できません。AとBが同じです。BとCが同じものです。それだけいえば、あとはAとCが同じものだということは明らかなことですが、そういうことがわからないのです。あるいは「もしも」という仮定、「もし」こうだったら、どうなるということが理解できないのです。「もしも」という世界は、実際にないことを想像するわけですから、そういうことはとてもできにくいのですね。

　そして、この子たちは、ぱっと衝動的に行動します。僕はこうしたいけれど、こうしたらみんなが笑うだろうか、怒るだろうか、悲しむだろうかというようなことを想像してから、行動に移すということはできません。だから、衝動性が大きいとか、多動だとかいわれるわけですね。「もしも」という世界を持たない、イメージの世界が非常に希薄である、こういう点でよく引用される例として、ボール投げをしていて、取りそこなったボールが道路に転がっていって、ボールを拾おうとする場合、この子たちは、もしかしたら、その道路に自動車がくるかもしれないということを想像して、ボールを拾いにいくということはできないのです。とにかく、ボールを拾いにまっすぐに走っていきます。だから、こういう子どもたちは、よく車にはねられるなどの事故が多いといわれます。

このように、同時にいくつものことに焦点が当たらないということや想像の世界を持たないということ、これらのことは自閉症の人の大きな特徴ですし、注意欠陥多動性障害や学習障害の人にも、そういう特徴があります。ですから、どのように、なにを教えるかというと、ものが目でみえるように指導する方法に頼らなければ、この子たちには教えられないわけです。目で確認していくこと以外のことは、なかなか身につきません。小さいときほど、やたらに口で話して教えても、不安と混乱を起こしてしまうだけということになってしまいます。

もう一つの実験

こういう実験もあります。これはちょっと口で説明しにくいのですが、三コマ漫画みたいな横にならんだ囲みがあるとします。そして、そこに数字がでてきます。その数字を覚えてくださいといって、それをスクリーンに映します。たとえば、一番右のコマのところに3が映ったとします。「いいですね、覚えてください」と、その数字をぱっと消すわけです。今度は一番左のところに5が映ったとします。そうするとスクリーンには、まず3がでて、つぎに5が映ったことになりますね。そして「覚えてください」といわれますと、私たちは3と5、3と5と覚えているわけです。今度は、真ん中のところに7が映ったとします。そして、ぱっと消えました。そこで「三コマのところにそれぞれ数字がでてきましたね、ではどういう数字がでてきましたか」と聞かれるという実験です。

私たちは、でてきた順番に「3、5、7とでてきました」と、数字をいうでしょうね。自閉症の子どもたちはどうでしょうか。この子たちはでてきた順番に数字をいうのではなく、なら

んでいる順番に、この場合ですと、左から「5、7、3」と答えることがよくあるのです。私たちとこの子たちの答え方には、どういうちがいがあるのでしょうか。私たちは時間の関係のなかに生きているのですけれど、自閉症の子どもは時間ではなく、空間というか、視覚的な世界に生きているのです。このことの意味は非常に大きいのです。

イメージや想像の世界にも生きられるという一般の子どもたちと、目にみえる世界や、具体的な世界にだけ生きている、自閉症の子どもとのちがいは大きなものがありますね。時間やみえないもののなかに生きていることと、視覚的な空間とか、場とかに生きているということのちがいによって、さきほどの数字の答え方がちがったわけです。自閉症の子どもは、3、5、7という数字が、順番にでてきたということを認識するのでなくて、スクリーンに映った、左のコマに5、真ん中に7、右に3というように認識していくのです。すこしむずかしいかもしれませんが、そういうちがいがあるのです。

もう一つこういう実験もあります。マジカルナンバーと呼んでいますが、この実験はこちらがいっていることを、相手に理解されなければいけないし、質問に答えようという意欲がなければいけないわけですから、自閉症の人のなかでも、かなり能力が高くなった人にしかできない実験です。

「これからいう数字を、その通りに答えてください」。「4、9」。「はい、いってください」といわれますと、私たちは「4、9」と答えられるわけです。つぎに「3、6、8」。「はい、いってください」。同じように「3、6、8」と、三けたの数字はまだ答えられます。こういうふうに、つぎつぎと数字をふやしていきますと、一般の人は七けたぐらいまでは、まだいえるのです。けれども、八けたになると急に答えられなくなって、九けたの数字をいえる人は、非常に少なくなるそうです。みなさんも、テストしてみたらいかがでしょうか。

数字の順序がその通りですと、まだいいのですが、今度は、数字を反対のほうからいってくださいと、こういう意地のわるいテストもあるのです。「4、9」といわれると、「9、4」と答えなくてはいけないのです。つぎは数字が三けたになり「4、8、3」といわれれば、「3、8、4」と、こう答えるのです。五けたになると、みなさんとてもむずかしくなりますよ、順番通りに答えるなら、五けたも六けたも七けたも、そんなに大変なことではないかもしれません。ところが、その数字を「反対からいってください」といわれますと、なかなかむずかしいことです。私たちには、五けたぐらいから急に大変になりますよ。

ところが、自閉症の人は数字を順番通りにいえたら、五けたであろうと七けたであろうと、逆もよくいえるのです。なぜかといいますと、自閉症の人たちは空間や、視覚的な記憶に生きていますから、頭のなかにいわれた通りの数字がならんでいるわけです。実際に目でみえるように、頭のなかにならんでいれば、反対からいうのは楽ですよね。私たちは時間の経過で覚えますから、時間の反対側からいうのは、思い出すのがずっとむずかしくなるのです。時間とともに生きるというのは、そういうことなんですね。

ですから、自閉症の子どもは話し言葉を覚えるよりは、文字を覚えるほうが得意ですね。文字というのは実際に目にみえるものなんです。ところが、話し言葉はみえない時間的なものでもあるのです。そして、話し言葉は時間とともに消えていくものですね。自閉症の子どもは話し言葉の習得は非常に苦手なのですが、目にみえる遊びなんかは得意です。こういう子どもはジグソーパズルのようなことは得意です。トランプの神経衰弱も強いですよ、ルールがわかったら一般の子どもや、みなさんよりは強いでしょうね。自閉症の人はそういう不思議なところがあるんですね。

また、この子たちは目にみえるものの記憶は強いですから、道順をよく覚えますね。家族の人がよく経験することですが、一年に一度しか、あるいは二、三年に一度しか訪問しない親類の家でも、子どものあとをついていったら、ちゃんとその家まで着くことができたということがあるのです。親は道順を覚えていませんから、「あそこだったかな、ここだったかな」「あの看板をまがるのだったかな」と、きょろきょろしながら、家をさがして歩くと思うのです。ところが、自閉症の子どもはさっと歩いて、その家までいってしまうのです。

このように、自閉症の子どもは空間の記憶、空間のなかで生きているところがあるんですね。けれども、時間の経過のなかで生きるのは、とてもむずかしい、下手なんです。イメージの世界がとても弱いのです。みえないものに、意味を持たせることができないのです。

ですから、常識とか羞恥心《しゅうちしん》というものは、目にみえない抽象的なことですから、なかなか発達してこないものです。どっちがいいとか、わるいとか申し上げているのではなくて、そういうちがいがあるということを、みなさんにも、知っていただきたいと思います。

アメリカの自閉症の青年の例

自閉症の人はそのように、目でみたものを理解する、記憶する力はとても強いのですが、口でいわれた言葉は、すぐ消えてしまい残らないのです。聞いた言葉がすぐ消えてしまうという状態について、私は何人もの自閉症の青年から、同じ意味のことを聞いたことがあります。

私はアメリカで多くの自閉症の青年に会ってきましたが、ノースカロライナ州にいきますと、図書館に勤めている自閉症の青年がずいぶんいました。図書館というのは、あまりおしゃべりをしちゃいけない、静かにしているのがいいわけですから、会話の苦手な自閉症の人が非常に働きやすいところなのです。それから、貸出カードにしろ本にしろ、Aの①からZの何番までとか、Aのつぎは、Bのなにかとかいうふうに、整理する順番がきちっと決まっています。また、カードや本がじつにきれいに整理されていますから、目で確認して記憶すれば、自閉症の青年のほうが一般の職員より正確であるとか、すばやいとか、根気がいいとか、いい仕事をすることがあります。ですから、アメリカのノースカロライナ州では、自閉症のちょっとレベルの高い人は、できるだけ図書館や役所の、書類の整理のような仕事をやっています。そういうことは、とてもすばらしいことだと思います。

あるとき、自閉症の青年が勤めている図書館にいきましたら、彼のデスクにタイプで書いたメモがおいてありました。そのメモには仕事のうえで大事な、決まり事のようなことが書いてあります。デスクにおいてあると同時に、自分のポケットに同じことが書いてあるカードをいれて、持っている青年もいました。

どういうことが書いてあったかといいますと、簡単な注意事項でした。「大声をだしてはいけません」「人をたたいてはいけません」「人にかみついてはいけません」「つばを吐いてはいけません」というようなことが書いてあったのです。もちろん、彼はその文章の内容は理解できますから、メモにして書いているわけですね。ですから、彼にメモに書いて渡さなくても、話し言葉で伝えても内容は理解できるのではないかと、私たちは思いますね。

私は、なぜメモに書いてないといけないのかと思い、図書館の職員で、青年の上司の人に聞いてみました。すると口では「何回いったってだめなんです」と答えました。大げさなことをいうと一〇〇万回話しても、彼は注意事項は守れないというのです。だけど「書いてあげれば、一回で守れるんです」「不思議ですよ、自閉症の人は」といっていましたね。

みなさんも図書館にいったことがあるでしょうから、これからお話をすることはわかると思いますが、ほとんどの図書館では、本を読んだあとは、自分で書棚に返却しなくていいんですね。それは間違ったところへ返されると困るからです。だから、部屋の中央にラウンドテーブルかなんかがあって、そこへぽんとおいていけばよかったり、あるいは、返却口のところへ返せばいいのです。図書館というのは一般に、そういうところが多いと思います。

ところが、なかには自分で書棚に返すという、几帳面《きちょうめん》な人もいるんですね。それも正しく返せばいいのに、間違ったところへ返してしまうことがあります。それを自閉症の人たちはみているわけです。そして、「ああ、あの人は本を返しそうだ」と思うと、自閉症の青年たちは、気になってしかたがないわけです。その青年の仕事は、本を書棚にきちっと、間違いなく整理することなんですから、それにこだわっているわけです。固執、執着しているわけですね。

書棚に本を返さなくていいのに、わざわざ返して、しかも間違ってしまう人をみると、その自閉症の青年は、許せないという気持ちになってしまうのです。そして、青年は大声でののしったり、たたいたり、かみついたり、つばをひっかけたりしてしまうというのです。だから、そういうことはしてはいけないと、メモに書いてあるわけですね。

どうして、今のようなことが書いてあるのかといいますと、青年たちには何回いってもだめなんだそうです。ところが、書いてあるのをみれば、ちゃんとできるそうです。どうして口でいわれただけではだめなのかと思って、私はその自閉症の青年に直接、「メモに書いてあることは理解できるのに、どうして口でいわれると守れないの、なぜ紙に書いてあると守れるの」と、聞いてみました。

そうしましたら、こんな答えが返ってきました。「話されたことは消えるじゃないか」、こういうのです。たしかに書いたものは消えませんし、話されたことはすぐ消えてしまいます。自閉症の人たちにとって、消えるということは、話された内容も消えてしまう、心に残らなくなってしまうのでしょうね。こういう人たちの気持ちは、私たちには、なかなか想像できないことかもしれませんね。

その青年にとって、相手が話したことは、音が消えてしまうと、話した言葉の意味もすぐ消えてしまうことなんです。けれども、私たちには、その意味は残っています。ところが、自閉症の人とか、こういうタイプの人はしばしば、一人残らずそうだということではありませんし、いろいろな程度があるでしょう。けれども、多くの自閉症の人たちにとっては、話された言葉が消えると同時に、ほとんど意味も消えてしまい、心に残りにくいそうです。自閉症の人たちのこのような特徴も、みなさんにはわかっていただきたいと思います。

注意欠陥多動性障害や学習障害、そして自閉症の子の育児について

注意欠陥多動性障害や学習障害、そして自閉症の子どもたちの特徴などについてお話をしてきました。では、どのようにこの子たちを育てていくのがいいのでしょうか。

四歳の男の子ですが、自閉的傾向で多動といわれていますが、最近は目を合わすようになり、簡単な会話もできるようになりました。母親はスパルタでもよいから健常児と一緒に行動させてほしいとか、子どもが夏休みのときには、べたべた寄ってきて気持ちがわるかったので、つねったりたたいたりした、というようなことをいっています。

（保母）

発達障害の連続性

今までもお話をしてきましたので、くり返しになると思いますが、障害を持った子どもたちのことを考える場合、たとえば、精神発達の遅滞、あるいは知能の発達障害というものがあり

ますが、私はその発達の障害には連続性があると思っています。

たとえば、知的障害を持った子どもがいたとしますと、知的障害のある子と知的障害のない子との間には、はっきりした境界線があるわけではなくて、いろいろな連続性があるのです。知能の発達をみたときにも、最重度の知的障害の子、重度の子、中度の子、軽度障害の子、そしてボーダーラインの子、正常域の子、なかには優秀な知能を持った子といったぐあいに、いろいろな状態での連続性があると思うのです。

それと同じように、自閉症の子にも重い自閉症の子、軽い自閉症の子がいます。そして、自閉症の子の場合には、そのあらわす症状が、注意欠陥多動性障害の子や学習障害といわれている子と、どうも重なるところや連続性の要素が多いようです。あるいは、注意欠陥多動性障害や学習障害の子と、一般の子どもたちとの間にも、おそらく連続性があると思います。ですから、精神の発達、知能の発達にかぎらず、種々の機能の発達という側面からみると、子どもたちの示すほとんどの問題には、連続性があるというふうに、考えていただきたいと思います。

このようなことをふまえたうえで、そういう子どもたちの特性や障害には、どういう特徴があるのかということを、まず知ることが大切なことです。そして、さまざまな特徴のなかで、それがどれぐらい重いのか、軽いのかということがはっきりしてくると、今度は、この子たちに、どういう保育や育児をしたらいいのかということが、考えやすくなってくるのではないでしょうか。

一段階ずつ教えてあげること

そういう子どもたちの特徴に、同時に二つ以上のことに、焦点を当てて考えることができにくいということがあります。たえず一つのことにしか、焦点を当てられないのです。これをシングル・フォーカスといいますが、この子たちが示す状態は、落ち着きがないとか、注意力がないとか、いろいろな表現でいわれていますね。

これからお話をすることも、何度かお話したことがあると思いますが、もう一度復習の意味でお聞きください。たとえば、先生や保母さんが教室で紙芝居をしていたとします。そのとき、遠くで犬のほえる声が聞こえ、「あっ犬だ」と思って、その子の気持ちがそちらへいったら、もう、先生の話は消えてしまうのです。そして、犬のほえる声を聞いています。今度は救急車のサイレンが聞こえた、「あっ救急車だ」と、関心がそちらへいくと、先生の話はもちろん、犬のほえる声も消えて、救急車のサイレンだけが聞こえているのですね。そのように、たえず一つのことにしか、焦点が当たりませんから、つぎつぎと関心が移って、落ち着きのないようにみえてしまいます。

この子たちが学校へいくようになると、自閉症とか学習障害とよくいわれます。けれども、知的障害があるわけではないですから、なかには、発達の障害が改善されることによって、他の人の話す言葉が、どんどん理解できるようになってくる子どももいます。理解できるようになりますと、授業中に、先生の話を聞くことができるようになり、聞いた話の理解もかなりできるようになる子もいます。

すべての子どもが、そうなるという意味ではありませんが、そうなっていく子も多いですね。私自身の臨床の経験でいいますと、ふつうに高校へいった子ども、あるいは、大学へいった子どももいます。そういう人たちが、私に共通して話してくれたことは、授業中、先生の話をノートに取ることに、非常に苦労するということでした。

今、みなさんのなかに、私が話していることを、ノートにメモをしていらっしゃる人がいますね。私たちは簡単にやっているようですが、メモを取るということは、まず、私の声が聞こえていなくてはできません。聞こえたら話された内容を、理解する必要があります。そして理解できたら、その内容を頭のなかで短くまとめ、それからノートにメモをするわけです。

私たちはこのようないろいろなことを、瞬時に判断してやっているんですね。自閉症と注意欠陥多動性障害や学習障害の人たちには、こういうことができないのです。聞くということと、書くということが、いつもずれているのです。そういう位相のずれたことに、同時に焦点を当てられないのです。

ところが、日常生活のなかには、聞きながら書く必要がいっぱいあるわけですね。メモを取るということだけでなく、幼稚園や保育園とか、街のなかなどのいろいろな場面で、もっと多くの情報が、同時にこういう子どもたちにも入ってきます。そういうとき、この子たちにとっては、たくさんのことを同時に理解して、統合して、そして、自分はこうしようという適切な行動をすることが、とても困難なことなんです。

ですから、みなさんが保育や育児をするときには、私たちがいともたやすくできるような、同時総合的な機能がこの子たちにはむずかしい、あるいは、できないということを理解してあげていただきたいと思います。

では、このように同時総合機能がわるい子どもに、どう対応していったらいいのかということですが、この子たちは、同時にいくつものことをすることが不器用ですから、一度にいろいろな情報を与えるのではなくて、一つずつ処理していけるように、物事を教えていく必要があります。幼稚園や保育園にいくときに、「洋服を着なさい」とだけいうのではなく、「こういう

順序で洋服を着たり、脱いだりするんですよ」ということを、一段階ずつ教えていくのがいいと思いますね。

絵を描くときでも、「こういう順序で描いていくんですよ」ということを、教えてあげる必要があります。ですから、描く順序が決まっている「絵かきうた」などは、この子たちにとって、描きやすいものなんです。これを描いたら、つぎはこう描くんだというように、そのつぎ、そのつぎと、ポイントがはっきりしているということが大切なんです。

アメリカには、こういう子どもたちの教育に、すぐれた学校があります。そこでは、どういう授業をするのかといいますと、まず、先生の話を聞いてノートに書く練習をします。最初のうちは、先生はすこしずつ話してあげます。そして、子どもたちがノートに書き終わるまで、ちょっと待っていてあげる、そして、つぎを話すということをしていきます。

この子たちが書いているときは、先生の話は聞こえないのですから、書き終わるまで、先生は話しません。子どもたちが書いているときに、先生が話したりしますと、この子たちは話を理解して聞こうと思いますから、今度は書けなくなってしまうのです。このように一つのことがすんだら、つぎのことというように、一つ一つわかるように教えていくのです。とてもいい教え方だと思いましたね。

また、この子たちは気が散りやすいですから、たえず焦点を当てるべきものを、きちんと教えてあげることが必要ですね。今は、これが大事なことだということを、教えてあげる人がマンツーマンで、そばにいらっしゃることも、ときどき必要になります。一般の幼稚園や保育園や学校で、いつもそういう体制をつくるということはむずかしいでしょうね。でも、ときどき先生や保母さんが、「何ちゃん、ほら、こっちむいて」というふうに、声をかけてあげることは、とても大切なことなんです。

一般には、この子たちも「何ちゃん」と呼びかけられると、「はい」と返事をして、一定の視点は合うのです、あるいは、気持ちが通じるのです。ところが、注意が持続しませんから、しばらくすると、また別のほうに気持ちがいってしまうのですね。

保育者のみなさんは、クラスで二〇人ぐらいの、お子さんの面倒をみていらっしゃるわけですが、そういう子に個別に、ときどき声をかけてあげるということは、明らかに成果を生み出すものだと思います。いらだった調子でなくて、おだやかにくり返し声をかけたり、必要ならば手を取って教えてあげるということが大切です。

先生や保母さんがこちらから、必要に応じて個別的に、おだやかにその子に対して手や心や声をかける、気を配るという気持ちを持っていてくだされば、明らかに成果はあがると思います。しかし一方でこの子たちは、わざとやっているかのようなやり方で、まわりの人を困らせたりします。けれども、みなさんはいらいらしたりしないで、最善をつくしてあげることが大切なことだと思って、保育や育児にあたっていただきたいと思っています。

想像力、イメージの世界を持てない

自閉症と注意欠陥多動性障害や学習障害といわれる子どもたちの問題の本質に、イメージの世界を持つことがとても弱い、こういう特徴もあります。イメージの世界を持つことができにくいということは、目にみえないものの理解が非常に弱いということです。ですから、こういう子どもたちに共通してできない遊びは、鬼ごっこやかくれんぼです。

この子たちに鬼ごっこが、なぜ理解できないのかといいますと、鬼と鬼でない人のちがいの意味が、みえないからです。みえないというよりは、理解できないといったほうが、いいかもしれませんね。鬼にどういう意味があるのかということが、想像できないのです。イメージできないんですね。みんなが鬼にならないように、逃げまわっているゲームだということがわからないのです。鬼になった場合の感情を感じ取りにくいのです。自閉症といわれる子どもの多くがそうです。ですから、この子たちは、鬼になっても平気ですし、けろっとしていたりします。そうすると、そういう子を捕まえて鬼にしても、そこでゲームは、行き止まりになってしまうでしょうね。

鬼ごっこをするとき、みんなが鬼に約束事として、どういう意味を与えているかということが、この子たちには目にみえませんから、鬼の意味が理解できないわけです。ですから、鬼ごっこを楽しむことができません。それはかくれんぼでも同じことです。

遊びにかぎらず、みんながこの場面を、どういうことで成立させているのかという、暗黙の了解事項だとか、約束事であるとか、自明のことであるとか、そういうことはみえませんから、この子たちにはわからないのです。もっと大げさな言い方をすると、常識というものも、みえることではないですから、この子たちにそういうことは、なかなか身につきませんね。

そういう約束事などが身につかないと、平気で約束事を破る、しつけのわるい子にみえることがあります。あるいは、わがままで自分勝手な子どもに思われてしまうことがよくあります。たとえば、こういう子どもたちのなかに、よく他の子をたたく子がいます。

そういうとき、私たちは口でいってもなかなか直らないので、その子にたたかれたときの痛みを教えてあげたら、やめるかもしれないと思ったりしませんか。そして、その子のおしりをぶったり、頭をこつんとするとかして、「たたかれるとこんなに痛いんですよ」と教えれば、人の痛みもわかって、他の子をたたかない子になるだろうと、考えるのではないでしょうか。親や私たちが、そういう保育や教育をしても、こういうタイプの子には伝わらないのです。

たしかに、自分の痛みはわかりますけれど、相手の痛みを想像することができないのです。イメージの世界が弱いというのは、そういうことなんです。一般にこういうタイプの子どもは、いろいろな程度はありますが、人の痛みはわからないですね。人の痛みがわかるというのは、イメージの世界が、豊かであるということなんですから。

それから、この子たちはしばしば、自分のお菓子や、おもちゃを取られると、大さわぎをして怒ります。それにもかかわらず、他の子のお菓子や、おもちゃを取ったりすることは、平気でするわけです。そういうことをみていると、私たちおとなは、なんてわがままで勝手な子だとか、しつけがわるい子だとか思うかもしれませんね。けれども、この子たちはわがままではないのです。

人の悲しみがわかるのに、他の子のものを取ったりしたら、それはわがままかもしれません。ところが、この子たちは、自分が取られたときの悲しみはわかるけれど、人のものを取ったときに、相手も自分と同じように悲しむだろうということを、想像することができないのですね。相手が悲しむだろうかと想像してから、行動に移すということができませんから、なにか欲しいと思ったら、ぱっと衝動的に行動してしまいます。それが衝動性が大きいとか、多動だとかいわれることなのです。

この子たちが、他の子をたたいたり、おもちゃを取ったりするとき、多くの場合、相手がどう思うかということは、あまりわかっていないのです。ですから、人をたたく子に「いけないことだ」と、どんなにたたいて教えても、たいていは通じません。通じないだけではなくて、もっと他の子のことを、よくたたく子になります。たたくことを教えることになってしまうわけですね。

この子たちになにかを教えるとき、どのようにするのかというと、できるだけ具体的に、目でみて理解できるように指導するのがいいですね。この子たちには教えられないのです。目で確認していくこと以外のことは、まだ身についていません。どんなに口で話して教えても、不安と混乱を起こすだけだということになります。この子たちはイメージの世界を持たない、頭のなかで想像することができない、そういう子どもだと理解して、保育や育児をしていただくといいですね。

目にみえるようにして教えること

自閉症と注意欠陥多動性障害や学習障害の子どもたちは、目で確認できる現象を理解する、記憶しておく、あるいは理解はしていないけれど、記憶するという力は強いのです。たとえば、みなさんが信号機の絵を描いてあげて、「この信号機に色を塗ってください」と、色鉛筆かクレヨンの三色を渡すと、一般の子どもと、こういうタイプの子どもの差がよくわかります。

一般の子どもは、真ん中の黄色から塗ります。黄色を塗ってから、どっちがどっちだったかなと考え、よく間違えることもあります。ところが、この子たちは、真ん中から塗るということはほとんどしません。ちゃんと端から青、黄色、赤と塗っていきますし、間違えないですね。きっと、この子たちの頭のなかには、信号機の三つの色が、写真のように写し出されるのでしょうから、すぐに色を塗っていけるわけですね。

ですから、なにかを教える場合でも、一つずつ目にみえるようにして、ものを教えてあげる

と、よくできるということです。しかも、一つずつです。たとえば、買い物を頼むときでも、一般の子は口でいわれても、三つぐらいのものだったら、頭のなかに記憶ができますが、こういう子に三つも頼むと、できなくなってしまうのです。

たとえ、目にみえるようにメモを渡して、「これだけのものを買ってきて」なんていっても、この子たちは、そのメモをどこからみていいのか、わからなくなることもあるんですよ。そういうときには、上から順番に一つずつ買うようにと、メモをしてあげればできるのです。そして、すこし慣れてくれれば、順番はどうでもいいから「買ったら順番に消すんですよ」と、そういうふうにしてあげればできやすいのです。

また、この子たちに因果関係とか、理由というものを、説明したり理解させることも困難なことですね。ですから、どんなことを教えるときにも、「このことに集中するんですよ」「今は、ここをみるんです」「あれをするんですよ」というように、できるだけ、一つのことに焦点が当たるように、「今ここをみて、これをすればいいんです」ということを、教えていくような指導のしかたがいいのです。

しかも、その教え方や指示のしかたは、目でみれば指示や状況が、確認できるというやり方がうまい方法ですね。たとえば、教えたことを上手にできる子をお手本にして、「何ちゃんのようにやってみよう」ということでもいいのです。いいモデル、いいお手本を利用しながら教えていくことは、その子たちが目で確認できることですから、伝わりやすいのです。

先生たちの指示も、できるだけ身ぶりがあったり、手ぶりがあったり、指さしがあったり、絵にしたり、目でみえるような教材や情報をつかったりして、指導してくださるのが上手な方法です。このような基本的なことを理解していただければ、みなさんには、いろいろなアイデアがうかんでくるのではないでしょうか。

家庭でも、言葉で説明することでもいいですが、できることなら目でみえるような形で、たとえば、お母さんが自分の行動を示して、その子の目に直接みえるように、手をとって教えてあげるということを、心がけられるといいですね。

目にみえるようにして教えてあげること、それを、あるパターンでくり返し教えてあげること、そうすることがこの子たちの習慣や日課になり、身についていくというやり方をしていきませんと、いろいろなことが身につかない、あるいは、身につきにくいことになってしまうのです。

園などで、みんなが集まる朝のあいさつのときに、教室になかなか入ってこないとか、あるいは、他のことをしているときに「教室に入りなさい」といわれても、すぐには気持ちが切り替わりにくいという子もいますね。ようするに、この子たちはなにか一つに、焦点がぴたっと当たってしまうと、そこに気持ちが固着してしまうとか、こだわってしまうとかして、そこから動かなくなってしまうことがあります。一方で、転動性といって、関心がつぎつぎ移り変わってしまい、落ち着きがないとか、目まぐるしい多動を示すときもありますから、この子たちに保育や育児をしていくことは、とても困難がともないますね。

こういう子の場合、目でみて確認できる方法を考えてみてはいかがでしょうか。たとえば、ふだんみんなが集まっているときの写真や、絵などを用意して、先生がポケットにいれておいて「ほら、みんなが集まるよ」と、その子にみせてあげると、気持ちが切り替わりやすくなるし、その子にもずっと納得しやすいと思うのです。

先生や保母さんが口でいうよりは、ポラロイド写真などで撮っておかれて、そういう大事な切り替えをするときには、ポケットから写真をだして、「これから散歩です」「これからお昼のご飯です」「これからお集まりです」と、みせながら伝えていただくと、子どもの気持ちもすこし早く切り替わるものですね。あるいは、急に切り替わる子もいます。それもすこし前に予告してあげると、もっと伝わりやすいですね。これもちょっとしたアイデアの一つではないでしょうか。

このような特徴をあらわす程度が、自閉症の子は非常に強いし、注意欠陥多動性障害や学習障害の子はやや軽い、こういうことはいえます。そして、その間には、いろいろな程度の子どもがいるというふうに考えていただければ、この子たちを指導するときの、おおよその要領がおわかりになると思うのです。一人ひとりの子を、私はつぶさに拝見していませんから、Aちゃんにはこの程度、Bちゃんはこの程度というようなことは申し上げられません。だけど、一般的な問題の本質をよく知っていらっしゃれば、指導の工夫がしやすくなりますよ。

禁止するときは、代わりにやることを指示してあげる

自閉症と注意欠陥多動性障害や学習障害の子どもたちの特徴、そして、そのうえでの接し方などを十分ではありませんが、お話をしてきたつもりです。それは、みなさんにこのようなことをよく知っていただきますと、この子たちに対する保育のこつというのが、すこしわかっていただけると思ったからです。

こういうタイプの子どもに、いろいろなことをくり返し教えても、習慣や日課になるまで教えていかないと、なかなか子どもの身につかないという、むずかしい問題がありますね。そういう意味で、とくに、保育園がこの子たちが発達していくうえでいいのは、保育園の毎日の生

活には、基本的な習慣があるからです。保育園には幼稚園や学校よりも、一日の生活が始まって帰るまでの間には、給食とか、お昼寝とか、その他の日課をふくめて、とても多くの部分に習慣があるからです。

基本的にいいますと、保育園で毎日する保育日課というのがあるでしょう。たとえば、園に着いたら、まず、保母さんと朝のごあいさつをする。それから教室に入る前に、自分の靴は靴入れにいれる。スモックの着替えをする。そして、教室の自分の席に座る。トイレにいく。その後、体操をする。給食を食べる。すこししてお昼寝をする。その他にも、毎日いろいろな日課がありますね。そういうふうに、決まった保育日課がしっかりできるように、徐々に徐々に、一つずつでいいですから、みなさんが教えていただくことによって、この子たちは毎日の生活に大切な習慣が、よく身についていくのです。

そして、この子たちは、いろいろなものをいろいろな程度に、臨機応変に柔軟に処理していくことができませんから、応用力がききにくいわけです。ですから、家でも幼稚園や保育園でも、毎日かならずやることとか、習慣や日課に早くなってほしいこととかを、優先して教えていくやり方がいいのです。

けれども、お母さんや先生や保母さんが、くり返し教えていることの順序が、その日によってちがったり、やったりやらなかったりすると、そういうことはなかなか身についていきませんね。あるいは、その子が教えられていることをやっているときに、たとえ今、大事なことを伝えなければならないとしても、「洋服を着たら、つぎはあれをやりなさいね」などというと、子どもは混乱してしまいます。

ですから、教えたことをくり返すことによって、それが毎日の習慣になるというやり方で、一つ一つ確実に教えていきますと、子どもの不安定さとか、落ち着きのなさは軽くなっていきますし、いろいろなことが身についていきますね。この子たちに、習慣として一番身につくのが、保育園の生活かもしれませんね。

そういう意味では、この子たちにとって、なにをしてもいい自由時間というのは、同時になにをしたらいいのか、わからない時間になりますから、混乱しがちになります。なにをするのかということが、はっきり指定されている時間のほうが安定するのです。ですから、好きな時間とか自由時間を与える場合には、「こんなことをしていればいいんですよ」というものを、何種類かできるようにしておいてあげないと、不適応を示すことをすることになります。

この子たちに自由時間を、たくさん与えれば与えるほど、異常行動がひどくなると、こういうこともよく知られていることです。習慣や日課を大事にしない保育というのは、この子たちにとっては大変困難なことなんです。

同じような意味で、一般にこういう子どもたちに、なにかを禁止すると非常に混乱を招きます。すごく興奮したり、荒れたり、怒ったり、いわゆるパニックになったりします。それでは、この子たちには、なにも禁止できないのかといいますと、そんなことはありません。だけど、「こんなことやっちゃだめでしょう」と禁止したり、突然なにかを強制したりすると、ひどい荒れ方というか、大きな不安を持つ子どもがいます。

なぜかといいますと、では、今なにをしていいのかということが、この子たちにはイメージできないのです。なにをしていいのか想像できませんから、不安になり、今どうしていいかわからなくなって混乱し、荒れるのです。こういう子どもたちの保育になれた人は、「これはしてはいけません」といったときは、かならず「これはしてもいいですよ」ということを、つぎに示してあげるわけです。それをやめて、これをしなさい、そういうふうに代りのやるべきことを、きちんと指示することが大切なことなんです。

一般の子どもは「こんなことやっちゃだめでしょう」と怒られたら、さっと逃げていきます。そして、逃げていった先で「あれしよう、これしよう」と、考えているわけです。だから、いたずらをしてしかられたって平気なんです。他にすることがいっぱい、すぐにイメージできるわけですから。ところが、この子たちはできないんです。だから、「これはだめ」といったら、「これをしなさい」ということを、非常に明確に目にみえるように、しかも、この子たちがすぐに取りかかれるような、いつもやっていることとか、習慣になっていて身についていることで、「これをしなさい」というものに、すりかえてあげなくてはいけないのです。

一般に、この子たちがパニックであるとか、興奮しているとか、わけがわからなくて混乱しているときというのは、たいてい、目にみえないことを考えさせていることが多いですね。それから、同時にいくつものことを、処理しなくてはならない状況に、おかれていることがありますね。

この子たちが混乱しているときは、今「これをすればいいんです」という一つのことを、きちっとわかるようにしてあげればいいんですね。それもできるだけ言葉によるのではなく、目にみえる形で示してあげればいいのです。言葉をたくさんつかって、いろいろと説明をすればするほど事態はわるくなる、これもこの子たちの特徴です。

自閉症の子どもに対しては、言葉の多い育児や保育より、言葉は少ないほうがいいのです。そして、手とり足とり、その手とり足とりのしかたも、一定の手順がしっかりしているほうがいいのです。それから、よくできる子をお手本にして、目でみることが、またいいんですね。

よく自閉症の子は、空間の世界に生きているといわれますが、それは視覚の世界にいるからなんです。聴覚の世界にはいませんから、ものを聞いて理解するというのは、非常に苦手です。口で話されることは、瞬間、瞬間に消えていってしまうものですから、話されることを理解するということや、心に止めておくことはとても困難ですね。

約束事とか大切なことは、紙に書いたり、黒板に書いたりしてあげると守れるのです。ところが、言葉が理解できるようにみえても、口で話しても、なかなか伝わらないし、守れないのです。いわれたように実行することができないのです。一般には、この子たちは話し言葉よりも、書き言葉のほうがたくさんできます。話し言葉を十分に覚えないうちに、文字を覚えるという子どもはおおぜいいます。

こういうところは、一般の子どもとは大ちがいですし、発達の道筋はちっとも同じではないのです。こんなことも、みなさんはよくわかっていただきたいですね。そうでないと、この子どもたちの保育は、困難なものになってしまうでしょうね。

原則的には保育園のときは、ふだんやらないことを、急にたくさんやる必要はまったくありません。また、その前後にやったり、やらなかったりすることまで教えようとすると、毎日やることまで、うまく身につかなくなってしまいます。この子たちは想像の世界がとぼしいですから、こうだろうなと思ったことがちがうと、わけがわからなくなって、いったい、なにが起きたんだということで混乱します、恐怖になります。

だから、不安とか混乱とか恐怖を、少なくしてあげられるということに、精力をつかわれるといいですね。安心できる場所においてあげるとか、一番安心できる人のそばにおいてあげるとか、すこしでも日常通りにと、心がけていただくことが大事なんです。そういうふうに、習慣や日課を大事にした育児、保育をしてくださるとよろしいんですね。

そんなことを、まず念頭において、そして、よくできる子をお手本としてみせて、指導していただくのがいいわけですね。そして、説明は少ないほうがいいんですよ。また、時間を示す言葉というのは、この子たちに意味を持ちませんから混乱させます。「あとで」なんていう言葉はだめなんですよ。「我慢」なんていうことも意味を持ちません。そういうふうなことも、注意していただきたいと思います。

この子たちをしからないで育ててください

注意欠陥多動性障害や学習障害の子どもたちは、しばしば障害と思われないのです。とりわけ、家族の人がそう思っていませんね。自閉症の子どもの場合には、親が障害児だと思っていますから、手心を加えて育児をしていると思います。

けれども、この子たちの場合には、親が障害児と思っていないし、あるいは思いたくないというところがあって、一般の子どもと同じように育てようとする、あるいは、他の子と同じように、いろいろなことを早くさせようとします。だけど、この子たちはなかなかできないのです。この子たちは、服を着たり脱いだりするのも遅いです。お絵かきが下手で、体操も苦手です。いろいろなことに不器用なんです。

不器用さというのは指先、手先だけじゃなくて、全身の運動も不器用ですし、感情のコントロールも不器用なんです。だから衝動性が大きく、我慢ができにくい、喜怒哀楽が激しい、こういう側面もでてきます。お菓子屋さんや、おもちゃ屋さんにいったとき「あれ買って、これ買って」といって、我慢ができないのです。「明日動物園にいこう」といったけれど、朝、起

きたら雨だった。「じゃ今日はやめにしよう」というと、泣いて大さわぎをしたりします。この子たちといると、このようなことが日常的にいっぱい起きるわけですね。

人のかんにさわるようなことをよくします。人がいやがることを、わざとやっているようにみえることがあります。でも、それはこの子たちが、好きでやっているんじゃないんです。感情のコントロールがうまくいかないため、そうなってしまうのです。そして、知能の発達障害があるわけではありませんから、保育園のころには、言葉の発達がもうひとつ十分でないところがあっても、基本的にはなんでも話しますし、生意気なこともよくいいます。

一見、口が達者にみえますから、親からみると、いろいろなことが上手にできないくせに、生意気なことばかりをいう、あるいは、わがままな子だ、こういうふうにみえてしまうことがあるのです。ですから、いつも親はいらいらしています。そして、この子たちはよく怒られます。この子たちほどよく怒られる子どもはいませんね。

この子たちは、家庭にいても兄弟の何倍も、しかられているのではないでしょうか。ほとんど毎日のように注意を受けている、怒られている、たたかれていると思います。それはそうですよね、ご飯のときでもなんでも、落ち着いて座っていられないのですから。それに、ちょっとしたことで大さわぎをしたり、喜んでいたと思えば、ささいなことで、うわーと泣いたり、怒ったりするんですから。親ばかりでなく、保育者やまわりの人たちも、いらいらしてしまいますし、我慢のできないわがままな子のくせに、要求だけは、とても強い子にみえてしまうのです。

この子たちが、学校に入るようになりますと、学校では、ほとんどの先生方が「しつけのわるい子だ」「わがままな子だ」というふうに思ってしまいます。まわりから、そう思われていますから、注意欠陥多動性障害や学習障害の子どもたちは、非常に苦しんでいます。思うように愛されていないとか、親から過剰に「ああしなくちゃ、こうしなくちゃ」というような、指示や命令をいわれ続け、怒られながら育っていますから、精神的に萎縮《いしゅく》して、強い欲求不満の状態にあります。

この子たちは突然、友達をたたくとよくいわれますけれど、この子たちだって突然たたかれているんですよ。たとえば、お母さんのそばに寄っていったら、気持ちわるいとつねられたり、たたかれているのです。この子たちには、お母さんに寄っていくことが、お母さんの気持ちをいらいらさせているということは、わかりませんから。その子にしてみれば、突然つねられたり、たたかれているという感じでしょうね。

行きずりの人に、突然たたかれたようなものです。ですから、この子たちだけが突然、友達をたたいているんじゃないんです。この子たちも突然たたかれたり、つねられたりしているんですね。そして、怒られている意味がわかっている子はほとんどいません。怒られることは、この子たちにとって全部、突然の言いがかりみたいなものでしょうね。

「僕がこんなことをしたから、何ちゃんは泣いたり、悲しんだりした。その結果、僕は罰としてたたかれたんだ」と、そういう関係がわかっていて、なにかをやってしまう子は、ほとんどいないのです。ふだんから、その子にとっては「なんでたたかれたんだろう」というような怒られ方しか、してこなかったのではないでしょうか。だから、突然たたくのです。たたかれたことのない子どもが、人をたたくなんていうことは、まずありません。この子たちには、たたくということの意味はわからないのです。そして、自分が学びもしないことをできるほどの自発性はありません。そんな学習力はまだないんですよ。そして、理由があってたたいているんじゃありません。理由のわからないまま、人をたたいていると思いますね。そういうことも、みなさん、理解してあげていただきたいと思います。

また、この子たちは、自分もみんなと同じようにやりたいと思っているのです。こういうところは、自閉症の子どもたちと、すこしちがうところですね。自閉症の子どもは、みんなと同じことをやりたいという感覚も、まだ起きないのです。でも、この子たちは自分でも、みんなのようにやりたいと思っていますから、なかなかうまくできないということで、欲求不満や劣等感を感じやすい状態にいるわけです。

お絵かきをしても、みんなのように、自分が上手に描けないということで、とても悲しく残念な思いを、この子たちはいだいています。ところが、自閉症の子どもは、だいいち、他の子の絵と自分のを、比べてみるなんてことはしませんから、「僕の絵が下手だ」というようなことも、ちっとも思わないのです。だから、自閉症の子どもは、そういう意味では傷ついていないのですね。

注意欠陥多動性障害や学習障害の子どもは、僕は体操しても下手だとか、ドッジボールをしても下手だとか、お遊戯をしても、歌を歌ってもみんなのようにうまくできないということは、わかっているわけです。そして、知能の発達が遅れているわけではないですから、自分はどうしていろいろなことが、うまくいかないのか、みんなからどう思われているのか、先生やお父さんやお母さんが、僕のことをどう考えるだろうかというようなことは、ほかの子以上にぴりぴりして心配している子なんです。そして、心ならずも、しかられることが多いわけですね。ですから、ほとんどのそういう子どもは萎縮《いしゅく》していて、本当の意味での情緒障害になりかかっていたり、なっていたりします。

保母さんや先生のみなさんには、まず、そういうことをよく知っていただき、この子たちの心を、いやしてあげていただきたいと思います。もうこの子たちは、家庭では他の兄弟の何倍もしかられていますし、頭も何倍もたたかれているんですから、基本的にはしからないで、指導してあげていただきたいと思うのです。

この子たちはぶたれたり、しかられたり、さげすまれたり、ある意味で、私は障害児のなかで一番傷ついて不幸な存在だとも思っています。本当には理解されにくいのです。障害児としては、ボーダーラインといわれるように軽いのです。あるいは、障害児といわないほうがいいかもしれないという、境界領域にいる子どもたちです。障害児というか、いわないかはどちらでもいいのですが、一番大切なことは、この子たちに深い理解を示してあげるということだと思います。

子どもの障害を、親にどう伝えたらいいのでしょうか

園のなかで日々、障害を持つ子どもたちに接している保育者のみなさんたちは、その事実を両親にも受け入れてもらい、その子をどう育てていくのがいいのか、家庭でも園でも、ともに協力し合っていけたらと、思っているのではないでしょうか。親にどう子どもの障害を伝えたらいいのか、私の考えをお話したいと思います。

保育の現場で子どもたちをみていると、ひょっとして、これはもう私たち保育者の領域を、超えてしまっているのではないかと思うことがあります。そういうとき、その子の両親に「専門家にみていただいたら」と伝えたほうがいいのかと、迷うことが多々あります。どのように両親と接したらいいのかということを教えてください。（保母）

公立保育園の保母をやっております。今年受け持った一歳半で入ってきた女の子のことで、お聞きしたいことがあります。この子は四月の時点では、発達段階も遅れていて、まだ歩けなくてふにゃふにゃの状態でした。保健婦さんを通して育児相談を受けたらいかがですかと、私たちも働きかけをしましたけれど、あまりよく伝わりませんでした。どのようにして両親に伝えていったらいいでしょうか。

（保母）

自分にとってつらいことは、なかなか承認できません

第三者からみれば、だれがどうみても障害があって、問題を大変こじらせてしまっているというような子どもがいますね。そういう場合には、たぶん、保育園ではそのことを、両親に伝えられないだろうと思います。子どもに障害があるかもしれない、そういうことがわかっているのに、なにもできないという、なんともいえない、いらだたしさを感じますね。

私も長い臨床経験のなかで、忘れられない二人の子どもがいます。両親に障害の意味を伝えても、伝わらなかった、拒否されたということがあります。ですから、保育者のみなさんが伝えたとしても、もっと強い拒否にあうことがあるでしょうし、どうしても伝えられないことがあるだろうと思います。それもその人によるのですが、伝えにくい場合のほうが多いですね。「おたくのお子さん、ちょっと心配ですね」と、そういうことをすこしいうだけで、両親は防衛しますし、拒否するでしょうね。それは雰囲気でわかりますよ。

たいていの場合、両親は子どもの問題について気がついているのです。だけど、問題がないということにしたい、心配はないんだと思いたいのです。人間にはだれにでもそういう感情があるのです。

私が学生のころ、食道がんの専門の教授からこんな話を聞いたことがあります。「その人が

最初におやっと思ったとき、変だなと思ったときに、すぐに病院へきてくれれば、本当はいいんだけれど、すぐには病院にこないものなんです。患者さんというのは、そういうものなんですね」とおっしゃっていました。

たとえば、ある人がなにかを飲んだときに、喉《のど》につっかえる感じがしたとか、ちょっと胸がやけるような感じがしたという場合、その人は、つぎから喉《のど》につっかえそうもないもの、胸やけがしそうもないものを食べるというのです。その人はそういうふうにして、「ああ、大丈夫だった」と思いたいわけですね。そして、今までより、雑な食べ方をしないし、よくかんで食べますから、喉《のど》をすっと通るのです。

そのうちに、今度は酸っぱいものを食べたら、ちょっとしみた、すると「あれっ」とまた心配する。そうすると、それからは酢の物などは、けっして食べないようにする。そうすることによって、「まだ大丈夫だ」と思っていたいわけです。ところが、なんでもないものを食べてもやっぱりだめだから、いよいよ心配だということになって病院にくるから、そのときは、もう遅いということがあるそうです。人間には、自分がもっともおそれていることを認めたくないとか、逃げたいとかいう感情は、だれにでもあるんですね。

ですから、保育者のみなさんが、その子どもの障害について、両親にどのように伝えるかということは、大変にむずかしいことです。こういう場合、その子の両親が夫婦で信頼し合っているとか、親類に親しい人がいるとか、近所にいい友人などがたくさんいれば、不幸なことがあっても、それを受け入れやすいのです。

人間はふだんから自分の味方になってくれる人が、多ければ多いほど、相手を信じやすいのです。他の人を信じることができる人は、自分にも自信がありますから、自分にとって受け入れたくないと思うようなことでも、受け入れることができるのです。人間というのはそういうものですね。

ところが、ふだんから親しくしている知人や友人などがいなくて、孤独な人、あるいは孤立している人は、どうしても人間関係に不信感を持っています。ですから、他の人から自分や家族の不利なことは聞こうとしません。孤独や孤立状態にある人であればあるほど、たとえ、それが事実かもしれないと思っていても、受け入れようとはしませんね。子どもに障害があるかもしれないと思っている両親、とくに母親は、がんとして拒否しようとします。

たとえ、子どもの障害が母親の過失によるものでないとしても、きっと母親は自分を責めていると思うのです。日々、たった一人で思い悩んでいる母親に、「おたくのお子さんは障害があるかもしれない」と伝えても、なかなか受け入れてもらえないでしょうね。それどころか、その母親のまわりに、自分に味方をしてくれる人がいなかったら、どんどん孤独になり、孤立していってしまいます。

悲しみから立ち直るまでの心理過程について

哲学者で神父でもあるアルフォンス・デーケンさんが、人間が悲しみのどん底から立ち直るまでには、通常でも一年は必要だといっています。ですから、障害のある子どもを持った両親が、そのことをなかなか受け入れることができないのは、当然なのかもしれません。

デーケン神父は、人が悲しみのどん底から回復し、再生するまでの心理過程を研究して、いくつかの段階をへて、再生していくものだとおっしゃっています。その過程を、私なりに理解し、ご紹介したいと思います。たとえば、子どもの障害を伝えられたとき、両親はつぎのよう

な心理的過程をへて、受け入れることができるようになっていくのではないかと思います。

①愛するわが子の障害という事実に直面したとき、親は精神的衝撃のために、一時的に現実感覚が麻痺《まひ》する状態におちいってしまいます。

②子どもの障害という事実を受け入れることができません。そして、自分の子どもに、障害があるはずがないという思いが強くなり、障害を否定することができそうな事実にばかりに注目して、障害を直視しようとしませんし、診断を誤診であると信じこもうとします。この時期、ドクターショッピングと呼ばれていますが、つぎつぎと、医者をかえていくということが多くなります。

③時間の経過とともに、障害から目をそむけ続けることができなくなって、否認や拒否ができなくなる時期がきます。そういうとき、子どもに障害があるのか、ないのかなど、心配や不安で気持が混乱し、一種のパニック状態になってしまいます。

④パニックのような、混乱した状態が落ち着いてくると、だんだん子どもの問題も正確にみえてきます。それと同時に、自分たちの家族だけが苦しみを負わされたという、やり場のない怒りや、現実に対する受け入れがたい、不平等感を持ってしまいます。そういうときに、まわりの人が、不用意な対応をしますと、やり場のない怒りが激しくなります。

⑤障害児を持たない家族などへの、いわれのない嫉妬《しっと》、羨望《せんぼう》、敵意といった感情が生れ、その気持ちを、どう処理していったらいいのか、苦しむ時期になります。

⑥以上のような感情や心理状態の経過のなかで、問題を直視することができるようになり、冷静さを取りもどす段階になりますと、今度は、障害のある子どもの出生に、親として明らかな過失や原因など、なにもないのに飲酒、喫煙、過労、服薬などの過去の行為を点検して、悔

やんだり自分を責めたりして苦しみます。

⑦孤独感と抑うつ感情が大きくなってきます。この感情は悲しみの感情を克服するために、だれもが、かならず通る自然で健全な心理過程です。そしてこの時期には、自殺をしたり子どもを殺してしまうということも多いのです。あらゆる時期に適切な思いやりのある援助が必要ですが、この時期にはまわりの人の援助が、とくに大切であるといわれます。

⑧子どもを育てるという目標を見失った、うつろな気持ちに支配されます。そして、日常生活においては、なにをしたらよいのかわからなくなったり、なにもしたくない状態になります。この時期もやはり、周囲からの積極的な援助が必要です。

⑨あきらめから受容への時期になり、本格的な回復から再生の始まりとなります。デーケン神父によると「あきらめ」とは、自分のおかれた状況を「明らかにする」ことであり、けっして消極的な態度ではなく、むしろ勇気を持って、積極的に現実に直面するようになることです。

⑩新しい希望、そしてユーモアと笑いのある、健康的な生活がもどってきます。生活のなかにユーモアと、笑いがもどってきたということは、悲しみの過程を乗り切ったあかしでもあると思います。

⑪苦しみに満ちた過程をへて、新しい価値観や、より成熟した人格を持つ者として生まれ変わります。

障害のある子どもを持った両親は、このような心理的過程をへて、ありのままに、子どもを受け入れていくのだと思います。そういう両親の移り変わっていく気持ちを、ぜひ、みなさんに理解していただきたいと思っています。

どうやって伝えていけばいいのか

私は、東京の中野北保健所をふりだしに、横浜市の神奈川保健所や青葉保健所などたくさんの保健所で、三〇年ぐらい乳幼児健診をしてきました。その経験から思うことは、子どもが心配な問題を持っているときに、親が以前よりも、そのことを承認しにくくなってきたということです。そういうことは、年々むずかしくなって、現代はとくにむずかしくなりましたね。

たしかに三〇年前でも、「おたくのお子さんは、知能の発達が遅れていると思います」というようなことを伝えられたら、親にとっては、とてもショックで悲しいことです。涙を流される親も、たくさんいらっしゃいました。だけど以前の人たちは、じつに早く、そのことを認めることができました。

ところが、最近の親は、なかなか認めようとしませんね。「そんなことといったって、この子はこういうことができるんだから」「ああいうことができるんだ」というふうに、自分にとって不安なことや、不利なことは認めない、受け入れないという傾向が、だんだん強くなってきましたね。世の中にいるおおぜいの子どもたちのなかで、なぜ自分の子どもだけが、そんなことを、いわれなくてはならないのかという、被害的な意識を持ってしまうのです。たとえ、それが現実であっても、受け入れたくないという傾向が、とても強くなったのです。

そういう傾向は、一つには私たち現代の人たちが、親類や地域の人たちとの交流をいやがって、自分たちの家庭だけで生活するようになったため、ふだんから、親しくする知人や、友人を少なくしてしまったことによるのかもしれません。また、現代は人権とか平等とか、いろいろなものをとても大切にする、いい世の中になりました。その一方で、不平等感を感じるようなことに対しては、私たちは極度に、拒否と抵抗を示すようになったのではないでしょうか。

そして、私たちがそういう文化を、徐々につくってきたのかもしれませんね。

では、どのようにして、このようなことを伝えていけばいいのでしょうか。それは、「自分はこの人なら信じてもいい」と、親が私たちなど、相手を信頼できるような関係になってこないと、なかなか伝えられないと思います。人と人とが本当に、信じ合えるような関係を用意しながらしか、そういう問題は伝えられないのです。

よくいわれるのは、ピアカウンセリングといって、同じ苦しみや不安や悲しみを持っている人同士が、相談し合えるということがあります。同じ悩みを持ち合っているということで、信じ合えるし、理解しやすいし、親しくなりやすいので、人と人との結びつきができていくわけです。いろいろな人との結びつきのなかで、おたがいに悩みもうちあけられて、相手はわかってくれるという、信頼感を持つことができます。

まず、相手がわかってくれるということが大切なわけですね。そういう障害者同士、家族同士、親同士のピアカウンセリングによって、人との結びつきがちゃんとできたときなどは、あまり無理なく、自分自身の困難な問題を、受け入れやすくなってくるのです。そういう意味では、障害を持ったお子さんの親の会というのは、とても重要な機能をしているんですね。

一方で行政の側でも、子どもの障害を親に伝える場合、なにか制度をつくらなければいけないかもしれませんね。保育者が親に直接的に伝えるのではなく、巡回にきたリハビリテーションセンターの人とか、地域療育センターの人とか、保健所の人などが「おたくのお子さんについて、ちょっと心配なところがある」といっていましたから、私も心配なのでお伝えします、という言い方がいいかもしれません。そして、「念のために、あそこで受診されたらどうですかとも、話していました」という伝え方がいいと思いますね。

また、内科健診とか歯の健診とかを、子どもたちに受けさせるときがありましたら、そういうことにくわしい医師や、ソーシャルワーカーにきてもらって、心配な子どもたちを診てもらうこともいいかもしれません。そして「おたくのお子さんについて、ちょっと心配だといっていた」「こういうところへいって、こういう検査や診察を受けられたほうがいい」といわれましたけれど、「いかがですか」と、ひと言いってごらんになると、そのときの親の感触で、どう対応したらいいのかわかると思います。第三者がいうのは伝わりやすいのですけれど、保育者から伝えるのは、本当にむずかしいと思いますね。

たとえ「相談にいったらいかがですか」と、両親に伝えたとしても、親はなかなか相談にいかないものです。本当は不安でいけないのです。親が相談にいくときというのは、親がもう認めようという気持ちになったときだと思います。だから今は、早期診断のために、私たち専門の医者たちが保健所に出張相談にいくのです。

そうしますと、親は保健婦さんにつきそわれて、保健所まではくるようになってきますね。保健婦さんは地域で、家族の側に寄りそって活動をしていますから、それに保健婦さんは、けっして診断する人ではありませんから、親は安心して相談にいけるようになるのでしょうね。さらに、保健婦さんは、親がどれぐらい受け入れる準備ができているかなどを配慮しながら、保健所の出張相談に両親を連れてくるのです。そこへ私たち第三者が出向いていき、両親がそろっているところで、私たちが子どものことについて伝えていくのです。それを横浜市では療育相談と呼んでいます。

その場合に、両親の気持ちの状態をみるのが大切なことですね。残念なことに一時間ぐらいのセッションでは、信頼的な関係がつくりだせないで、うまくいかないこともあるのです。そういう場合には、診断を伝えることを保留します。保留するということは、私もわからないというようにして、「もう一度、三か月後にみせていただくと、問題があるかないかが、もっとよくわかるかもしれません」というふうにすることがあります。

そのとき、私たち医者には十分にわかっているけれど、あなた方が心配そうにしているから、伝えないんだというような気持ちが、両親に伝わったら、つぎからは、ほとんど相談にはきませんね。そういう配慮というのは大切なことなんです。相手がこちらを信じてくれるようになるまで待っている。あるいは、相手が信じてくれるように、どうふるまうか、どう対話をするかということが大切なんです。しかし、本当に大切なことは、伝え方の技術なんかではなくて、相手に対する思いやり、相手の立場に寄りそう姿勢なんです。そういう気持ちや感情のない人は、本来、こういう仕事は引き受けないほうがいいと思いますし、引き受けてはいけないでしょうね。

それから、私が診断する場合、夫婦そろったところで診断を伝えるようにしています。お母さん一人で聞いて帰るのに比べると、両親そろって、二人で聞いて帰るのとではまったくちがいます。二人でなら悲しみを半分にし合えると思うのです。それに極端な言い方ですけれど、保健婦さんが「自分は地域でこういう役割を、負っていますから援助しますよ、協力しますよ」といってくれれば、悲しみは三分の一になるのです。ですから、お母さんの悲しみのわかる人のいるところで、たいてい伝えているのです。このことはとても大切なことです。困難なことを受け入れる、それに立ち向かう、そういう勇気は親しい人や理解し合える人々との、日常的な関係のなかから、わきあがってくるものだと思います。

子どもの障害を親が受け入れるまで

私の子どもはＩＱ七五で、知的障害と感覚統合障害をともなう子どもです。佐々木先生のおっしゃる「今できなくても、いつかできるようになるのを待ってあげること」「子どもの願いをかなえてあげる幸せを感じること」は、親の喜びであると思います。しかし、ハンディキャップを持つ子に対しての、期待でなく、できるようにならないことへの静かな悲しみ、この子になにもしてあげることのできない悲しみは、どう心づもりをしていいのか思い悩んでいます。

（一一歳と八歳の子の母親）

子どもの障害を受け入れることのむずかしさ

大変むずかしい問題ですね。私も横浜市の総合リハビリテーションセンターで毎週木曜日に診療や相談をしています。私に与えられている役割のおもなものは、保健所でこの子はむずかしい、なにか心配だ、遅れがある、障害がありそうだと感じて、両親にそれを伝えようとしても伝わらないという人に、うまく伝えるというのが私の役目なんです。保健婦さんとお母さん、ないしは両親がお子さんを連れていらっしゃいますが、これは非常につらい大変な役割です。じつは、今夜こちらでお話をする直前まで、神奈川保健所でも同じような仕事をしてまいりました。今日はお母さんだけでしたが、「ちょっと心配があります」という程度にして、問題のすべてを伝えることを保留しました。そして来月に、今度は夫婦そろっておいでいただいて、そのときは伝えようと思っています。

こういう子どもを持ったことのない私たちには、ひょっとしたら、両親の気持ちが理解できないのかもしれません。だけど、私は職業上、理解をできるだけしたいと思って、いろいろな勉強をしています。そのなかでも大江健三郎さんの最近の著作なんかをよく読むのです。みなさんも非常に関心がおありだから、きっと共通の話題になると思うのです。

昨日は保母さんの会で倉敷にいて、一昨日は福山にいたのですが、岡山空港から飛行機で帰ってくるときに、『恢復する家族』という本を読んでいました。奥さんの挿絵が入っていて、とてもいい本です。大江健三郎さんの本は、読みにくい本もいっぱいありますが、これは読みやすい本でした。

その本のなかで、光さんのことをたくさん書いていらっしゃいます。家族がいやされるという意味合いもふくめた本ですが、そのなかで、大江健三郎さんは勇気をもって告白していらっしゃるなと思った箇所がありました。最初のお子さんの光さんが生まれたときに、大江さんはたしか二五、六歳ですよね、若い父親です。その子どもが脳ヘルニアという重い脳の障害を持って生まれました。ヘルニアというのは、あるところからあるものが、脱出することをヘルニアというのです。

それは早い時期に手術をしなければ、お子さんは一〇〇%亡くなる、こういう診断を医師から、大江健三郎さんは、まず告げられます。ついで、手術がたとえ成功しても、重い障害を残します、「どうしますか」ということを、主治医から問いかけられるわけです。主治医は、日本大学の森安先生という、高名な脳外科医であります。

その森安先生についての思い出も、いろいろと書いていらっしゃるのですね。森安先生はお亡くなりになりましたが、亡くなったあとに、奥様が先生の日記帳を発見して、それに大江健三郎さんのことが書いてあったのです。それで、奥様は大江さんにそれをみせてくださったのですね。その日記には、高名な作家になった大江さんに、日大の医学部の学生に講義してもらったとか、そのほかにも、いろいろなことが書かれていたとのことです。

大江さんはその日記のなかから、重要な部分を引用していらっしゃるのです。森安先生の日記の最初には、「某月某日、若い作家が自分の子どもの手術をやっと承諾した」と書かれていました。大江さんは「やっと承諾した」と、日記に書かれているところを引用しまして、手術をためらった時期があったということを、ふり返っているのですね。

そのとき、手術をためらったということは、みなさん、どういうことでしょうか。これが、たとえば、腸念転《ちょうねんてん》かなんかの病気だと、早く手術しないと亡くなる。ですから、いそいで手術をしてくださいと、だれもがいうでしょうね。ところが、ためらったことがあったと書いていらっしゃるのですね。この子はこのまま、死なせてあげたほうがいいのかなと、思ったことがあったということでしょうか。手術をしなければ一〇〇％亡くなるのです。そして、手術をしても重い後遺症を残すのです。ですから、その手術をためらったのでしょう。

それぐらい、心身障害の子どもを持つ決心をするということは、大変なことだろうと私は思います。しかも、子どもが小さいということは、人生の経験が十分できているとはいえない時

期の若い親なのです。将来の生活の見通しなど、いろいろなものが不透明で不安定なときです。自分の子どもの障害を承認するということは、どれほど大きな不安でしょうか。

承認すれば障害が固定するわけでもないし、承認しなければ障害が消えるものでもないですが、おそらく、消えてほしいというのは親の願いでしょうね。もっといえば、大江健三郎さんは、そう書いていらっしゃらないですけれど、そういうことを本のなかに、おもいきって書いていらっしゃるということは、この子は死なせてあげたほうが幸せかなということを、ちらっと思われたということでしょうか。あるいは、何日かためらわれたのですね。そういうことは、おそらく、どの親にもあることだろうと思うのです。

親が受け入れられるまで待っていてください

今日、お会いしたお母さんもそうでした。子どもの状態を基本的には承認したくない、承認してしまえば、子どもの障害がはっきりしてしまうのです。承認しないうちは、まだ回復の見込みがあるかもしれないと思えるのでしょうね。けれども、障害がなくなる見込みがあるということじゃないんです。第三者からみれば、そんなことではないのですけれど、親の気持ちとしては、そういうものと思うのです。

私もたくさんの家族の人に出会ってきて、多くのことを経験し学びました。多くの親は承認してしまったあとでも、本格的なリハビリテーションや、障害児療育が始まったあとでも、何回も夢をみるそうです。その夢はどの親も共通してみる夢なんだそうですが、あるとき、子どもがなんの障害もない状態になっている。「あれ、よかった」と思っていると、ぱっと目がさめて、わきに寝ている子どもは重い障害のままだった。そういう夢を何度もみると、ほとんどの両親がおっしゃっています。親というのは、そういうものなんだなと思います。

私は東京女子医大病院の小児科でも仕事をしておりましたが、あそこに不治の病で入院する子がいっぱいいます。おたくの子どもはがんですとか、あるいは治療の方法がない、病状は進む一方で、長くは生きられない病気ですとか、そういうことを専門医が家族に伝えるのです。その後、家族の人がいろいろ不安を持たれた場合には、私たちのような精神科の医者がフォローしていくことになります。

たとえば、腎臓にがんがあります、このがんは肝臓に転移している。病気は進行していて、手術をしても一年、手術をしなければ半年の命です、こんなことを家族に医者は伝えます。そういう場合には、おたくのお子さんは知的障害かもしれないとか、脳性麻痺《まひ》のお子さんかもしれないといわれるときとはちがって、家族の人はどなたも、いちおう反論しないで受け止められます。

あとで、私たちが会っていろいろと聞いてみますと、どんな偉い先生だって、誤診があるんだと思うというのです。誤診にすがるというわけです、わかりますよね。今までの子どもは、全部そうだったかもしれないけれど、自分の子どもは最初の奇跡、あるいは最初の例外が起きるかもしれない、こういうことにも夢を託すのです。「親ってそういうものですよ」とおっしゃいます。それはそうだろうと思うのです。

障害児であるということを認めるということは、ある意味では、子どもの精神的な死を意味するとおっしゃった人もいます。子どもは精神的に死んだのだ、少なくとも親の側からは、なんの期待もできない子どもなんだと。別の言葉でいいますと、今後、親には義務ばかりが続いて、子どもに期待をするとか、夢を託すとか、喜びをみつけるということはいっさいなくなって、ただ義務ばかりという気持ちになるものですよ、とおっしゃっています。そうかもしれませんね。障害のある子どもとか、難病を持った子どものときは、そうでしょうね。私たち親というのは、親になった瞬間に、一般に子どもにいろいろな期待を持つものです。

ところが、子どもを幸せにする喜びというのを、あまり私たちは感じなくなっているのですね。子どもにこういうことをしてあげると、幸せにしてあげられるという喜びを感じないで、親の思い通りのことを子どもに期待して、子どもがその通りにしてくれることを、喜ぶ親がふえていると思いますね。もちろん、ピアノを習わせるとか、スイミングスクールにいかせるとか、学習塾で勉強するとか、それはそれで、子どもが幸せになるのならいいんですけれど、実際は、子どもはきゅうきゅうとして、苦痛を感じているということがあったりするのです。

ですから、重い知的障害だから、この子は不幸だと思うのではなく、親としてこの子が幸せに生きられるように、最大限の努力をしてあげたら、もう立派に親の役割を果たしていることになると、私は思うのです。そして、そういう親としての生きがいもあると思います。一般的な意味では、この子に親として期待はできない、だけど、この子を幸せにしてあげることは、いくらでもできるわけです。それが本当は、親の本来の役割だと、私は思っています。

大江健三郎さんの本に、「しょうがない、やってみよう」という章があります。しょうがない、やってみようという気持ちに、どの親でもかならずなるものじゃないでしょうか、ということをおっしゃっていると思うのです。そういうところがあると思うのです。その気持ちを、私たち障害者の親ではない者がどう理解できるか、どう共感できるかというところを、努力してくぐりぬけていかないと、いい信頼関係のあるカウンセリングをするとか、療育相談をするとか、その子どもを預かって保育をするとか、そういうことはできないのかもしれませんね。

おそらく、多くの親は子どもの状態を承認することをとてもおそれて、拒否していても、本当は実感として受け止めていると思うのです。本来、親というものは、子どもにささいな問題があっても、医者のところにとんでいきたいものです。ところが医者にいっても、どうしようもない問題なんだということが予測できて、しかも深刻な問題だということが予感できるときには、まず、そのことを明らかにするのを、先送りにしようとするものなんです。これは人間にはだれにもあることなんですね。

なんでもないと思うお母さんたちは、定期健診にどんどん子どもを連れてくるんですよ。おそらく、この子はなんでもないだろうと思う親は、四か月健診、一歳半健診、三歳健診で診てもらい、「ああ、やっぱりなんでもなかった」と思って帰ろうとするのです。もしかしたら「この子は障害があるかもしれない」と思うお母さんは、健診に連れてこられないわけです。私たちが、たとえば、食道がんかもしれないと疑いを持ったときに、病院にいきにくいのと相《あい》通《つう》じるところがありまして、深刻な問題が予測されて、しかも、それが簡単に治らないという場合には、病院にはいきにくいものです。絶対に治す方法があれば、親はいくつもの病院を積極的に訪問してまわります。

そういうふうに、その時期をどのようにしながら、まわりの人が見守ってあげられるかというのは、私は大事なことのように思うのです。若い作家がやっと息子の手術に同意したということを、森安先生が日記に書いたときの、森安先生が大江さんのご家族に対していだかれた、賞賛をこめた安堵《あんど》の気持ちは、これは実感として私はわかる気がします。「手術しなかったら死ぬんだ、一刻も早いほうがいいんだ」とか、いろいろといわないでその間はじっと待っていてあげる、待っていてあげる度量というか、ゆとりを私たちは期待されているのではないかと思うのです。

私は大江健三郎さんの著作の愛読者です。そればかりか、ご家族の生き方から臨床医としても、じつに多くのことを教えられ続けてきました。「しょうがない、やってみよう」と決断されてからの、大江さん一家の「再生」の日々は、私たちには、はかりしれない苦難があったでしょうが、素晴らしく力強い創造の日々であったという思いにさせられます。そして、多くの人びとに、生きる勇気や希望や励ましを与えたものでしょう。

私もこういう領域で仕事をする臨床医として、そういう力を与えられ続けてきました。また、それ以外の多くの無名の障害児のいる家族の人びとからも、同じような励ましや生きがいを与えられ続けてきました。そういう人びとと共生する喜びを分かち合えるということが、この仕事を長い歳月にわたって続けてこられたことの原動力でもあったと思います。自分の家庭や職場での小さな悩みなど、いつも吹きとばしてくれるものでした。

あとがき

一九九八年にだしました『子どもへのまなざし』は、本当に思いもかけないほど多くの人に読んでいただくことになりました。この本は横浜市の保育者との勉強会で、求められるままにお話をしてきた講義の、速記録をまとめたものでしたから、これほど多くの人に読まれているということに、大変驚きました。

また、それ以上に驚きであったことは、非常に多くの人からのお手紙や、お葉書によるご意見やご感想をいただいたことでした。たいていはご好意のあるものでしたが、なかには育児についての熱心な質問や、深刻な悩みをうちあけられたものまで、多種多様な反響がありました。そのなかには、すぐに質問や悩みに対して、お返事をさしあげなければならないものもありました。さしせまった質問に対しては、できるかぎりのことはしてきたつもりでいます。しかし、本当はもっと多くの方々に直接、お返事をさしあげるのがよかったと、今でも考えることがありますが、多忙と体力の問題があって、それも思うにまかせられなかったことを、とても残念に思っております。

そんな状況のなかで、前著でもお世話になった福音館書店編集部の佐藤勉さんが、今回もいっそうの励ましと協力を申し出てくれました。寄せられた大変な数の手紙や葉書のなかから、やはり多数の質問や悩みを、いくつかの領域に分類をして、読者に代わって私に質問をしながら、ノートや録音をとってくれたのです。そして多くの章や項で、ほとんど完成原稿に近いところまで仕上げてくれました。

そしてなによりも、本著『続　子どもへのまなざし』をつくる契機となったのは、『子どもへのまなざし』をご愛読くださった、とても多くの読者のみなさんです。さらに、ご好意のあふれたご意見やご感想、それに熱心な質問をくださった読者の方々です。本当に心からお礼を申し上げます。

自分の小さな発言が、これだけ多くの人たちから見守られているということを実感して、児童精神医学の臨床者としては、本当に医者冥利《みょうり》に尽きる思いでおりますが、一方では、育児について真剣に取り組み、ときには大きな悩みを抱えこんでしまう事態になっている人たちと、本書を通して面と向かい合うことにもなるのだと思うと、思わず身が引き締まる思いにもなります。

ありがとうございました、ご愛読くださったみなさん。このたびもまた表紙や挿絵では、山脇百合子さんがご協力してくださいました。このように、人々の心をほっとなごませてくれる絵をいただきますと、本の内容が深みを増すような気持ちになります。ありがとうございました、山脇さん。

二〇〇〇年一〇月　倉敷市二子にて

佐々木正美

佐々木正美（ささき・まさみ）

一九三五年、前橋市に生まれる。幼児期は東京で育ち、第二次世界大戦中に滋賀県の農村に疎開し、そこで小学校三年から高校まで過ごす。高校卒業と同時に単身で上京し、信用金庫などで六年間働いたのち、一九六二年、新潟大学医学部医学科に編入学し、一九六六年、同校を卒業。その後、東京大学で精神医学を学び、同愛記念病院に勤める。

一九六九年、ブリティシュ・コロンビア大学に留学し、児童精神医学の臨床訓練をうける。帰国後、国立秩父学園を経て、小児療育相談センター（横浜市）に二〇年勤める。この間、東京大学精神科、東京女子医科大学小児科、お茶の水女子大学児童学科で講師を勤め、ノースカロライナ大学精神科ＴＥＡＣＨ（自閉症治療教育プログラム）部に学びながら共同研究に協力して二〇年になる。専攻は、児童青年精神医学、ライフサイクル精神保健、医療福祉学。

現在、川崎医療福祉大学教授（岡山県）、横浜市リハビリテーション事業団参与、ノースカロライナ大学臨床教授。著書に『児童精神医学の臨床』（ぶどう社）、『自閉症療育ハンドブック』（学研）、『エリクソンとの散歩』（子育て協会）、『子どもへのまなざし』（福音館書店）、『お母さんが好き、自分が好きと言える子に』（企画室）など多数。二〇一七年六月永眠。

本書は、『子どもへのまなざし』をお読みいただいた、読者のみなさんのさまざまなご質問にそって、編集部で質問の項目をまとめました。そして、佐々木先生にインタビューをしながら質問にお答えいただきました。さらに、横浜市公私立保育自主勉強会での講演をはじめ、各地での講演会で佐々木先生がお話をした速記録のなかからも補足し加筆いたしました。また、現在、保育士という呼称が一般的になっておりますが、本書では、保母あるいは保育者という言い方をしております。おわりにひと言、『続　子どもへのまなざし』の出版の強い原動力になりましたのは、ご好意あふれる読者のみなさんのお手紙や読者カードでした。ありがとうございます。　編集部

続　子どもへのまなざし

NDC599　384ページ　21×16cm
ISBN4-8340-1732-X

発行日　二〇〇一年二月二八日　初版発行
　　　　二〇二四年二月二〇日　第三一刷

著者　佐々木正美
画家　山脇百合子
デザイン　安富映玲奈
発行所　株式会社　福音館書店
〒一一三-八六八六
東京都文京区本駒込六-六-三
電話　〇三-三九四二-一二二六（営業）
　　　〇三-三九四二-六〇一一（編集）

印刷　精興社
製本　積信堂

https://www.fukuinkan.co.jp/